中国纳税百强年鉴

CHINA TOP100 CORPORATION & INSTITUTION
TAXPAYERS YEARBOOK

2009年卷

中国财政经济出版社

《中国纳税百强年鉴》

CHINA TOP100 CORPORATION & INSTITUTION TAXPAYERS YEARBOOK

东风汽车公司

中国电信集团公司

中国光大银行

国家烟草专卖局（中国烟草总公司）

特别致谢

TEBIE ZHIXIE

中国石油天然气集团公司

中国石油化工集团公司

向纳税英雄

XIANG NA SHUI YINGXIONG
ZHI JING!

税收乃国力血脉，
经济为税收源泉，
做大中国财政蛋糕主要依靠的
是一大批实力雄厚的纳税大企业。
依靠的是他们对
中国经济的卓越贡献。

致敬！

中华人民共和国财政部税政司
中国财政经济出版社
《中国纳税百强年鉴》编辑部

前　言

税收是国家组织财政收入、实施宏观调控和调节收入分配的重要物质基础和政策工具。胡锦涛同志曾经指出："税收作为国家财政收入的主要形式，它不仅是财政收入的稳定、可靠的来源，而且是国家经济政策的重要体现，它对经济社会运行、资源配置和收入分配也具有重要的调节作用。"

近年来，税收收入持续增长，税收规模不断扩大，国家财政实力明显增强。这为逐步建立完善的公共财政制度和深化财税体制改革，为促进经济结构调整和社会协调发展奠定了坚实的物质基础。这些成绩的取得，是党中央、国务院正确领导和财税战线全体同志共同努力的结果，更是全国千百万纳税人通过依法诚信纳税为国家作出的贡献，其中纳税大户的贡献尤其突出。

为大力宣扬纳税大户对国家和社会所作出的突出贡献，客观反映企业纳税实际，展现企业综合实力，树立先进榜样，形成依法诚信纳税的良好社会氛围，我们依托国家权威部门提供的有关数据信息，组织编写了《中国纳税百强年鉴》，将各行各业纳税大户的纳税贡献载入共和国的发展史。

《中国纳税百强年鉴》自2005年创刊以来，已连续出版了4卷，本卷为第5卷。《中国纳税百强年鉴》（2009年卷）收录了2008年中国境内各类企业的纳税总排行榜（前500名）、全国上市企业纳税排行榜（前500名）、全国国有企业纳税排行榜（前500名）、全国外商投资企业纳税排行榜（前500名）、全国分地区企业纳税排行榜（前100名）、全国分行业企业纳税排行榜（前100名）。各排行榜企业纳税数据根据全国税收资料调查和企业所得税税源调查数据整理而成。

《中国纳税百强年鉴》在编辑过程中，得到了财政部领导和有关司局的热情关怀，得到了有关企事业单位的大力支持，在此，我们向他们表示衷心的感谢！

由于我们的水平有限，本书如有错误和疏漏，还望广大读者批评指正。

编者

二〇〇九年十二月

中国石化

——认真履行社会责任　努力促进社会和谐

中国石化是集石油勘探开发、炼油、化工及产品营销于一体的能源化工企业，是全球第三大炼油商，第六大石化公司，中国最大的成品油和石化产品营销商、进口原油贸易商及第二大原油生产商，在《财富》2009年度全球500强企业中排名第9位，在中企联2009年中国企业500强排名中位列榜首。中国石化每年向社会提供三千多万吨的化工原料，满足老百姓的衣食住行需要。通过近三万座加油站及销售网络每年为消费者提供一亿两千多万吨的成品油，每天向上千万车辆提供全方位的服务。

多年来，中国石化始终坚持企业经济责任、政治责任、社会责任的有机统一，按照对员工负责、对社会负责、对人类的共同利益和生存环境负责的总要求，在不断加快发展、追求经济总量和效益最大化的同时，认真履行企业社会责任，积极推进企业和社会和谐发展。在履行企业社会责任的过程中，中国石化坚持从自身实际出发，始终把着力点放在以下方面：

（一）持续稳定地为社会提供能源及服务

中国石化坚持把为社会和公众提供优质能源及服务作为公司的最大责任，多年来始终把资源战略放在首位，不断加大国内勘探开发力度，积极实施“走出去”战略，努力发现和开发更多的油气资源，保障国家经济社会发展的需要。在国内，中国石化把勘探开发领域从东部扩展到西部、南方和海域，每年用于勘探的投入已超过100亿元，登记区块扩大到了100万平方公里以上，油气资源量近几年已增加了三倍，大大拓展了发展空间。特别是近年来国内局部地区出现油品供需失衡的情况下，中国石化及时采取措施稳定市场供应，充

GGUO SHIHUA

分发挥了成品油主渠道作用。在海外，中国石化注重抓住机遇，积极开展油气勘探开发，初步形成了较为合理的海外勘探和开发布局。在开拓海外业务时，中国石化注重保护环境、关心民生，积极支持当地经济社会发展，赢得了当地政府及非政府组织的普遍赞誉。

（二）千方百计地节约能源资源

近年来，中国石化对已有装置实施了大规模技术改造，关停了一批消耗高、污染重、技术落后的小炼油、小化工装置，有效促进了生产装置的大型化、集约化和产业结构的优化升级，实现了能源资源消耗的大幅度降低。公司全面推广了国家级的重点节能技术，研发推广了一系列实用节能技术，2006-2008年在节能减排改造项目上已累计投资114亿元。同时，公司充分发挥上中下游一体化优势，大力推广循环经济，促进资源优化配置和再利用。通过以上措施，公司在生产经营总量持续增长的同时，整体能耗物耗水平逐年降低。2006-2008年在工业总产值增长58.9%的发展形势下，万元产值综合能耗降低了14.3%；外排废水减少了21.5%，危险废物妥善处理率达到100%，加工吨原油取水量下降了39.8%。在原油平均硫含量上升16.7%的情况下，二氧化硫排放量降低了19.8%。

（三）坚持不懈推进健康、安全、环境(HSE)一体化管理

中国石化每年在安排投资计划时，都将隐患治理放在第一位。近三年来，先后有重点地完成各类隐患治理项目1200多项，提高了装置设施的本质安全水平，公司的事故发生率逐年下降，事故和自然灾害的赔偿记录远低于商业保险公司的记录。公司严格执行有关法令和规章，坚持安全、环保、卫生等技术措施与主体工程同时设计、同时施工、同时投入使用，努力把缺陷和隐患消灭在源头。公司每年安排环境治理专项资金4-5亿元，解决与现有国家相关标准规定和要求不相适应的环保问题，取得了良好效果。公司始终重视职业卫生管理，保护员工身体健康，目前有毒有害岗位检测覆盖率已达98%以上，在岗员工职业病发病率控制在0.1‰以下。

（四）全面推行清洁生产和生产清洁产品

国家《清洁生产促进法》颁布后，中国石化结合自身实际制定了严于国家标准的《清洁生产企业标准》，全面启动了清洁生产和生产清洁产品工作。到目前，已经有12家企业、51套生产装置达到了标准，通过了验收。为保护环境、节约能源，公司制定实施了熄灭“火炬”计划。目前所属炼化生产装置中，95%以上的火炬已经熄灭，每年可减少二氧化碳排放近400万吨。

在生产清洁产品方面，公司近几年累计投入近400亿元改造生产装置，开发清洁燃料和可再生能源的生产技术。从2005年7月1日起，公司在全国率先全面实现新标准汽柴油生产，向北京市提供符合欧Ⅲ排放标准的汽油产品，2008年开始向北京市场提供符合欧Ⅳ排放标准的汽油产品。2009年10月，向上海市提供符合国Ⅳ排放标准的汽油产品，2009年12月31日，向浙江、江苏、广东、天津等12个省市全面提供符合国Ⅲ排放标准的汽油产品。

中国石化

ZHON

NGGUO SHIHUA

长安街

（五）积极参与公益事业，推动和谐社会建设

中国石化持续赞助“健康快车光明行”活动，累计向健康快车基金会捐赠人民币7540万元，为贫困地区白内障患者送去光明。由中国石化赞助的“健康快车”开进了西藏、新疆、青海等10几个省区的边远贫困地方，已免费救治了12981名白内障患者。中国石化积极参与扶贫援藏计划，先后向贫困地区及西藏地区投入超过12亿元，帮助修建基础设施、发展地方经济及开展各种救灾活动。中国石化资助“春蕾计划”，近四年来已出资3206.9万元，使近8万人次的失、辍学女童重返校园。此外，中国石化还热心公益文化事业，成为北京奥运会合作伙伴，赞助第十届、第十一届全运会，多次向中国残疾人基金会、中国少年儿童基金会等机构捐款，积极赞助中美、中法、中俄等文化交流活动。2007年，中国石化在中国“2007十大慈善企业”中位居榜首。2008年，科技部、国务院国资委和中华全国总工会授予我们“创新型企业”称号。国务院扶贫领导小组授予我们“中央国家机关等单位定点扶贫先进单位”称号。2009年9月19日，由新华网主办、国内专家和亿万网共同评选，中国石化荣获了履行企业社会责任的“杰出企业奖”，集团公司总经理苏树林先生荣获履行企业社会责任的“杰出人物奖”。

中国石化

ZHON

海南大炼油项目

国家储备油库

鸟巢沥青摊铺

中国石化

希望小学

GGUO SHIHUA

雪龙1

中国石化

中国石化冠名的健康快车奔赴内蒙古呼伦贝尔

GGUO SHIHUA

中国石化生产调度指挥中心

商务领航
BizNavigator
远见成就价值
融合信息应用 远见成就价值
中国电信商务领航，凭借固话、移动、互联网的全网融合优势，为企业提供完善的话音、数据、视频综合信息应用，以专家级ICT整体解决方案和全业务一站式服务体系，全力提升企业信息化水平，成就更大价值。
网管专家服务
灾难备份服务
视频应用
ICT整体解决方案
信息化规划咨询服务
固定、移动、互联网融合通信
网络安全专家服务
网络及IT维护外包服务
全业务一站式服务
EXPO 2010 SHANGHAI CHINA
中国电信 CHINA TELECOM
中国2010年上海世博会全球合作伙伴
用户至上 用心服务 Customer First Service Foremost
www.ct10000.com
客户服务热线 Customer Hotline 10000

天翼
surfing
3G互联网手机
天翼 带你畅游3G
3G 让上网搜索
更加简单
3G 让手机办公
轻松自如
3G 让即时通讯
随时随地
Google(谷歌)全球副总裁
大中华区总裁
网易 创始人兼 CEO
销售及在线服务微软大中华区总经理
MSN中国总裁
中国电信
CHINA TELECOM
世界触手可及
用户至上 用心服务 Customer First Service Foremost
www.ct10000.com
客户服务热线
Customer Hotline
10000

天翼
surfing
3G互联网手机
无线宽带
激情互联生活
一号双卡，畅快同享
一号双卡：同时满足手机、电脑两种应用。
自动登录：无需输入帐号、密码，轻松便捷。
无缝覆盖：WLAN、3G和1X三种接入方式，网络无处不在。
一号尽享：一个号码满足通话、邮箱、聊天、上网、无线宽带、海量增值服务。
中国电信
CHINA TELECOM
世界触手可及
用户至上 用心服务 Customer First Service Foremost
www.ct10000.com
客户服务热线
Customer Hotline

EXPO 2010 SHANGHAI CHINA
中国电信
CHINA TELECOM
中国2010年上海世博会全球合作伙伴
网上营业厅 - Windows Internet Explorer
网上营业厅
e-Customer Service Center
首页
商务领航
我的e家
天翼
最新动态
业务介绍
自助服务
手机专区
帮助与支持
关于我们
"自助服务"
费用查询
购买充值卡
充值交费
业务办理
中国电信网上营业厅
www.ct10000.com
轻松一键交费，网上永不排队
还在把时间浪费在排队上么？到中国电信网上营业厅交费吧！足不出户，便可将充值交费、费用查询、业务办理等轻松搞定，便捷安全，让您更安心！从此甩掉排队的烦恼，尽享更多休闲时光！
用户至上 用心服务 Customer First Service Foremost
www.ct10000.com
客户服务热线 Customer Hotline 10000

号码百事通
Best Tone
订酒店
订餐
118114
114
订机票
酒店
订机票
订餐
码百事通118114／114，订机票、订酒店、订餐、订鲜花、
特产、订世博门票……优惠超值，便捷随心
号码百事通，订房、订票、订餐……优惠超值，便捷随心！
生活信息查询、地图搜索、定位导航、查询转接、通信助理……方便快捷，超乎想象！
随时拨打1118114／114号码百事通，或登陆www.118114.cn(互联网)、wap.118114.cn(手机)享受精彩！
EXPO
2010
SHANGHAI CHINA
中国电信
CHINA TELECOM
中国2010年上海世博会全球合作伙伴
用户至上 用心服务 Customer First Service Foremost
www.ct10000.com
客户服务热线
Customer Hotline
10000

2009年3月10日至11日，中国共产党东风汽车公司第八次党员代表大会在武汉隆重召开，图为大会场景。

2009年9月21日，东风公司建设40周年大型庆典晚会在东风体育馆举行。

2009年10月1日，83辆东风整车参加国庆大阅兵。

2009年1月9日，东风1.5吨级高机动性越野汽车（东风“猛士”）的研制获“国家科技进步奖”一等奖。

东风汽车公司
DONGFENG MOTOR CORPORATION

东风汽车公司（以下简称公司）始建于1969年，是中国特大型骨干企业之一，主要基地分布在十堰、襄樊、武汉、广州等地，总部设在武汉。主营业务涵盖全系列商用车、乘用车、零部件和汽车装备。

公司以“把东风打造成为国内最强、国际一流的汽车制造商；创造同业中国际居前、中国领先的盈利率；实现可持续成长，为股东、员工和社会长期创造价值”为事业梦想，以“建设永续发展的百年东风，面向世界的国际化东风，在开放中自主发展的东风”为愿景，以“三个跨越，一方和谐”为奋斗目标，致力于把一个自主开放、可持续发展、具有国际竞争力的东风汽车公司推向世界。

2009年9月21日，第500万辆东风品牌商用车——东风天龙从东风商用车总装配厂下线。

2009年6月30日，东风公司首款自主乘用车产品东风风神S30在东风乘用车公司武汉工厂总装车间隆重下线。

2009年8月19日，东风本田汽车有限公司在武汉隆重举行第50万辆车暨思铂睿下线仪式。

国家专利化试点基地揭牌仪式

2009年，公司积极应对国际金融危机，加快转变发展方式，加强自主创新，使各项事业全面迈上了新台阶。公司全年销售汽车189.8万辆，同比增长43.6%，实现销售收入2564亿元，同比增长30.2%，各项指标均创历史最好水平。

国资委考核指标超额完成。按国资委考核口径，实现利润91.5亿元（比例合并报表），净资产收益率为22.4%，成本费用总额占主营业务收入比重为93.3%，流动资产周转率达到1.98次。四大指标完成情况均好于考核目标。

自主品牌乘用车新事业首战告捷。武汉工厂一期工程建成投产，8万辆能力初步形成。首款东风风神轿车实现成功上市，全年销售2万辆。

节能减排阶段性目标全面达成。与2005年相比，公司万元增加值能耗、COD、SO2排放分别下降或减少36.3%、25.4%、34.9%。超额完成国资委下达的阶段性考核目标。

东风汽车公司
DONGFENG MOTOR CORPORATION

东风标致 408

东风雪铁龙 C5

东风悦达·起亚 赛拉图 欧风

东风 风行景逸

东风 HONDA 新思域 CIVIC

东风日产 天籁

东风 天龙

东风 猛士

东风 风圣

东风 大力神

东风风神 H30

东风 金霸

东风 HONDA CR-V

东风日产 奇骏

东风 小康新3U金钻

东风 纯电动 旅游观光车

Bank
中国光大银行
CHINA EVERBRIGHT BANK
大地之爱
LOVE OF MOTHER
"大地之爱·母亲水窖"专项基金
■ 主办单位：中国妇女发展基金会
■ 合作伙伴：中国光大银行
五年时间捐建万口水窖
点滴积累彰显社会责任
刷"母亲水窖·爱心信用卡"
每刷一次，光大银行就按消费额的1‰向西部缺水家庭捐款
您也可自选自助捐款功能，每成功消费一笔自动捐赠1元钱
中国妇女发展基金会捐赠热线：010-65103488

关于2008年度中国纳税百强企业数据的有关说明

2008年度纳税百强企业排行榜包括中国纳税企业500强排行榜（总排名）、外商（含港澳台）投资企业纳税500强排行榜、上市公司纳税500强排行榜、国有企业纳税500强排行榜、35个行业企业纳税100强排行榜、31个省（自治区、直辖市）企业纳税100强排行榜。

一、本排行榜使用纳入全国（不含香港、澳门、台湾）税收资料调查和企业所得税税源调查企业的相关数据。

二、本排行榜企业行业分类，使用《中华人民共和国国民经济行业分类》（GB/T4754－2002）标准。

三、本排行榜企业地区分类，使用《中华人民共和国行政区划代码》（GB/T2260－2002）标准。

四、本排行榜企业经济类型分类，使用国家统计局和国家工商行政管理总局2001年《关于划分企业登记注册类型的规定》标准。

五、本排行榜企业的实纳税额，为企业排名年度实际缴纳的增值税、消费税、营业税、企业所得税、地方税、车辆购置税、进口环节增值税、进口环节消费税、进出口关税之和减去代扣代缴证券交易印花税、出口退税、增值税先征后退、企业所得税返还等退税额后的余额。

编　者

一、2008 年度全国纳税五百强企业排行榜

单位：万元

序号	企业代码	企业名称	地区	实纳税额
1	110102100003962	中国工商银行股份有限公司	11	4229629
2	230690716675409	大庆油田有限责任公司	23	4229138
3	110108100005474	中国农业银行	11	2853104
4	370502723856718	中国石油化工股份有限公司胜利油田分公司	37	2691386
5	430102740640740	湖南中烟工业有限责任公司	43	2533453
6	110102100001342	中国银行股份有限公司	11	2209954
7	310043132200434	上海烟草（集团）公司	31	2069451
8	53040121766326X	红塔烟草（集团）有限责任公司	53	2040335
9	530102781651462	红云烟草（集团）有限责任公司	53	1891234
10	120118712824649	中海石油（中国）有限公司	12	1728116
11	330201793017426	中国石油化工股份有限公司镇海炼化分公司	33	1679786
12	110102000018454	国家开发银行	11	1661641
13	310046631696382	宝山钢铁股份有限公司	31	1497363
14	330194142916794	浙江中烟工业有限责任公司	33	1445180
15	11010571785912X	梅赛德斯－奔驰（中国）汽车销售有限公司	11	1409985
16	420104757009410	湖北中烟工业有限责任公司	42	1312584
17	440901722484553	中国石油化工股份有限公司茂名分公司	44	1197013
18	650200715597998	中国石油天然气股份有限公司新疆油田分公司	65	1188673
19	41010575714492X	河南中烟工业公司	41	1115979
20	110105717859867	宝马（中国）汽车贸易有限公司	11	1090082
21	65280071554911X	中国石油天然气股份有限公司塔里木油田分公司	65	1015703
22	44030110001686X	招商银行股份有限公司	44	972803
23	619000713594558	中国石油天然气股份有限公司长庆油田分公司	61	935801
24	210211716947734	中国石油天然气股份有限公司大连石化分公司	21	934397
25	220104605120697	一汽－大众汽车有限公司	22	930128
26	340104148944251	安徽中烟工业公司	34	925712
27	520100214412588	贵州中烟工业有限责任公司	52	907971
28	110101710935038	中国投资有限责任公司	11	848547
29	370112759162101	山东中烟工业公司	37	840090
30	310043132200581	上海证券交易所	31	767275
31	110108000013477	中华人民共和国铁道部	11	746539

续表

序号	企业代码	企业名称	地区	实纳税额
32	210303242669479	鞍钢股份有限公司	21	735713
33	310046607371748	上海通用汽车有限公司	31	720529
34	110105710938183	丰田汽车（中国）投资有限公司	11	702702
35	440100707653099	中国移动通信集团广东有限公司	44	685230
36	120115710939151	天津一汽丰田汽车有限公司	12	675629
37	440103190329746	广东中烟工业有限责任公司	44	662894
38	320102134876825	江苏中烟工业公司南京卷烟厂	32	646814
39	320300136388104	江苏中烟工业公司徐州卷烟厂	32	630149
40	610690220568570	陕西延长石油（集团）有限责任公司	61	594977
41	420107300247654	武汉钢铁股份有限公司	42	576463
42	310046607200463	上海大众汽车有限公司	31	571398
43	532526217870138	红河烟草（集团）有限责任公司	53	564970
44	440106734916755	广东电网公司广州供电局	44	552993
45	22079171717338X	中国石油天然气股份有限公司吉林油田分公司	22	546973
46	650104228931952	新疆西北中石油国际事业有限公司	65	532788
47	510112793957784	四川烟草工业有限责任公司	51	532347
48	440194717852200	广州丰田汽车有限公司	44	513123
49	370883166122374	兖州煤业股份有限公司	37	513023
50	620301224690952	金川集团有限公司	62	504677
51	210213604821942	大连西太平洋石油化工有限公司	21	503123
52	440112708263885	广州本田汽车有限公司	44	498305
53	110192101783083	诺基亚（中国）投资有限公司	11	493614
54	440102730486030	广东电网公司	44	486278
55	310043834486537	中国石油化工股份有限公司上海高桥分公司	31	486187
56	420101616401865	东风本田汽车有限公司	42	471415
57	350802157821405	龙岩烟草工业有限责任公司	35	469912
58	610198220562750	陕西中烟工业公司	61	469906
59	652800742248144	中国石油化工股份有限公司西北油田分公司	65	467371
60	450100198222644	广西中烟工业有限责任公司	45	461420
61	350100158142711	兴业银行股份有限公司	35	459351
62	110101710933024	中国神华能源股份有限公司	11	454768
63	110102100004447	中国建设银行股份有限公司	11	450200
64	310043132212291	中国石化上海石油化工股份有限公司	31	444097
65	360101767016649	江西中烟工业公司	36	420332
66	130982721634003	中国石油天然气股份有限公司华北油田分公司	13	417748
67	31004313221158X	上海浦东发展银行股份有限公司	31	404583
68	110101100018988	中国民生银行股份有限公司	11	396622

续表

序号	企业代码	企业名称	地区	实纳税额
69	440114749934315	东风汽车有限公司东风日产乘用车公司	44	395501
70	340504610400837	马鞍山钢铁股份有限公司	34	394073
71	500904709375109	长安福特马自达汽车有限公司	50	393980
72	440101618404218	广州宝洁有限公司	44	389537
73	37010372495538X	中国移动通信集团山东有限公司	37	387978
74	440801617797099	中国石化湛江东兴石油化工有限公司	44	387494
75	440401105377277	中油燃料油股份有限公司	44	385074
76	330000142911635	浙江省电力公司	33	376784
77	320800139434583	江苏中烟工业公司淮阴卷烟厂	32	370766
78	120114722958405	中国石油化工股份有限公司天津分公司	12	366373
79	310106100019382	光大证券股份有限公司	31	366188
80	11010271093123X	国家电网公司	11	363318
81	440100717859912	保时捷（中国）汽车销售有限公司	44	363161
82	152701772221612	中国神华能源股份有限公司东胜结算部	15	359728
83	510108713006509	四川一汽丰田汽车有限公司	51	358864
84	350204155016357	厦门烟草工业有限责任公司	35	352922
85	150230114392559	包头钢铁（集团）有限责任公司	15	345868
86	440100795524886	中国石化销售有限公司华南分公司	44	342437
87	310043744912184	中国石化销售有限公司华东分公司	31	340867
88	211103716484362	中国石油辽河油田分公司	21	340174
89	11010271092841X	中国人寿保险股份有限公司	11	337770
90	441401196271995	广东中烟工业有限责任公司梅州卷烟厂	44	337185
91	120114718258908	中国石油股份有限公司大港油田分公司	12	330139
92	32000670404188X	中国移动通信集团江苏有限公司	32	326963
93	370212794031617	山东中烟工业公司青岛卷烟厂	37	326551
94	11010810169040X	中国矿产有限责任公司	11	320517
95	222401795219048	吉林烟草工业有限责任公司	22	318203
96	120118718249438	中海石油（中国）有限公司天津分公司	12	314442
97	37010316304901X	山东电力集团公司	37	311788
98	310046132200821	宝钢集团有限公司	31	310549
99	310046132224671	上海市电力公司	31	308448
100	610890770043971	中国神华能源有限责任公司神东煤炭分公司	61	305862
101	440301710930739	中国平安人寿保险股份有限公司	44	305480
102	440101618419487	安利（中国）日用品有限公司	44	301402
103	140213710932953	大秦铁路股份有限公司	14	296830
104	330165704200297	中国移动通信集团浙江有限公司	33	295328
105	110104101109822	华北电网有限公司	11	294187

续表

序号	企业代码	企业名称	地区	实纳税额
106	620101224434895	甘肃烟草工业有限责任公司	62	292052
107	110222710935986	北京现代汽车有限公司	11	285973
108	31010663159284X	国泰君安证券股份有限公司	31	281742
109	140213602161688	大同煤矿集团有限责任公司	14	279833
110	110102801365632	北京市电力公司	11	279416
111	210102701796881	辽宁省电力有限公司	21	278995
112	420501100015058	中国长江三峡工程开发总公司	42	271046
113	371203267179433	莱芜钢铁股份有限公司	37	266906
114	110104101174712	北京银行股份有限公司	11	266673
115	210104746494975	华晨宝马汽车有限公司	21	263537
116	110108100000059	中钢贸易有限公司	11	263067
117	310043834480565	中石油华东销售分公司	31	263046
118	110101710939135	中国联合网络通信有限公司	11	257853
119	510104621601108	四川省电力公司	51	257094
120	510122772989760	中国国际航空股份有限公司西南分公司	51	255773
121	420106177589391	湖北省电力公司	42	255324
122	410402727034084	平顶山天安煤业股份有限公司	41	244727
123	530601216970591	红河烟草（集团）有限责任公司昭通卷烟厂	53	244189
124	520382755389528	贵州茅台酒销售有限公司	52	240776
125	441301710939725	中海壳牌石油化工有限公司	44	239424
126	440301192185379	深圳发展银行	44	237558
127	410902719176285	中国石油化工股份有限公司中原油田分公司	41	232501
128	110108700000458	联想（北京）有限公司	11	228348
129	140116110050121	山西省电力公司	14	227203
130	130702106158578	张家口卷烟厂有限责任公司	13	225938
131	652100718901908	中国石油天然气股份有限公司吐哈油田分公司	65	225534
132	410103169951151	河南省电力公司	41	223709
133	230103127050339	黑龙江烟草工业有限责任公司	23	222906
134	140116701011888	山西太钢不锈钢股份有限公司	14	220413
135	150230701464975	内蒙古包钢钢联股份有限公司	15	220097
136	371102747809801	日照钢铁有限公司	37	214478
137	110192600003205	北京奔驰－戴姆勒·克莱斯勒汽车有限公司	11	213920
138	500107902846275	重庆市电力公司杨家坪供电局	50	212981
139	420101616412935	神龙汽车有限公司	42	211110
140	610802016082725	中国农业银行榆林分行	61	210332
141	310046132149237	中国移动通信集团上海有限公司	31	209033
142	110222717871006	中国国际航空股份有限公司	11	208709

续表

序号	企业代码	企业名称	地区	实纳税额
143	110107101120028	中国首钢国际贸易工程公司	11	208391
144	420501710930405	中国长江电力股份有限公司	42	208045
145	110105746717497	瑞钢联集团有限公司	11	203137
146	110105101100414	中粮集团有限公司	11	202737
147	140116713676510	山西西山煤电股份有限公司	14	202512
148	440300455744938	中国工商银行股份有限公司深圳市分行	44	200265
149	210502242690243	本钢板材股份有限公司	21	199653
150	440300101781440	中信证券股份有限公司	44	199583
151	370112726230489	济南钢铁股份有限公司	37	197617
152	441900712250622	中国移动通信集团广东有限公司东莞分公司	44	196741
153	350102710920936	中国移动通信集团福建有限公司	35	196569
154	310043132257510	上海银行股份有限公司	31	193978
155	450205715187622	柳州钢铁股份有限公司	45	193497
156	32058571785883X	耐克体育（中国）有限公司	32	193023
157	210101719646152	中国移动通信集团辽宁有限公司	21	192796
158	410303171076587	河南省电力公司洛阳供电公司	41	192191
159	632820710925462	中油天然气股份有限公司青海油田分公司	63	188523
160	440101100017600	中国南方航空股份有限公司	44	186879
161	130203104759628	唐山钢铁股份有限公司	13	183293
162	410504719173420	安阳钢铁股份有限公司	41	183158
163	110101722611700	中国移动通信集团北京有限公司	11	182405
164	430111183770576	湖南省电力公司	43	182137
165	372330167206000	山东魏桥创业集团有限公司	37	181259
166	440203191526821	广东中烟工业有限责任公司韶关卷烟厂	44	177814
167	440301708594625	中海石油（中国）有限公司深圳分公司	44	177714
168	140405729666771	山西潞安环保能源开发股份有限公司	14	175083
169	120116101166595	中远散货运输有限公司	12	174790
170	150104114155211	内蒙古昆明卷烟有限责任公司	15	169406
171	440301279285671	深圳市中兴康讯电子有限公司	44	167542
172	370211747204554	青岛益佳海业贸易有限公司	37	166690
173	130106104321300	河北省电力公司	13	165147
174	110112101100772	北京卷烟厂	11	163395
175	130104784057215	河北白沙烟草有限责任公司	13	162096
176	120114104313327	天津钢管集团股份有限公司	12	160194
177	372301706208970	中海沥青股份有限公司	37	159999
178	220104244976413	一汽轿车股份有限公司	22	158813
179	32100172059808X	中国石油化工股份有限公司江苏油田分公司	32	157184

续表

序号	企业代码	企业名称	地区	实纳税额
180	430603661699146	中国石化集团资产经营管理有限公司巴陵石化分公司	43	156534
181	110191802763501	中国石油化工股份有限公司北京燕山分公司	11	154952
182	440301192199332	深圳烟草工业有限责任公司	44	154683
183	210302241423725	鞍钢集团国际经济贸易公司	21	154314
184	110105625912210	佳能（中国）有限公司	11	154137
185	310115729446189	雅培贸易（上海）有限公司	31	154059
186	130182670310403	中国石化石家庄炼油化工股份有限公司	13	153222
187	530103713405825	云南电网公司	53	152829
188	350102858144646	中国农业银行福建省分行	35	150970
189	440301710930720	中国平安财产保险股份有限公司	44	150643
190	230690129310130	大庆石油管理局	23	150193
191	110108102052389	中建材集团进出口公司	11	147753
192	320102134764540	江苏中烟工业公司	32	146924
193	110102801380971000	国家开发银行北京市分行	11	145820
194	440114732987664	广州风神汽车有限公司	44	144341
195	370502164721269	中国石化集团胜利石油管理局	37	144246
196	110108710923766	朔黄铁路发展有限责任公司	11	144058
197	310112607417881	华硕电脑（上海）有限公司	31	142974
198	320102721730177	中国石油化工股份有限公司金陵分公司	32	142866
199	610521664102114	金堆城钼业股份有限公司矿冶分公司	61	140341
200	330621747727910	绍兴远东石化有限公司	33	140212
201	620200224641202	酒泉钢铁（集团）有限责任公司	62	140013
202	411300719176832	中国石油化工股份有限公司河南油田分公司	41	139582
203	12011572574957X	天津三星通信技术有限公司	12	139371
204	530301217222042	云南省烟草公司曲靖市公司	53	139269
205	440301729872524	深圳市东方嘉盛商贸物流有限公司	44	137189
206	110105100007170	中信金属公司	11	137179
207	420103744618954	中国石化销售有限公司华中分公司	42	137095
208	110101101690637	中国石化国际事业有限公司	11	136847
209	310103717853158	保乐力加（中国）贸易有限公司	31	136770
210	130503718311625	河北金牛能源股份有限公司	13	136757
211	110102100003102	中国石化销售有限公司	11	136502
212	120115600899320	天津三星电子显示器有限公司	12	136459
213	440205231129346	广东韶钢松山股份有限公司	44	135614
214	420101710937412	中国移动通信集团湖北有限公司	42	135214
215	310046754780760	华东电网有限公司	31	134763
216	440112708263519	东风本田发动机有限公司	44	134664

续表

序号	企业代码	企业名称	地区	实纳税额
217	14032371599263X	山西国阳新能股份有限公司	14	134601
218	330206734245293	中海石油宁波大榭石化有限公司	33	134526
219	370781795333617	山东中烟工业公司青州卷烟厂	37	133968
220	44030127926896X	深圳市中汽南华汽车有限公司	44	133477
221	430304770052915	湖南华菱湘潭钢铁有限公司	43	132844
222	210102117601635	沈阳铁路局	21	132778
223	21030224150404X	鞍钢集团矿业公司	21	132281
224	310046132212734	中海发展股份有限公司	31	131859
225	321700660088829	阿迪达斯体育（中国）有限公司	32	130284
226	620101224335387	甘肃省电力公司	62	129932
227	110101710929658	中纺粮油进出口有限责任公司	11	129181
228	14060411141525X	山西平朔安家岭露天煤炭有限公司	14	129114
229	210702716459108	中国石油天然气股份有限公司锦州石化分公司	21	128981
230	210802121122004	红塔辽宁烟草有限责任公司营口卷烟厂	21	128271
231	37021126462882X	青岛海信电器股份有限公司	37	127940
232	511502208852472	四川省宜宾五粮液供销有限公司	51	126644
233	530111760417482	中国移动通信集团云南有限公司	53	126533
234	310046671143758	中国电信股份有限公司上海分公司	31	126356
235	230198126970993	黑龙江省电力有限公司	23	126311
236	410103169994215	郑州铁路局	41	125854
237	450200708731386	上汽通用五菱汽车股份有限公司	45	125234
238	140604811410505	平朔煤炭工业公司运销公司	14	124539
239	410324171080594	洛阳栾川钼业集团股份有限公司	41	124458
240	619000710072607	陕西省电力公司	61	124044
241	53011221655183X	云南云天化国际化工股份有限公司	53	123624
242	440307100018216	岭澳核电有限公司	44	123414
243	130207601074048	唐山国丰钢铁有限公司	13	123018
244	610824783669017	延长石油（集团）榆林核算部	61	122073
245	120114749125091	中国石化销售有限公司华北分公司	12	121941
246	21040271960098X	中国石油天然气股份有限公司抚顺石化分公司	21	121815
247	440112721928327	中国石油化工股份有限公司广州分公司	44	121548
248	120114103061295	天津市电力公司	12	121158
249	110104100017336	大唐国际发电股份有限公司	11	119079
250	340603733033942	淮北矿业集团煤业有限责任公司	34	118915
251	11010210112001X	华夏银行股份有限公司	11	118400
252	140115710937455	中国移动通信集团山西有限公司	14	118088
253	320901608606625	东风悦达起亚汽车有限公司	32	117963

续表

序号	企业代码	企业名称	地区	实纳税额
254	410500172267086	安钢集团国际贸易有限责任公司	41	117853
255	440301726186393	深圳市九立商贸有限公司	44	117666
256	440401617436816	广发证券股份有限公司	44	117634
257	450600715191891	大海粮油工业（防城港）有限公司	45	117627
258	211281123814696	铁法煤业（集团）有限责任公司	21	117472
259	500102711619686	重庆烟草工业有限责任公司涪陵卷烟厂	50	117361
260	430103710937420	中国移动通信集团湖南有限公司	43	116787
261	110108710929236	五矿有色金属股份有限公司	11	116573
262	210105716408175	中油辽宁销售分公司	21	116276
263	310112607330647	可口可乐（中国）饮料有限公司	31	116216
264	130227721610976	河北津西钢铁股份有限公司	13	116083
265	210104604606804	上海通用（沈阳）北盛汽车有限公司	21	116067
266	440106729911247	广东烟草广州市有限公司	44	115880
267	610690783684735	延长油田股份有限公司	61	115775
268	130302723397611	秦皇岛金海粮油工业有限公司	13	114774
269	649602735972927	神华宁夏煤业集团有限责任公司	64	114640
270	330000720083254	中国石油化工股份有限公司浙江石油分公司	33	114578
271	110192600087023	富士康精密组件（北京）有限公司	11	114464
272	320704755871517	益海（连云港）油化工业有限公司	32	114407
273	510198735866286	中国移动通信集团四川有限公司	51	113148
274	310046132202309	上海汽车进出口有限公司	31	112701
275	130203721614029	中国石油天然气股份有限公司冀东油田分公司	13	111629
276	440301618815578	康佳集团股份有限公司	44	111110
277	440106748017099	中国电信股份有限公司广州分公司	44	110746
278	469040754358922	中国石化海南炼油化工有限公司	46	110391
279	11010571785226X	现代汽车（中国）投资有限公司	11	110339
280	110105710934289	中国中煤能源股份有限公司	11	110154
281	320704723527279	益海（连云港）粮油工业有限公司	32	109858
282	110102710934537	中国银河证券股份有限公司	11	109719
283	500114711640768	重庆烟草工业有限责任公司黔江分厂	50	109707
284	340402150230004	淮南矿业（集团）有限责任公司	34	109606
285	310043703486764	中石油西气东输管道分公司	31	109300
286	152702626402490	内蒙古伊泰煤炭股份有限公司	15	109255
287	310112717880375	上海电气电站设备有限公司	31	109007
288	510402204360956	攀枝花新钢钒股份有限公司	51	108954
289	150105114111593	内蒙古电力（集团）有限责任公司	15	108375
290	360501158308443	新余钢铁股份有限公司	36	108235

续表

序号	企业代码	企业名称	地区	实纳税额
291	211401716427237	中国石油天然气股份有限公司锦西石化分公司	21	108022
292	52038271430580X	贵州茅台酒股份有限公司	52	107924
293	441900738593308	广东电网公司东莞供电局	44	107695
294	440307755675030	深圳华为通信技术有限公司	44	107455
295	440401192548256	珠海格力电器股份有限公司	44	106698
296	130404700647251	邯郸钢铁股份有限公司	13	106681
297	450100718890786	中国移动通信集团广西有限公司	45	106615
298	14011611007158X	山西昆明烟草有限责任公司	14	106341
299	110105717859138	克莱斯勒（中国）汽车销售有限公司	11	105859
300	370602613422169	斗山工程机械（中国）有限公司	37	105092
301	440781727840297	广东国华粤电台山发电有限公司	44	104537
302	110108100013669	北京铁路局	11	104139
303	371203757493927	莱芜钢铁集团银山型钢有限公司	37	104018
304	110102101135684	交通银行股份有限公司北京市分行	11	103505
305	610190735354889	中国移动通信集团陕西有限公司	61	103414
306	320106743917098	中国电信股份有限公司江苏分公司	32	103227
307	440106719289001	中国南方电网有限责任公司超高压输电公司	44	102756
308	650203726984969	中国石油天然气股份有限公司克拉玛依石化分公司	65	102369
309	120115600539026	天津俊安煤焦化工有限公司	12	102142
310	500108203155686	重庆烟草工业有限责任公司重庆卷烟厂	50	101503
311	110108801977962	中国民生银行股份有限公司总行营业部	11	100636
312	340104610308512	日立建机（中国）有限公司	34	100628
313	310115607339756	上海索广映像有限公司	31	100093
314	110108100008157	中钢炉料有限公司	11	99116
315	500902202856659	重庆市电力公司	50	98758
316	120115773646700	维斯塔斯风力技术（中国）有限公司	12	98506
317	440304708542518	中国移动通信集团广东有限公司深圳分公司	44	98453
318	440801707913938	中海石油（中国）有限公司湛江分公司	44	98397
319	370305723267788	中国石油化工股份有限公司齐鲁分公司	37	98301
320	310043132204400	中国建设银行股份有限公司上海市分行	31	97740
321	320300134750616	徐州矿务集团有限公司	32	97680
322	330206744973411	浙江逸盛石化有限公司	33	97270
323	500904902887456001	中国工商银行重庆市分行	50	97056
324	370403164446404	枣庄矿业（集团）有限责任公司	37	96939
325	320112714085405	南京钢铁股份有限公司	32	96461
326	530103216593597	云南省烟草公司昆明市公司	53	96338
327	321081625908297	中国石化仪征化纤股份有限公司	32	95824

续表

序号	企业代码	企业名称	地区	实纳税额
328	310115607425849	国际商业机器全球服务（中国）有限公司	31	94943
329	110104101609026	中国印钞造币总公司	11	94928
330	350100717868448	中石化森美（福建）石油有限公司	35	94247
331	440101190336428	广东省发展银行股份有限公司	44	94190
332	110107700234318	北京首钢股份有限公司	11	94034
333	110104710931483	中国人民财产保险股份有限公司	11	93533
334	310226134527983	上海世贸汽车贸易有限公司	31	93471
335	430102883761611	中国工商银行股份有限公司湖南省分行	43	93331
336	440300192278444	国信证券有限责任公司	44	93188
337	370705745676590	潍柴动力股份有限公司	37	92837
338	110108100016448	中国进出口银行	11	92780
339	130203757512841	华北电网有限公司唐山供电公司	13	92757
340	140511746034864	晋城无烟煤矿业集团有限责任公司寺河煤矿	14	92731
341	520103750174528	瓮福国际贸易股份有限公司	52	92697
342	530111291981370	云南省卷烟烤烟交易市场	53	92379
343	340103148974661	徽商银行股份有限公司	34	92286
344	15210276105971X	满洲里中石油国际事业有限公司	15	92107
345	120110767648013	上海烟草（集团）公司天津卷烟厂	12	92043
346	310108101691285	飞利浦（中国）投资有限公司	31	91771
347	11010840001134X	中国中央电视台	11	90650
348	340700148973642	铜陵有色金属集团股份有限公司	34	90646
349	140604602460258	山西中煤平朔安太堡煤炭有限责任公司	14	90419
350	411481749235557	河南省正龙煤业有限公司	41	90272
351	130302805260053	华北电网有限公司秦皇岛电力公司	13	89986
352	440301619290822	广东电网公司深圳供电局	44	88823
353	500104202852965	重庆钢铁股份有限公司	50	88798
354	429005735209235	中国石油化工股份有限公司江汉油田公司	42	88771
355	220203717174219	中国石油天然气股份公司吉林市石化分公司	22	88598
356	110105101129938	中石油北京天然气管道有限公司	11	88529
357	310043132202528	中国农业银行上海市分行	31	88419
358	330424142941885	秦山第三核电有限公司	33	88114
359	410481706575279	舞阳钢铁有限责任公司	41	88039
360	14032370107060X	阳泉煤业（集团）有限责任公司	14	87612
361	110107101120001	首钢总公司	11	87586
362	320582739421700	联峰钢铁（张家港）有限公司	32	87517
363	150122114179096	内蒙古大唐国际托克托发电有限责任公司	15	87107
364	410902169954862	中国石化集团中原石油勘探局（中原油田）	41	86975

续表

序号	企业代码	企业名称	地区	实纳税额
365	320200791954918	尚能太阳能电力有限公司	32	86822
366	320582608257189	张家港浦项不锈钢有限公司	32	86610
367	110108717745042	神州数码（中国）有限公司	11	86484
368	321101608835858	金东纸业（江苏）股份有限公司	32	86349
369	420106877596808	国家开发银行湖北省分行	42	86284
370	370202163615667	青岛啤酒股份有限公司	37	86029
371	440682738591185	广东省石油企业集团南方石油化工有限公司	44	85837
372	34011114894004X	安徽省电力公司	34	85745
373	110102100028625	华商储备商品管理中心	11	85561
374	11010271093465X	中国邮政储蓄银行有限责任公司	11	85276
375	310115775768541	上海中煤华东有限公司	31	85065
376	140213729670025	大同煤业股份有限公司	14	84890
377	440101734930290	联众（广州）不锈钢有限公司	44	84773
378	510108675795796	中国石油集团川庆钻探工程有限公司	51	84692
379	110102100017045	中国农业发展银行	11	84291
380	320112748204660	南京钢铁联合有限公司	32	84034
381	120114724495870	中石油天然气股份有限公司大港石化分公司	12	82915
382	532301217430343	云南省烟草公司楚雄州公司	53	82626
383	13040310552795X	邯邢冶金矿山管理局	13	82249
384	321101608834353	镇江奇美化工有限公司	32	82043
385	620200710375659	甘肃酒钢集团宏兴钢铁股份有限公司	62	81785
386	130323746874054	秦皇岛首秦金属材料有限公司	13	81785
387	321600608258317	中粮东海粮油工业（张家港）有限公司	32	81317
388	230690X06584158	中国石油天然气股份有限公司大庆炼化分公司	23	81165
389	654003230490439	红云红河烟草集团有限责任公司新疆卷烟厂	65	81108
390	440103722457168	中国石油化工股份有限公司广东石油分公司	44	80664
391	370502706242888	东营方圆有色金属有限公司	37	80554
392	510105201911513	四川省烟草公司成都市公司	51	80454
393	110192600035733	拜耳医药保健有限公司	11	80202
394	440601708178082	中国移动通信集团广东有限公司佛山分公司	44	80200
395	13028380511817X	首钢矿业公司	13	80173
396	130705106181022	宣化钢铁集团有限责任公司	13	80095
397	530401217660501	云南省烟草公司玉溪市公司	53	79990
398	310227765970957	上海永裕医药有限公司	31	79974
399	320111797106047	中国石化扬子石油化工有限公司	32	79730
400	430104712194405	长沙中联重工科技发展股份有限公司	43	79607
401	340803713982868	中国石油化工股份公司安庆分公司	34	79568

续表

序号	企业代码	企业名称	地区	实纳税额
402	110105101730993	中信信托有限责任公司	11	79467
403	120116722997404	中国移动通信集团天津有限公司	12	79455
404	110105781703453	中信建投证券有限责任公司	11	79209
405	210102755522149	红塔辽宁烟草有限责任公司沈阳卷烟厂	21	79194
406	320601765860600	嘉吉粮油（南通）有限有公司	32	79102
407	372524769712461	茌平信发华宇氧化铝有限公司	37	78765
408	211103122565835	辽河石油勘探局	21	78445
409	220503717104464	通化钢铁股份有限公司	22	78429
410	110102100006426	中国兵工物资总公司	11	78422
411	320113608943998	南京夏普电子有限公司	32	78397
412	650109718902097	中国石油天然气股份有限公司乌石化分公司	65	78165
413	120101103063434	天津市物资集团总公司	12	78121
414	110192749353393	北京京东方光电科技有限公司	11	78025
415	210303241420014	鞍山钢铁集团公司	21	78005
416	110105717850555	日产（中国）投资有限公司	11	77930
417	372522769728295	阳谷祥光铜业有限公司	37	77549
418	320502137690890	江苏省烟草公司苏州市公司	32	77289
419	310115607339254	联合汽车电子有限公司	31	77271
420	610190623100825	西安杨森制药有限公司	61	77140
421	442000617592341	完美（中国）日用品有限公司	44	76821
422	230190762734027	中国移动通信集团黑龙江有限公司	23	76789
423	33022777824281X	浙江华茂国际贸易	33	76769
424	220104776551133	四川一汽丰田汽车有限公司长春丰越公司	22	76344
425	320300608002178	卡特彼勒（徐州）有限公司	32	76335
426	330201741035171	浙江国华浙能发电有限公司	33	76120
427	140211764654266	同煤大唐塔山煤矿有限公司	14	76099
428	370102863047816	国家开发银行山东省分行	37	75713
429	110102100018558	中油财务有限责任公司	11	75623
430	500902621900167	重庆长安铃木汽车有限公司	50	75424
431	532901218651543	云南省烟草公司大理州公司	53	75423
432	340700151105774	铜陵有色金属集团控股有限公司	34	75399
433	142302741096548	山西大土河焦化有限责任公司	14	75337
434	370212706414694	青岛海尔国际贸易有限公司	37	75125
435	130202104744522	开滦（集团）有限责任公司	13	75090
436	320114134872859	上海梅山钢铁股份有限公司	32	74998
437	130982804322363	中国石油天然气股份有限公司华北石化分公司	13	74597
438	15272170125242X	神华准格尔能源有限责任公司	15	74366

续表

序号	企业代码	企业名称	地区	实纳税额
439	211005701709733	鞍钢集团矿业公司弓长岭矿业公司	21	74238
440	420601735211503	风神襄樊汽车有限公司	42	74187
441	511502744682825	四川省宜宾五粮液酒厂有限公司	51	74169
442	310043132200426	上海烟草贸易中心有限公司	31	73888
443	310115607211699	上海贝尔股份有限公司	31	73399
444	140106810015183	中国建设银行股份有限公司山西省分行	14	73306
445	320281607984202	江阴兴澄特种钢铁有限公司	32	72990
446	31004313220454X	中国银行股份有限公司上海市分行	31	72939
447	310105733386529	和记黄埔地产（上海）古北有限公司	31	72918
448	371102791528521	日照钢铁轧钢有限公司	37	72899
449	440306738817535	深圳富泰宏精密工业有限公司	44	72825
450	230603716676129	中国石油天然气股份有限公司大庆石化分公司	23	72559
451	130604105947209	石家庄卷烟厂保定卷烟分厂	13	72494
452	440705617733669	ABB 新会低压开关有限公司	44	72444
453	330165142910640	浙江物产金属集团有限公司	33	72400
454	420106615401409	武汉铁路局	42	72357
455	110102801124011	中信银行股份有限公司总行营业部	11	72321
456	440306763491848	新百丽鞋业（深圳）有限公司	44	72001
457	370202264583609	青岛钢铁进出口公司	37	71936
458	440301729878010	深圳市华富洋进出口有限公司	44	71929
459	110102100015525	中国电力财务有限公司	11	71797
460	110192742602094	利乐包装（北京）有限公司	11	71557
461	44010676384341X	中国南方电网有限责任公司	44	71526
462	310112133385370	上海锅炉厂有限公司	31	70955
463	110108600006959	中国惠普有限公司	11	70953
464	37233074568737X	山东魏桥铝电有限公司	37	70783
465	330165712558221	浙江物产国际贸易有限公司	33	70647
466	140507713630037	山西兰花科技创业股份有限公司	14	70571
467	330424100008392	核电秦山联营有限公司	33	70233
468	310046132207580	上海国际港务（集团）股份有限公司	31	70142
469	321201726639030	中海沥青（泰州）有限责任公司	32	69921
470	33020314405899X	宁波电业局	33	69860
471	610626223720646	延长油田股份有限公司吴起采油厂	61	69772
472	110105625907585	西门子（中国）有限公司	11	69735
473	320582728722524	张家港宏发炼钢有限公司	32	69563
474	120114724488101	天津钢铁有限公司	12	69292
475	150102756683040	中国移动通信集团内蒙古有限公司	15	69171

续表

序号	企业代码	企业名称	地区	实纳税额
476	440191618416948	箭牌糖果（中国）有限公司	44	69106
477	110109746132245	北京昊华能源股份有限公司	11	69001
478	430102142927995	方正证券有限责任公司	43	68807
479	370211753752987	青岛丽东化工有限公司	37	68802
480	440301618817282	南海油脂工业（赤湾）有限公司	44	68566
481	31011579144036X	宝钢资源有限公司	31	68278
482	451222715180527	龙滩水电开发有限公司	45	68249
483	411221753877093	东方希望（三门峡）铝业有限公司	41	68141
484	310106729388433	上海宾利汽车销售有限公司	31	67902
485	510104901861983	中国人寿保险股份有限公司四川省分公司	51	67895
486	31004372935636X	中国证券登记结算有限责任公司上海分公司	31	67773
487	310101717860470	宏碁电脑（上海）有限公司	31	67753
488	411481753858386	河南龙宇能源股份有限公司	41	67748
489	150501743892417	通辽市华泰房地产开发有限公司	15	67740
490	340202849394328	安徽省电力公司芜湖供电公司	34	67619
491	230402777880115	黑龙江龙煤矿业集团鹤岗分公司	23	67611
492	532526218032822	云南省烟草公司红河州公司	53	67564
493	110222743300346	北京现代摩比斯汽车零部件有限公司	11	67561
494	63280171055952X	青海盐湖发展有限公司	63	67346
495	11010220283066X	金融街控股股份有限公司	11	67273
496	370802613590592	小松山推工程机械有限公司	37	67117
497	150102701467412	中国石油天然气股份公司内蒙古销售分公司	15	66582
498	32010672057933X	中国石油化工股份有限公司江苏石油分公司	32	66340
499	360108612446943	江铃汽车股份有限公司	36	66286
500	310110630473910	上海市烟草贸易中心卷烟经理部	31	66264

二、2008年度全国国有企业纳税五百强排行榜

单位：万元

序号	企业代码	企业名称	地区	实纳税额
1	370502723856718	中国石油化工股份有限公司胜利油田分公司	37	269139
2	430102740640740	湖南中烟工业有限责任公司	43	253345
3	310043132200434	上海烟草（集团）公司	31	206945
4	53040121766326X	红塔烟草（集团）有限责任公司	53	204033
5	110102000018454	国家开发银行	11	166164
6	420104757009410	湖北中烟工业有限责任公司	42	131258
7	440901722484553	中国石油化工股份有限公司茂名分公司	44	119701
8	41010575714492X	河南中烟工业公司	41	111598
9	210211716947734	中国石油天然气股份有限公司大连石化分公司	21	93440
10	340104148944251	安徽中烟工业公司	34	92571
11	520100214412588	贵州中烟工业有限责任公司	52	90797
12	370112759162101	山东中烟工业公司	37	84009
13	310043132200581	上海证券交易所	31	76727
14	110108000013477	中华人民共和国铁道部	11	74654
15	440103190329746	广东中烟工业有限责任公司	44	66289
16	320102134876825	江苏中烟工业公司南京卷烟厂	32	64681
17	320300136388104	江苏中烟工业公司徐州卷烟厂	32	63015
18	440102730486030	广东电网公司	44	48628
19	610198220562750	陕西中烟工业公司	61	46991
20	450100198222644	广西中烟工业有限责任公司	45	46142
21	110102100004447	中国建设银行股份有限公司	11	45020
22	360101767016649	江西中烟工业公司	36	42033
23	130982721634003	中国石油天然气股份有限公司华北油田分公司	13	41775
24	330000142911635	浙江省电力公司	33	37678
25	320800139434583	江苏中烟工业公司淮阴卷烟厂	32	37077
26	11010271093123X	国家电网公司	11	36332
27	150230114392559	包头钢铁（集团）有限责任公司	15	34587
28	310043744912184	中国石化销售有限公司华东分公司	31	34087
29	211103716484362	中国石油辽河油田分公司	21	34017
30	120114718258908	中国石油股份有限公司大港油田分公司	12	33014
31	11010810169040X	中国矿产有限责任公司	11	32052

续表

序号	企业代码	企业名称	地区	实纳税额
32	37010316304901X	山东电力集团公司	37	31179
33	310046132224671	上海市电力公司	31	30845
34	110102801365632	北京市电力公司	11	27942
35	420501100015058	中国长江三峡工程开发总公司	42	27105
36	110108100000059	中钢贸易有限公司	11	26307
37	510104621601108	四川省电力公司	51	25709
38	420106177589391	湖北省电力公司	42	25532
39	530601216970591	红河烟草（集团）有限责任公司昭通卷烟厂	53	24419
40	520382755389528	贵州茅台酒销售有限公司	52	24078
41	140116110050121	山西省电力公司	14	22720
42	410103169951151	河南省电力公司	41	22371
43	500107902846275	重庆市电力公司杨家坪供电局	50	21298
44	610802016082725	中国农业银行榆林分行	61	21033
45	110105101100414	中粮集团有限公司	11	20274
46	450205715187622	柳州钢铁股份有限公司	45	19350
47	410303171076587	河南省电力公司洛阳供电公司	41	19219
48	430111183770576	湖南省电力公司	43	18214
49	130106104321300	河北省电力公司	13	16515
50	110112101100772	北京卷烟厂	11	16339
51	440301192199332	深圳烟草工业有限责任公司	44	15468
52	210302241423725	鞍钢集团国际经济贸易公司	21	15431
53	530103713405825	云南电网公司	53	15283
54	350102858144646	中国农业银行福建省分行	35	15097
55	230690129310130	大庆石油管理局	23	15019
56	110108102052389	中建材集团进出口公司	11	14775
57	320102134764540	江苏中烟工业公司	32	14692
58	110102801380971000	国家开发银行北京市分行	11	14582
59	370502164721269	中国石化集团胜利石油管理局	37	14425
60	411300719176832	中国石油化工股份有限公司河南油田分公司	41	13958
61	530301217222042	云南省烟草公司曲靖市公司	53	13927
62	420103744618954	中国石化销售有限公司华中分公司	42	13710
63	110102100003102	中国石化销售有限公司	11	13650
64	310046754780760	华东电网有限公司	31	13476
65	370781795333617	山东中烟工业公司青州卷烟厂	37	13397
66	210102117601635	沈阳铁路局	21	13278
67	21030224150404X	鞍钢集团矿业公司	21	13228
68	620101224335387	甘肃省电力公司	62	12993

续表

序号	企业代码	企业名称	地区	实纳税额
69	210702716459108	中国石油天然气股份有限公司锦州石化分公司	21	12898
70	310046671143758	中国电信股份有限公司上海分公司	31	12636
71	230198126970993	黑龙江省电力有限公司	23	12631
72	410103169994215	郑州铁路局	41	12585
73	140604811410505	平朔煤炭工业公司运销公司	14	12454
74	440307100018216	岭澳核电有限公司	44	12341
75	610824783669017	延长石油（集团）榆林核算部	61	12207
76	440112721928327	中国石油化工股份有限公司广州分公司	44	12155
77	120114103061295	天津市电力公司	12	12116
78	210105716408175	中油辽宁销售分公司	21	11628
79	130203721614029	中国石油天然气股份有限公司冀东油田分公司	13	11163
80	110102710934537	中国银河证券股份有限公司	11	10972
81	500114711640768	重庆烟草工业有限责任公司黔江分厂	50	10971
82	150105114111593	内蒙古电力（集团）有限责任公司	15	10837
83	360501158308443	新余钢铁股份有限公司	36	10824
84	14011611007158X	山西昆明烟草有限责任公司	14	10634
85	110108100013669	北京铁路局	11	10414
86	110108100008157	中钢炉料有限公司	11	9912
87	500902202856659	重庆市电力公司	50	9876
88	370305723267788	中国石油化工股份有限公司齐鲁分公司	37	9830
89	320300134750616	徐州矿务集团有限公司	32	9768
90	530103216593597	云南省烟草公司昆明市公司	53	9634
91	110104101609026	中国印钞造币总公司	11	9493
92	430102883761611	中国工商银行股份有限公司湖南省分行	43	9333
93	110108100016448	中国进出口银行	11	9278
94	130203757512841	华北电网有限公司唐山供电公司	13	9276
95	530111291981370	云南省卷烟烤烟交易市场	53	9238
96	120110767648013	上海烟草（集团）公司天津卷烟厂	12	9204
97	130302805260053	华北电网有限公司秦皇岛电力公司	13	8999
98	440301619290822	广东电网公司深圳供电局	44	8882
99	110105101129938	中石油北京天然气管道有限公司	11	8853
100	310043132202528	中国农业银行上海市分行	31	8842
101	14032370107060X	阳泉煤业（集团）有限责任公司	14	8761
102	110107101120001	首钢总公司	11	8759
103	410902169954862	中国石化集团中原石油勘探局（中原油田）	41	8697
104	420106877596808	国家开发银行湖北省分行	42	8628
105	34011114894004X	安徽省电力公司	34	8575

续表

序号	企业代码	企业名称	地区	实纳税额
106	110102100028625	华商储备商品管理中心	11	8556
107	510108675795796	中国石油集团川庆钻探工程有限公司	51	8469
108	110102100017045	中国农业发展银行	11	8429
109	532301217430343	云南省烟草公司楚雄州公司	53	8263
110	13040310552795X	邯邢冶金矿山管理局	13	8225
111	510105201911513	四川省烟草公司成都市公司	51	8045
112	13028380511817X	首钢矿业公司	13	8017
113	530401217660501	云南省烟草公司玉溪市公司	53	7999
114	320111797106047	中国石化扬子石油化工有限公司	32	7973
115	210102755522149	红塔辽宁烟草有限责任公司沈阳卷烟厂	21	7919
116	211103122565835	辽河石油勘探局	21	7845
117	110102100006426	中国兵工物资总公司	11	7842
118	120101103063434	天津市物资集团总公司	12	7812
119	210303241420014	鞍山钢铁集团公司	21	7801
120	320502137690890	江苏省烟草公司苏州市公司	32	7729
121	330201741035171	浙江国华浙能发电有限公司	33	7612
122	110102100018558	中油财务有限责任公司	11	7562
123	532901218651543	云南省烟草公司大理州公司	53	7542
124	340700151105774	铜陵有色金属集团控股有限公司	34	7540
125	211005701709733	鞍钢集团矿业公司弓长岭矿业公司	21	7424
126	31004313220454X	中国银行股份有限公司上海市分行	31	7294
127	130604105947209	石家庄卷烟厂保定卷烟分厂	13	7249
128	330165142910640	浙江物产金属集团有限公司	33	7240
129	420106615401409	武汉铁路局	42	7236
130	370202264583609	青岛钢铁进出口公司	37	7194
131	33020314405899X	宁波电业局	33	6986
132	610626223720646	延长油田股份有限公司吴起采油厂	61	6977
133	120114724488101	天津钢铁有限公司	12	6929
134	31011579144036X	宝钢资源有限公司	31	6828
135	451222715180527	龙滩水电开发有限公司	45	6825
136	340202849394328	安徽省电力公司芜湖供电公司	34	6762
137	230402777880115	黑龙江龙煤矿业集团鹤岗分公司	23	6761
138	532526218032822	云南省烟草公司红河州公司	53	6756
139	310110630473910	上海市烟草贸易中心卷烟经理部	31	6626
140	520302214760830	贵州省烟草公司遵义市公司	52	6614
141	650106228601101	宝钢集团新疆八一钢铁有限公司	65	6543
142	320106134766570	江苏省电力公司	32	6431

续表

序号	企业代码	企业名称	地区	实纳税额
143	370481169896877	山东中烟工业公司滕州卷烟厂	37	6271
144	522401215471045	贵州省烟草公司毕节地区公司	52	6225
145	211103729061625	中国石油天然气股份有限公司辽河石化公司	21	6217
146	360101014504031	南昌铁路局	36	6188
147	320200834754255	江苏省电力公司无锡供电公司	32	6078
148	650104712965011	中国石油天然气股份有限公司西北销售新疆分公司	65	6042
149	42070170691922X	武汉钢铁集团鄂城钢铁有限责任公司	42	5984
150	440104190348824	广州铁路（集团）公司	44	5878
151	440106762916947	中国石油天然气股份有限公司华南销售分公司	44	5874
152	430603717052342	中国石油化工股份有限公司长岭分公司	43	5871
153	530181757160292	武钢集团昆明钢铁股份有限公司	53	5793
154	420112751810979	湖北省烟草公司武汉市公司	42	5776
155	350503156100796	福建省烟草公司泉州市公司	35	5742
156	610625223690125	延长油田股份有限公司永宁采油厂	61	5716
157	110105710934369	中国交通建设股份有限公司	11	5645
158	142603113091746	霍州煤电集团有限责任公司	14	5566
159	370105163070951	济南铁路局	37	5521
160	450100711428783	国家开发银行广西壮族自治区分行	45	5513
161	152201115611784	红云红河烟草（集团）有限责任公司乌兰浩特卷烟厂	15	5420
162	140111110071184	中铁十二局集团有限公司	14	5399
163	650102228601208	新疆电力公司	65	5388
164	520100214406188	贵州乌江水电开发有限责任公司	52	5305
165	630104226581557	青海省电力公司	63	5286
166	310046759579978	中海集装箱运输股份有限公司	31	5205
167	370882744526179	山东东山古城煤矿有限公司	37	5203
168	130426107140396	天津铁厂	13	5186
169	320102134923126	江苏省烟草公司南京市公司	32	5175
170	110105100013431	中国国际石油化工联合有限责任公司	11	5129
171	370203713700736	山东青岛烟草有限公司	37	5046
172	370202163585613	山东电力集团公司青岛供电公司	37	5022
173	440301192179593	中国烟草总公司深圳市公司	44	5003
174	610104709902132	金堆城钼业股份有限公司销售分公司	61	4968
175	460100735841214	海南红塔卷烟有限责任公司	46	4928
176	510112752323857	川渝中烟工业公司	51	4920
177	230590772600276	黑龙江龙煤集团有限责任公司双鸭山分公司	23	4752
178	440104455352838	广州市房屋调换总站	44	4749
179	320200135906010	江苏省烟草公司无锡市公司	32	4726

续表

序号	企业代码	企业名称	地区	实纳税额
180	110102710925032	中国移动通信集团公司	11	4718
181	440104190346511	中国对外贸易中心（集团）	44	4696
182	320601138315283	江苏省烟草公司南通市公司	32	4681
183	430111183855596	湖南省烟草公司长沙市公司	43	4678
184	150102701466583	国家开发银行股份有限公司内蒙古分行	15	4630
185	310043734050744	上海期货交易所	31	4585
186	530103622600772	中国农业银行云南省分行	53	4584
187	152101701354995	大庆油田有限责任公司呼伦贝尔分公司	15	4563
188	410381681797923	洛阳中硅高科技有限公司二分公司	41	4513
189	650200228900005	新疆维吾尔自治区石油管理局	65	4501
190	11010877197214X	中国神华能源股份有限公司煤炭销售中心	11	4482
191	31011563126503X	中国建筑第八工程局有限公司	31	4477
192	230102702852099	中国石油天然气股份有限公司黑龙江销售分公司	23	4467
193	211004701696207	中国石油股份有限公司辽阳石化分公司	21	4423
194	410105869971268	中国农业发展银行河南省分行	41	4378
195	21020211843754X	辽宁省电力有限公司大连供电公司	21	4377
196	330194143058496	浙江省烟草公司杭州市公司	33	4354
197	310113746502808	上海宝冶建设有限公司	31	4351
198	110105710931694	中煤焦化控股有限责任公司	11	4336
199	35020626015919X	厦门象屿集团有限公司	35	4210
200	330000143048685	杭州市电力局	33	4193
201	420106931251983	中国农业银行湖北省分行	42	4176
202	350102705101397	国家开发银行股份有限公司福建省分行	35	4148
203	110105101692827	中国石化工程建设公司	11	4118
204	320503834754538	江苏省电力公司苏州供电公司	32	4089
205	500105202804090	中国烟草总公司重庆市公司	50	4085
206	210203118466391	中国烟草总公司大连市公司	21	4064
207	440300100011460	招商局蛇口工业区有限公司	44	4060
208	6501042285770X7	乌鲁木齐铁路局	65	4049
209	530601216970583	云南省烟草公司昭通市公司	53	4048
210	420102755111139	湖北省电力公司武汉供电公司	42	4042
211	340111149185525	中铁四局集团有限公司	34	4018
212	210102X04720187	辽宁省电力有限公司沈阳供电公司	21	3970
213	370303164105335	山东电力集团公司淄博供电公司	37	3966
214	120101103065720	中国烟草总公司天津市公司	12	3959
215	530103719449490	华能澜沧江水电有限公司	53	3930
216	230198127041096	黑龙江省烟草公司哈尔滨市公司	23	3924

续表

序号	企业代码	企业名称	地区	实纳税额
217	410102170032734	河南省电力公司郑州供电公司	41	3899
218	231282126979349349	大庆榆树林油田开发有限责任公司	23	3899
219	532621218170205	云南省烟草公司文山州公司	53	3882
220	530502218920651	云南省烟草公司保山市公司	53	3862
221	650103228581569	新疆维吾尔自治区烟草公司	65	3857
222	210202118417266	大连远洋运输公司	21	3840
223	530103719408277	中国石油化工股份有限公司云南石油分公司	53	3789
224	610190220600163	陕西省烟草公司西安市公司	61	3784
225	450100198222855	广西电网公司	45	3779
226	53010391652092X	云南电网公司昆明供电局	53	3775
227	370502164721189	山东电力集团公司东营供电公司	37	3772
228	51150270916714X	四川省宜宾五粮液集团进出口有限公司	51	3769
229	110102801120096	中国农业发展银行总行营业部	11	3732
230	371302724990871	山东临沂烟草有限公司	37	3712
231	330000142943450	浙江东南发电股份有限公司	33	3696
232	360101014504082	江西省电力公司	36	3689
233	410102170030528	河南省烟草公司郑州市公司	41	3679
234	422801883014237	湖北省烟草公司恩施州公司	42	3668
235	350103154381352	福建省烟草公司福州市公司	35	3653
236	440102190334772	广东物资集团公司	44	3635
237	370206163576944	中国石化集团青岛石油化工有限责任公司	37	3626
238	320400834754220	江苏省电力公司常州供电公司	32	3620
239	370112163148157	济钢集团有限公司	37	3598
240	650102928598388	中国农业发展银行新疆维吾尔自治区分行	65	3541
241	140111775152894	太原铁路局	14	3538
242	231281702811174	安达市庆新油田开发有限责任公司	23	3537
243	110102100010222	中国植物油公司	11	3530
244	330000143563345	萧山供电局	33	3515
245	140421794213875	山西潞安集团司马煤业有限公司	14	3465
246	210103701935984	辽宁省烟草公司沈阳市公司	21	3462
247	410800173471038	焦作煤业（集团）有限责任公司	41	3454
248	370826864444856	枣庄矿业（集团）有限责任公司高庄煤矿	37	3450
249	610602223531132	延长油田股份有限公司南泥湾采油厂	61	3439
250	210202716951354	中国石油天然气股份有限公司大连销售分公司	21	3435
251	361122796959291	江西中烟工业公司广丰卷烟厂	36	3426
252	220303753632424	湖南中烟工业有限责任公司四平卷烟厂	22	3410
253	32040013720360X	江苏省烟草公司常州市公司	32	3409

续表

序号	企业代码	企业名称	地区	实纳税额
254	130205804791805	大唐国际发电股份有限公司陡河发电厂	13	3403
255	130403805527774	邯郸供电公司	13	3398
256	320106733144888	江苏省电力公司南京供电公司	32	3383
257	530181719479411	云南昆钢国际贸易有限公司	53	3362
258	321001140715905	江苏省烟草公司扬州市公司	32	3355
259	370702865450879	山东电力集团公司潍坊供电公司	37	3298
260	320901140132929	江苏省烟草公司盐城市公司	32	3289
261	370103163154485	山东电力集团公司济南供电公司	37	3278
262	321201141855483	江苏省烟草公司泰州市公司	32	3271
263	650200676327257	中国石油集团西部钻探工程有限公司	65	3260
264	640104227680151	宁夏电力公司	64	3259
265	450100898221888	广西电网公司南宁供电局	45	3257
266	230604129311053	大庆电业局	23	3245
267	140423110930719	山西省襄垣县地方国营襄垣煤矿	14	3220
268	610198713595630	中国石油天然气股份有限公司陕西销售分公司	61	3161
269	210302241445529	辽宁省电力有限公司鞍山供电公司	21	3151
270	440682740847661	广东电网公司佛山南海供电局	44	3140
271	230603129320398	中国石油大庆石油化工总厂	23	3104
272	130982104322397	华北石油管理局	13	3082
273	310113132230684	上海宝钢化工有限公司	31	3074
274	110104101619961	中国烟草国际有限公司	11	3066
275	220105124014834	吉林省烟草公司长春市公司	22	3060
276	11011210114015X	中国烟草总公司北京市公司	11	3056
277	35040215558109X	福建省烟草公司三明分公司	35	3052
278	513401213000370	四川省烟草公司凉山分公司	51	3040
279	320582842111495	中国农业银行张家港市支行	32	3024
280	120114803060859	国家开发银行天津市分行	12	3017
281	350602156507027	福建省烟草公司漳州市公司	35	3014
282	441302456660517	中国建设银行股份有限公司惠州市分行	44	2987
283	210204717812540	大连商品交易所	21	2985
284	431103188320144	湖南省烟草公司永州市公司	43	2985
285	413001176882967	河南省电力公司信阳供电公司	41	2984
286	340421788558906	淮南矿业（集团）有限责任公司顾桥煤矿	34	2960
287	150104114154657	呼和浩特市烟草公司	15	2955
288	530102216558329	国投云南大朝山水电有限公司	53	2948
289	350702705273092	福建省烟草公司南平市公司	35	2914
290	310108132204785	上海市五金矿产进出口公司	31	2912

续表

序号	企业代码	企业名称	地区	实纳税额
291	22010412399835X	吉林省电力有限公司长春供电公司	22	2893
292	340603150825112	安徽省电力公司淮北供电公司	34	2888
293	110101100002361	中国纺织物资有限公司	11	2883
294	320582842159448	江苏省电力公司张家港市供电公司	32	2874
295	130427107111157	河北省磁县申家庄煤矿	13	2863
296	130104104393865	河北省烟草公司石家庄市公司	13	2858
297	440301190335310	广东核电投资有限公司	44	2855
298	53011121653292X	云南省烟草烟叶公司	53	2831
299	370826706106333	枣庄矿业（集团）付村煤业有限公司	37	2830
300	11010510169286X	中国石油化工集团公司	11	2830
301	500115202803768	中国石化集团四川维尼纶厂	50	2825
302	37110274988627X	山东新良油脂有限公司	37	2825
303	350103154392836	福建省福州电业局	35	2816
304	330300145049294	温州电力局	33	2789
305	440301731137342	中国证券登记结算有限责任公司深圳分公司	44	2774
306	420106300260453	华中电网有限公司	42	2772
307	520100709611191	贵州省烟草公司贵阳市公司	52	2761
308	610581661193700	陕西龙门钢铁有限责任公司	61	2757
309	522330009600299	贵州省烟草公司黔西南州公司	52	2754
310	320281842229725	江苏省电力公司江阴市供电公司	32	2752
311	430702186482860	湖南省烟草公司常德市公司	43	2750
312	140111110120089	山西省烟草公司太原市公司	14	2741
313	320300136406616	江苏省烟草公司徐州市公司	32	2734
314	110105101694371	中国出版对外贸易总公司	11	2729
315	140116715997051	中国石油化工股份有限公司山西石油分公司	14	2713
316	420107300022236	武钢集团国际经济贸易总公司	42	2694
317	150102626405317	呼和浩特铁路局	15	2682
318	53010271348608X	国家开发银行股份有限公司云南省分行	53	2670
319	640105227682712	中石油股份公司宁夏炼化公司	64	2654
320	130602105945019	保定钞票纸厂	13	2652
321	320601834754271	江苏省电力公司南通供电公司	32	2651
322	650104228660427	新疆电力公司乌鲁木齐电业局	65	2645
323	210213773015060	第一汽车（大连保税区）口岸通商中心	21	2586
324	330702147301940	金华电业局	33	2568
325	210402119215009	中国石油抚顺石油化工公司	21	2567
326	220791244433152	吉林石油集团有限责任公司	22	2566
327	610821755247976	陕西国华锦界能源有限责任公司	61	2564

续表

序号	企业代码	企业名称	地区	实纳税额
328	420302178782345	湖北省电力公司十堰供电公司	42	2554
329	420111760686164	中国石油天然气股份有限公司华中销售分公司	42	2547
330	340104783099130	安徽省烟草公司合肥市公司	34	2536
331	371302168251348	山东电力集团公司临沂供电公司	37	2505
332	610090920520148	国家开发银行陕西省分行	61	2504
333	530325748281375	云南滇东能源有限责任公司	53	2475
334	220104823941178	中国农业发展银行吉林省分行	22	2461
335	420104615571010	中国葛洲坝集团股份有限公司	42	2459
336	360701160237197	江西省烟草公司赣州市公司	36	2450
337	210804604051941	华能国际电力股份有限公司营口电厂	21	2445
338	340402733034777	安徽淮南洛能发电有限责任公司	34	2444
339	110102100000411	中国中化集团公司	11	2434
340	610103920524878	中国农业银行陕西省分行	61	2423
341	370811706092437	淄博矿业集团有限责任公司许厂煤矿	37	2409
342	230102127048941	哈尔滨电业局	23	2402
343	12011010375258X	天津二十冶建设有限公司	12	2394
344	140114776713323	山西焦煤集团国际贸易有限责任公司	14	2380
345	120118100023285	中国石油天然气勘探开发公司	11	2371
346	230198769221128	黑龙江龙煤矿业集团有限责任公司	23	2368
347	320584838233916	江苏省电力公司吴江市供电公司	32	2365
348	340802151302495	安徽省烟草公司安庆市公司	34	2358
349	430204779031096	南车株洲电力机车有限公司	43	2356
350	51170021015119X	达州电业局	51	2354
351	341226852221284	淮南矿业（集团）有限责任公司谢桥煤矿	34	2340
352	420101737546008	武汉地产开发投资集团有限公司	42	2331
353	330401146478349	嘉兴电力局	33	2331
354	130602805953589	保定供电公司	13	2324
355	110102801473553	中国农业发展银行北京市分行	11	2316
356	110228802974181	北京首云铁矿	11	2307
357	130603105941085	河北省烟草公司保定市公司	13	2307
358	370802165921393	山东电力集团公司济宁供电公司	37	2305
359	110192757700076	中冶京诚工程技术有限公司	11	2304
360	110102100006653	中国对外经济贸易信托有限公司	11	2302
361	510115202456540	成都印钞公司	51	2293
362	110108100002724	中国国际电视总公司	11	2290
363	440105190506722	广州船舶工业公司	44	2275
364	360101158376593	江西省烟草公司南昌市公司	36	2275

续表

序号	企业代码	企业名称	地区	实纳税额
365	320583838134264	江苏省电力公司昆山市供电公司	32	2275
366	445302190321875	云浮硫铁矿企业集团公司	44	2268
367	320113660688162	中国石化集团资产经营管理有限公司金陵石化分公司	32	2266
368	321001134753374	中国石化集团江苏石油勘探局	32	2266
369	130203104744995	河北省烟草公司唐山市公司	13	2260
370	510108765397812	四川石油管理局川西钻探公司	51	2243
371	370205163580003	华电青岛发电有限公司	37	2239
372	53011162260081X	昆明铁路局	53	2236
373	440681741708807	广东电网公司佛山顺德供电局	44	2205
374	530381738062005	国电宣威发电有限责任公司	53	2204
375	110108102069527	中国航天时代电子公司	11	2198
376	140114701138010	太原煤气化股份有限公司	14	2195
377	440801730463162	广东烟草湛江市有限公司	44	2180
378	371202169530031	鲁中冶金矿业集团公司	37	2180
379	37120316953055X	莱芜钢铁集团有限公司	37	2178
380	142701813643345	山西省电力公司运城大用户营业所	14	2173
381	513423213150192	四川省盐源县平川铁矿	51	2171
382	421001178968502	湖北省烟草公司荆州市公司	42	2163
383	140116110013910	山西省电力公司太原供电分公司	14	2159
384	522701216252186	贵州省烟草公司黔南州公司	52	2157
385	11010810000624X	中国电子器材总公司	11	2156
386	520100214402515	贵州电网公司	52	2156
387	522201215051390	贵州省烟草公司铜仁地区公司	52	2156
388	150240114392532	内蒙古自治区烟草公司包头市公司	15	2149
389	510601735892505	二重集团（德阳）重型装备股份有限公司	51	2141
390	130481105744268	邯邢冶金矿山管理局北洺河铁矿	13	2135
391	411403175000969	河南省烟草公司商丘市公司	41	2114
392	350204155014220	福建省厦门电业局	35	2108
393	11010810000106X	中国电子进出口总公司	11	2107
394	450201198585373	广西柳州钢铁（集团）公司	45	2106
395	469007721234704	中海石油化学股份有限公司	46	2104
396	500103902820921	国家开发银行重庆市分行	50	2096
397	370830720741675	山东裕隆矿业集团有限公司唐阳煤矿	37	2081
398	230206128512937	中国华电集团富拉尔基发电总厂	23	2080
399	110102100027235	中核财务有限责任公司	11	2062
400	411000174272612	河南省烟草公司许昌市公司	41	2056
401	370827166237876	山东鲁泰煤业有限公司鹿洼煤矿	37	2052

续表

序号	企业代码	企业名称	地区	实纳税额
402	410881735514918	华能沁北发电有限责任公司	41	2033
403	430602186085953	湖南省烟草公司岳阳市公司	43	2032
404	413001176883054	河南省烟草公司信阳市公司	41	2025
405	110106101107173	中国建筑一局（集团）有限公司	11	2022
406	140107810016098	中国农业银行山西省分行	14	2012
407	131003109261423	华北电网有限公司廊坊供电公司	13	2010
408	320005834779241	中国农业发展银行江苏省分行	32	2006
409	342400152943614	安徽省烟草公司六安市公司	34	2001
410	110106802154562	中国工商银行股份有限公司北京方庄支行	11	1994
411	610521220532244	金堆城钼业集团有限公司	61	1984
412	320121135596999	南京造币厂	32	1981
413	44090166334762X	中国石化集团资产经营管理有限公司茂名石化分公司	44	1979
414	441601707923773	广东烟草河源市有限责任公司	44	1976
415	410500172196054	河南省电力公司安阳供电公司	41	1972
416	431381763251190	大唐华银电力股份有限公司金竹山火力发电分公司	43	1971
417	150590767871733	中国移动通信集团内蒙古有限公司通辽公司	15	1969
418	310113754778652	中冶天工上海十三冶建设有限公司	31	1969
419	530328781658066	云南大为制焦有限公司	53	1965
420	36110116144311X	江西省烟草公司上饶市公司	36	1963
421	420501722096227	湖北省烟草公司宜昌市公司	42	1955
422	44030010001694X	中国广东核电集团有限公司	44	1937
423	330227844393596	中国农业银行宁波市鄞州支行	33	1936
424	360403159304292	江西省烟草公司九江市公司	36	1933
425	110102710933307	中国人民健康保险股份有限公司	11	1923
426	321100141379448	江苏省烟草公司镇江市公司	32	1921
427	460100901253195	国家开发银行海南分行	46	1911
428	320200748159222	一汽解放汽车有限公司无锡柴油机厂	32	1909
429	620102224332944	甘肃省烟草公司兰州市公司	62	1908
430	110108100011508	中国化纤总公司	11	1903
431	610190220530206	西安印钞厂	61	1894
432	622624925730961	白银有色集团股份有限公司厂坝铅锌矿	62	1892
433	370305664437395	中国石化集团资产经营管理有限公司齐鲁石化分公司	37	1892
434	142330764697338	霍州煤电集团吕梁山煤电有限公司	14	1891
435	610581222160683	陕西韩城矿务局	61	1891
436	510601671415848	东方电气集团东方电机有限公司	51	1882
437	410481871956956	河南安钢集团舞阳矿业有限责任公司	41	1877
438	340104848940358	中国农业发展银行安徽省分行	34	1875

续表

序号	企业代码	企业名称	地区	实纳税额
439	411300176350776	河南省电力公司南阳供电公司	41	1874
440	110104101626272	北京印钞有限公司	11	1869
441	152826787084841	巴彦淖尔西部铜业有限公司	15	1868
442	460100201242022	中国烟草总公司海南省公司	46	1868
443	53080221835117X	云南省烟草公司普洱市公司	53	1864
444	440181743597266	广东电网公司广州番禺供电局	44	1864
445	530381797240748	曲靖市烟草公司宣威分公司	53	1862
446	361001162581645	江西省烟草公司抚州市公司	36	1857
447	412800175860627	河南省烟草公司驻马店市公司	41	1848
448	372901725406403	山东菏泽烟草有限公司	37	1845
449	340504150509144	马钢（集团）控股有限公司	34	1844
450	140323728164876	阳泉市南庄煤炭集团有限责任公司	14	1844
451	650102718901684	国家开发银行股份有限公司新疆分行	65	1839
452	14021311040230X	山西省烟草公司大同市公司	14	1836
453	34022276686286X	芜湖海螺水泥有限公司	34	1834
454	310046631639185	上海吴泾第二发电有限责任公司	31	1830
455	630105226593945	西宁特殊钢股份有限公司	63	1818
456	361101161445000	江西上饶供电公司	36	1816
457	220106715303515	长春汽车检测中心	22	1812
458	330602609610511	绍兴电力局	33	1809
459	430305184734649	大唐湘潭发电有限责任公司	43	1804
460	61020292114093X	铜川矿务局煤炭运输销售公司	61	1804
461	370883166123289	山东宏河矿业集团有限公司	37	1801
462	152721701419883	内蒙古国华准格尔发电有限责任公司	15	1801
463	342600153581109	安徽省烟草公司巢湖市公司	34	1797
464	320703834764058	中国石化集团南京化学工业有限公司连云港碱厂	32	1787
465	331082148880454	浙江省电力公司台州电业局	33	1786
466	210302765442193	中冶焦耐工程技术有限公司	21	1780
467	130104804321045	石家庄供电公司	13	1779
468	152722772228160	北方联合电力有限责任公司鄂尔多斯发电厂	15	1776
469	120118101765977	中海油气开发利用公司	11	1768
470	640181774928697	华电宁夏灵武发电有限公司	64	1766
471	130481805528793	邯邢冶金矿山管理局西石门铁矿	13	1764
472	142701113632995	山西省烟草公司运城市公司	14	1763
473	610198220611778	西安西电国际工程有限责任公司	61	1756
474	420606179319125	湖北省烟草公司襄樊市公司	42	1756
475	371402867271110	山东电力集团公司德州供电公司	37	1754

续表

序号	企业代码	企业名称	地区	实纳税额
476	450100198228800	广西壮族自治区烟草公司南宁市公司	45	1752
477	370882267174130	山东省田庄煤矿	37	1751
478	500112202806301	重庆鲁能开发（集团）有限公司	50	1738
479	410321171086961	大唐洛阳首阳山发电厂	41	1735
480	370902866407119	山东电力集团公司泰安供电公司	37	1735
481	130403105520408	河北省烟草公司邯郸市公司	13	1735
482	350102858145104	中国农业发展银行福建省分行	35	1734
483	41060078054434X	河南省电力公司鹤壁供电公司	41	1733
484	340111849021476	安徽省电力公司合肥供电公司	34	1731
485	220203124475104	吉化集团公司	22	1728
486	630104226580888	中国烟草总公司青海省公司	63	1717
487	441302456660680	中国银行股份有限公司惠州分行	44	1714
488	142611113092036	山西省烟草公司临汾市公司	14	1708
489	320581842050696	江苏省电力公司常熟市供电公司	32	1707
490	210502463564339	辽宁省电力有限公司本溪供电公司	21	1702
491	652100228599064	吐哈石油勘探开发指挥部	65	1694
492	429005177564194	中国石化集团江汉石油管理局	42	1689
493	652701742210760	新疆阿拉山口口岸工贸股份有限公司	65	1686
494	310113133401086	中冶宝钢技术服务有限公司	31	1681
495	110102710934190	中船重工物资贸易集团有限公司	11	1681
496	420901180813243	湖北省烟草公司孝感市公司	42	1681
497	130404105566107	邯郸钢铁集团有限责任公司	13	1680
498	110102710924910	中国兵器工业集团公司	11	1680
499	430103183859714	湖南省电力公司长沙电业局	43	1678
500	330204144068063	浙江省烟草公司宁波市公司	33	1676

三、2008年度全国上市企业纳税五百强排行榜

单位：万元

序号	企业代码	企业名称	地区	实纳税额
1	110102100003962	中国工商银行股份有限公司	11	4229629
2	110102100001342	中国银行股份有限公司	11	2209954
3	330201793017426	中国石油化工股份有限公司镇海炼化分公司	33	1679786
4	310046631696382	宝山钢铁股份有限公司	31	1497363
5	440901722484553	中国石油化工股份有限公司茂名分公司	44	1197013
6	650200715597998	中国石油天然气股份有限公司新疆油田分公司	65	1188673
7	65280071554911X	中国石油天然气股份有限公司塔里木油田分公司	65	1015703
8	44030110001686X	招商银行股份有限公司	44	972803
9	619000713594558	中国石油天然气股份有限公司长庆油田分公司	61	935801
10	210303242669479	鞍钢股份有限公司	21	735713
11	420107300247654	武汉钢铁股份有限公司	42	576463
12	370883166122374	兖州煤业股份有限公司	37	513023
13	310043834486537	中国石油化工股份有限公司上海高桥分公司	31	486187
14	652800742248144	中国石油化工股份有限公司西北油田分公司	65	467371
15	350100158142711	兴业银行股份有限公司	35	459351
16	110101710933024	中国神华能源股份有限公司	11	454768
17	310043132212291	中国石化上海石油化工股份有限公司	31	444097
18	31004313221158X	上海浦东发展银行股份有限公司	31	404583
19	110101100018988	中国民生银行股份有限公司	11	396622
20	340504610400837	马鞍山钢铁股份有限公司	34	394073
21	120114722958405	中国石油化工股份有限公司天津分公司	12	366373
22	310043744912184	中国石化销售有限公司华东分公司	31	340867
23	11010271092841X	中国人寿保险股份有限公司	11	337770
24	610890770043971	中国神华能源有限责任公司神东煤炭分公司	61	305862
25	140213710932953	大秦铁路股份有限公司	14	296830
26	110104101174712	北京银行股份有限公司	11	266673
27	310043834480565	中石油华东销售分公司	31	263046
28	440301192185379	深圳发展银行	44	237558
29	410902719176285	中国石油化工股份有限公司中原油田分公司	41	232501
30	652100718901908	中国石油天然气股份有限公司吐哈油田分公司	65	225534
31	140116701011888	山西太钢不锈钢股份有限公司	14	220413

续表

序号	企业代码	企业名称	地区	实纳税额
32	150230701464975	内蒙古包钢钢联股份有限公司	15	220097
33	110222717871006	中国国际航空股份有限公司	11	208709
34	420501710930405	中国长江电力股份有限公司	42	208045
35	140116713676510	山西西山煤电股份有限公司	14	202512
36	440300455744938	中国工商银行股份有限公司深圳市分行	44	200265
37	210502242690243	本钢板材股份有限公司	21	199653
38	440300101781440	中信证券股份有限公司	44	199583
39	370112726230489	济南钢铁股份有限公司	37	197617
40	450205715187622	柳州钢铁股份有限公司	45	193497
41	130203104759628	唐山钢铁股份有限公司	13	183293
42	410504719173420	安阳钢铁股份有限公司	41	183158
43	140405729666771	山西潞安环保能源开发股份有限公司	14	175083
44	220104244976413	一汽轿车股份有限公司	22	158813
45	32100172059808X	中国石油化工股份有限公司江苏油田分公司	32	157184
46	320102721730177	中国石油化工股份有限公司金陵分公司	32	142866
47	610521664102114	金堆城钼业股份有限公司矿冶分公司	61	140341
48	110101101690637	中国石化国际事业有限公司	11	136847
49	130503718311625	河北金牛能源股份有限公司	13	136757
50	440205231129346	广东韶钢松山股份有限公司	44	135614
51	14032371599263X	山西国阳新能股份有限公司	14	134601
52	310046132212734	中海发展股份有限公司	31	131859
53	210702716459108	中国石油天然气股份有限公司锦州石化分公司	21	128981
54	37021126462882X	青岛海信电器股份有限公司	37	127940
55	310046671143758	中国电信股份有限公司上海分公司	31	126356
56	410324171080594	洛阳栾川钼业集团股份有限公司	41	124458
57	110104100017336	大唐国际发电股份有限公司	11	119079
58	11010210112001X	华夏银行股份有限公司	11	118400
59	330000720083254	中国石油化工股份有限公司浙江石油分公司	33	114578
60	440106748017099	中国电信股份有限公司广州分公司	44	110746
61	110105710934289	中国中煤能源股份有限公司	11	110154
62	310043703486764	中石油西气东输管道分公司	31	109300
63	510402204360956	攀枝花新钢钒股份有限公司	51	108954
64	211401716427237	中国石油天然气股份有限公司锦西石化分公司	21	108022
65	52038271430580X	贵州茅台酒股份有限公司	52	107924
66	440401192548256	珠海格力电器股份有限公司	44	106698
67	130404700647251	邯郸钢铁股份有限公司	13	106681
68	110102101135684	交通银行股份有限公司北京市分行	11	103505

续表

序号	企业代码	企业名称	地区	实纳税额
69	320106743917098	中国电信股份有限公司江苏分公司	32	103227
70	650203726984969	中国石油天然气股份有限公司克拉玛依石化分公司	65	102369
71	110108801977962	中国民生银行股份有限公司总行营业部	11	100636
72	370305723267788	中国石油化工股份有限公司齐鲁分公司	37	98301
73	500904902887456001	中国工商银行重庆市分行	50	97056
74	320112714085405	南京钢铁股份有限公司	32	96461
75	321081625908297	中国石化仪征化纤股份有限公司	32	95824
76	110107700234318	北京首钢股份有限公司	11	94034
77	110104710931483	中国人民财产保险股份有限公司	11	93533
78	370705745676590	潍柴动力股份有限公司	37	92837
79	340700148973642	铜陵有色金属集团股份有限公司	34	90646
80	429005735209235	中国石油化工股份有限公司江汉油田公司	42	88771
81	220203717174219	中国石油天然气股份公司吉林市石化分公司	22	88598
82	370202163615667	青岛啤酒股份有限公司	37	86029
83	140213729670025	大同煤业股份有限公司	14	84890
84	120114724495870	中石油天然气股份有限公司大港石化分公司	12	82915
85	620200710375659	甘肃酒钢集团宏兴钢铁股份有限公司	62	81785
86	440103722457168	中国石油化工股份有限公司广东石油分公司	44	80664
87	430104712194405	长沙中联重工科技发展股份有限公司	43	79607
88	650109718902097	中国石油天然气股份有限公司乌石化分公司	65	78165
89	140106810015183	中国建设银行股份有限公司山西省分行	14	73306
90	31004313220454X	中国银行股份有限公司上海市分行	31	72939
91	230603716676129	中国石油天然气股份有限公司大庆石化分公司	23	72559
92	110102801124011	中信银行股份有限公司总行营业部	11	72321
93	140507713630037	山西兰花科技创业股份有限公司	14	70571
94	510104901861983	中国人寿保险股份有限公司四川省分公司	51	67895
95	11010220283066X	金融街控股股份有限公司	11	67273
96	150102701467412	中国石油天然气股份公司内蒙古销售分公司	15	66582
97	32010672057933X	中国石油化工股份有限公司江苏石油分公司	32	66340
98	330165704200860	杭州钢铁股份有限公司	33	65803
99	120113103070984	中储发展股份有限公司	12	63425
100	510108711890652	中国石油股份有限公司西南油气田分公司	51	62322
101	411481706784652	河南神火煤电股份有限公司	41	62122
102	510700205412308	四川长虹电器股份有限公司	51	61905
103	361181X12425989	江西铜业股份有限公司德兴铜矿	36	61480
104	430121183802099	湖南长丰汽车制造股份有限公司	43	61377
105	370783613588986	山东晨鸣纸业集团股份有限公司	37	60217

续表

序号	企业代码	企业名称	地区	实纳税额
106	230198128175037	哈药集团股份公司	23	60123
107	310043832211775	招商银行股份有限公司上海分行	31	60081
108	440300445769023	中国银行股份有限公司深圳市分行	44	60076
109	130202730266302	开滦能源化工股份有限公司	13	60071
110	510105711890927	中国石油天然气股份有限公司四川销售分公司	51	59993
111	350402733617489	福建三钢闽光股份有限公司	35	59518
112	440100890328787	中国银行股份有限公司广东省分行	44	58891
113	430603717052342	中国石油化工股份有限公司长岭分公司	43	58714
114	610498727375006	中石油天然气公司长庆石化分公司	61	58101
115	430211616777117	株洲冶炼集团股份有限公司	43	57917
116	500904902887456	中国工商银行股份有限公司重庆市分行	50	57439
117	650202712998841	中国石油天然气股份有限公司独山子石化分公司	65	56586
118	340123733037089	安徽江淮汽车股份有限公司商务车分公司	34	55269
119	440300192411663	广深铁路股份有限公司	44	54635
120	370102863134717	山东高速公路股份有限公司	37	54561
121	420103877715264	中国工商银行股份有限公司湖北分行营业部	42	54243
122	320106608950987	苏宁电器股份有限公司	32	53690
123	320003134762764	江苏宁沪高速公路股份有限公司	32	53566
124	650106722318862	新疆八一钢铁股份有限公司	65	53231
125	310046759579978	中海集装箱运输股份有限公司	31	52049
126	440106190548279	广州富力地产股份有限公司	44	51018
127	360106705514271	南昌长力钢铁股份有限公司	36	50701
128	372330720714466	魏桥纺织股份有限公司	37	50501
129	152302733266340	内蒙古霍林河露天煤业股份有限公司	15	50430
130	320103249682756	南京银行股份有限公司	32	49694
131	50010520286320X	重庆长安汽车股份有限公司	50	49033
132	41110070678701X	河南双汇投资发展股份有限公司	41	48954
133	320322720579102	上海大屯能源股份有限公司江苏分公司	32	48669
134	420107717996183	中国石油化工股份有限公司武汉分公司	42	48163
135	440300455769852	交通银行股份有限公司深圳分行	44	47536
136	440194708346859	中海发展股份有限公司货轮公司	44	47267
137	350590856105555	中国建设银行股份有限公司泉州分行	35	47055
138	142334112359966	山西杏花村汾酒厂股份有限公司	14	46884
139	340421710923520	国投新集能源股份有限公司	34	46484
140	420103177568750	长江证券股份有限公司	42	46444
141	530112709705745	云南铜业股份有限公司	53	46400
142	530301713464526	云南驰宏锌锗股份有限公司	53	45235

续表

序号	企业代码	企业名称	地区	实纳税额
143	11010877197214X	中国神华能源股份有限公司煤炭销售中心	11	44821
144	310043132207804	交通银行股份有限公司上海市分行	31	44501
145	23010471844994X	中国石油天然气股份有限公司哈尔滨石化分公司	23	44230
146	211004701696207	中国石油股份有限公司辽阳石化分公司	21	44225
147	110102801107430	中国工商银行股份有限公司北京长安支行	11	43949
148	32070570404786X	江苏恒瑞医药股份有限公司	32	43574
149	110227742624357	北汽福田汽车股份有限公司北京欧曼重型汽车厂	11	43466
150	310043834486035	中国石油化工股份有限公司上海石油分公司	31	42967
151	372523873954006	中石化中原油田分公司采油三厂	37	42893
152	12011871092921X	中海油田服务股份有限公司	12	42724
153	142703736335903	中国铝业股份有限公司山西分公司	14	42607
154	330103744141180	中国电信股份有限公司浙江分公司	33	41905
155	410104971859950	交通银行股份有限公司河南省分行	41	41753
156	370883866156823	华电国际电力股份有限公司邹县发电厂	37	41688
157	440106617419493	广东电力发展股份有限公司	44	41267
158	420105717947410	武汉钢铁股份有限公司棒材厂	42	41089
159	410106737441935	中国铝业股份有限公司河南分公司	41	40777
160	420103877585797	招商银行股份有限公司武汉分行	42	40677
161	410800712634853	风神轮胎股份有限公司	41	39989
162	440301708596778	中国石油化工股份有限公司深圳石油分公司	44	39659
163	110222633646901	北京燕京啤酒股份有限公司	11	39095
164	650104299937622	新疆金风科技股份有限公司	65	38842
165	320006834791179	招商银行股份有限公司南京分行	32	38603
166	420104722002083	中国石油化工股份有限公司湖北石油分公司	42	38331
167	130902721677572	中国石油化工股份有限公司沧州分公司	13	37805
168	440300892351059	中国民生银行股份有限公司深圳分行	44	37735
169	110102733466748	华夏银行股份有限公司北京分行	11	37223
170	41088171917196X	河南豫光金铅股份有限公司	41	37093
171	622101712722124	中国石油玉门油田分公司	62	37075
172	110106710935003	中国中铁股份有限公司	11	36898
173	110102801949566	中国建设银行股份有限公司总行营业部	11	35408
174	130803106512303	承德新新钒钛股份有限公司	13	35180
175	520113736615163	中国铝业股份有限公司贵州分公司	52	34824
176	140106810015810	中国工商银行股份有限公司山西省分行	14	34498
177	431103768004930	湖南长丰汽车制造股份有限公司永州分公司	43	34482
178	370202264610857	青岛远洋运输有限公司	37	34360
179	130205804791805	大唐国际发电股份有限公司陡河发电厂	13	34032

续表

序号	企业代码	企业名称	地区	实纳税额
180	21140112076702X	葫芦岛锌业股份有限公司	21	33951
181	320105834753463	中信银行股份有限公司南京分行	32	33799
182	330000842910094	中国银行股份有限公司浙江省分行	33	33550
183	410104170001401	郑州宇通客车股份有限公司	41	33548
184	530102622600270	中国工商银行股份有限公司云南省分行	53	33299
185	310046741602981	中国东方航空股份有限公司	31	33262
186	44030078278219X	招商银行股份有限公司深圳分行	44	33193
187	61009092052005X	中国工商银行股份有限公司陕西省分行	61	33172
188	440102741884392	保利房地产（集团）股份有限公司	44	33126
189	110102801388295	中国石油天然气股份有限公司华北天然气销售分公司	11	32950
190	310043832220719	兴业银行股份有限公司上海分行	31	32827
191	210213782451606	大连港股份有限公司	21	32317
192	430102883842091	中国工商银行股份有限公司湖南省分行营业部	43	32165
193	310043832246986	中国民生银行上海分行	31	32153
194	350590856105440	中国工商银行股份有限公司泉州分行	35	31803
195	440224712385455	深圳市中金岭南有色金属股份有限公司凡口铅锌矿	44	31338
196	210102817561582	中国建设银行股份有限公司辽宁省分行	21	31275
197	440191718160724	中远航运股份有限公司	44	30740
198	632873710449283	西部矿业股份有限公司	63	30465
199	152721767895014	中国神华能源股份有限公司准格尔运销公司	15	30433
200	441900751092436	中国电信股份有限公司东莞分公司	44	30248
201	53012121658149X	云南铝业股份有限公司	53	30205
202	441302456660517	中国建设银行股份有限公司惠州市分行	44	29865
203	34020214949036X	安徽海螺水泥股份有限公司	34	29833
204	110105801125305	中国石油化工股份有限公司北京石油分公司	11	29378
205	441300195971850	TCL 集团股份有限公司	44	29309
206	110102801105478	招商银行股份有限公司北京分行	11	28935
207	410800173525171	焦作万方铝业股份有限公司	41	28700
208	110103710925737	国药集团药业股份有限公司	11	28696
209	15010362640500X	中国工商银行股份有限公司内蒙古分行	15	28577
210	310046134616599	上海国际机场股份有限公司	31	28486
211	310115631189305	上海建工股份有限公司	31	28410
212	510302620729185	东方锅炉（集团）股份有限公司	51	28410
213	450100898222573	中国建设银行股份有限公司广西区分行	45	28161
214	610103920523699	中国建设银行股份有限公司陕西省分行	61	27749
215	142625113273064	山西焦化股份有限公司	14	27641
216	130106723388547	中国石油化工股份有限公司河北石油分公司	13	27609

续表

序号	企业代码	企业名称	地区	实纳税额
217	330725147641689	浙江中国小商品城集团股份有限公司	33	27561
218	430121616800612	三一重工股份有限公司	43	27371
219	65010271890202X	中国石油天然气股份有限公司新疆销售分公司	65	27314
220	130213721620963	唐山三友化工股份有限公司	13	27197
221	320106773973920	苏宁电器股份有限公司南京采购中心	32	27152
222	440101190510588	交通银行股份有限公司广东省分行	44	27142
223	440801456247001	中国工商银行湛江分行	44	27093
224	442000898101827	中国银行股份有限公司中山分行	44	26998
225	440300748856239	中国股份有限公司深圳分公司	44	26428
226	440101725066955	广州白云国际机场股份有限公司	44	26227
227	32010683498988X	交通银行股份有限公司江苏省分行	32	25931
228	370783706206553	山东海化股份有限公司	37	25894
229	310046132211803	上海航空股份有限公司	31	25839
230	342900725538799	安徽池州海螺水泥股份有限公司	34	25659
231	361101705558047	中国石油化工股份有限公司江西上饶石油分公司	36	25648
232	53010221652214X	云南白药集团股份有限公司	53	25606
233	21138212320998X	凌源钢铁股份有限公司	21	25263
234	31004310000595X	交通银行股份有限公司	31	25104
235	350203854989713	中国工商银行股份有限公司厦门市分行	35	24885
236	430121799122817	中联重科底盘分公司	43	24669
237	420104615571010	中国葛洲坝集团股份有限公司	42	24595
238	120118722950227	海洋石油工程股份有限公司	12	24564
239	370321706397513	山东博汇纸业股份有限公司	37	24265
240	370303164100307	山东金岭矿业股份有限公司	37	24250
241	310109132207927	上海城投控股股份有限公司	31	24121
242	340104148973087	安徽皖通高速公路股份有限公司	34	23897
243	320006714093229	中国民生银行股份有限公司南京分行	32	23874
244	42020327175201X	大冶特殊钢股份有限公司	42	23811
245	310043755725974	中石油西气东输销售分公司	31	23538
246	230103828027713	哈药集团制药总厂	23	23461
247	110101801102701	中国银行股份有限公司北京市分行	11	23437
248	150105814190106	中国石油天然气股份有限公司呼和浩特石化分公司	15	23391
249	370685761859952	招金矿业股份有限公司	37	23291
250	410181170002324	河南中孚实业股份有限公司	41	23176
251	370602163044841	烟台万华聚氨酯股份有限公司	37	23156
252	440100192185379	深圳发展银行股份有限公司广州分行	44	23121
253	410183170011386	郑州煤电股份有限公司	41	22969

续表

序号	企业代码	企业名称	地区	实纳税额
254	310104132222385	上海隧道工程股份有限公司	31	22895
255	131011236077725	荣盛房地产发展股份有限公司	13	22859
256	430102183778498	现代投资股份有限公司	43	22820
257	370802165936413	山推工程机械股份有限公司	37	22801
258	450100198320391	南宁糖业股份有限公司	45	22375
259	530381738062005	国电宣威发电有限责任公司	53	22042
260	140114701138010	太原煤气化股份有限公司	14	21954
261	110107722601879	北京京能热电股份有限公司	11	21622
262	220104702333395	中国石油天然气股份有限公司吉林销售分公司	22	21612
263	140114701013306	太原重工股份有限公司	14	21442
264	310043832236753	人保财险上海市分公司	31	21441
265	330182142919274	浙江新安化工集团股份有限公司	33	21168
266	420102877603844	中国民生银行股份有限公司武汉分行	42	21102
267	230198128173269	哈药集团三精制药股份有限公司	23	21094
268	469007721234704	中海石油化学股份有限公司	46	21035
269	440106618607269	金发科技股份有限公司	44	21034
270	21040470181332X	抚顺特殊钢股份有限公司	21	21027
271	230198127044967	哈药集团制药六厂	23	20755
272	370105YA1756540	招商银行股份有限公司济南分行	37	20698
273	120114103071899	天津一汽夏利汽车股份有限公司	12	20666
274	45010089828087X	中国工商银行股份有限公司广西壮族自治区分行营业部	45	20526
275	320003834782459	上海浦东发展银行股份有限公司南京分行	32	20509
276	430602722587712	岳阳纸业股份有限公司	43	20446
277	120107103622427	中交一航局第一工程有限公司	12	20405
278	500905202823566	重庆啤酒股份有限公司	50	20366
279	310043786713482	招商银行股份有限公司信用卡中心	31	20362
280	140106810041525	中国人民财产保险股份公司山西省分公司	14	20296
281	350823157987632	紫金矿业集团股份有限公司紫金山金铜矿	35	20144
282	44020472242362X	深圳市中金岭南有色金属股份有限公司韶关冶炼厂	44	19847
283	431381763251190	大唐华银电力股份有限公司金竹山火力发电分公司	43	19708
284	120114103061834	交通银行股份有限公司天津市分行	12	19531
285	370103732620512	中国民生银行股份有限公司济南分行	37	19112
286	150117114124263	内蒙古伊利实业集团股份有限公司	15	19103
287	440102190481772	广州友谊集团股份有限公司	44	19085
288	320601608316572	华能国际电力股份有限公司南通电厂	32	18924
289	370523164960403	山东华泰纸业股份有限公司	37	18866
290	510601671415848	东方电气集团东方电机有限公司	51	18815

续表

序号	企业代码	企业名称	地区	实纳税额
291	310043759580434	兴业银行股份有限公司资金营运中心	31	18692
292	410105745761285	招商银行股份有限公司郑州分行	41	18683
293	410105719178475	中国石油化工股份有限公司河南石油分公司	41	18677
294	320105834758993	中国银行股份有限公司江苏省分行	32	18611
295	460108620025161	海南航空股份有限公司	46	18576
296	440101890350562	中信银行股份有限公司广州分行	44	18466
297	330401710959275	民丰特种纸股份有限公司	33	18447
298	440104190422131	广州市广百股份有限公司	44	18378
299	220104664275090	东北证券股份有限公司	22	18354
300	330000843499954	中国工商银行股份有限公司杭州萧山支行	33	18315
301	350521158164558	福建省燕京惠泉啤酒股份有限公司	35	18077
302	32050260821340X	中国工商银行股份有限公司苏州分行	32	18030
303	53230171949315X	云南楚雄矿冶股份有限公司	53	18020
304	371402723286858	山东华鲁恒升化工股份有限公司	37	17911
305	370202964921189	交通银行股份有限公司青岛分行	37	17608
306	341600151940008	安徽古井贡酒股份有限公司	34	17452
307	140111701003474	中国民生银行股份有限公司太原分行	14	17337
308	230198127575573	哈尔滨动力设备股份有限公司	23	17232
309	310046132260250	上海汽车集团股份有限公司	31	17165
310	441302456660680	中国银行股份有限公司惠州分行	44	17138
311	330000142924567	上海浦东发展银行股份有限公司杭州分行	33	17057
312	450100898230186	中国建设银行股份有限公司广西区分行营业部	45	17039
313	110101801114817	上海浦东发展银行北京分行	11	16849
314	110102801448622	中国民生银行股份有限公司北京北太平庄支行	11	16817
315	210103715742139	中国石油东北销售分公司	21	16723
316	519000901804241	中国建设银行股份有限公司成都新华支行	51	16615
317	420526271750612	湖北兴发化工集团股份有限公司	42	16579
318	330624712560575	浙江新和成股份有限公司	33	16493
319	42060670689187X	东风汽车股份有限公司	42	16287
320	370104742442772	九阳股份有限公司	37	16180
321	310112607200180	上海氯碱化工股份有限公司	31	16158
322	370102863052199	中国建设银行股份有限公司山东省分行	37	16116
323	520103214433290	贵州益佰制药股份有限公司	52	15999
324	330000842921930	招商银行股份有限公司杭州分行	33	15957
325	152721667310795	神华哈尔乌素煤炭分公司	15	15955
326	440104725006397	中石化广东广州石油分公司	44	15946
327	650102228593068	宏源证券股份有限公司	65	15873

续表

序号	企业代码	企业名称	地区	实纳税额
328	511301714426775	中国石油西南油气田分公司南充炼油化工总厂	51	15779
329	220202100014493	中钢集团吉林炭素股份有限公司	22	15720
330	44030089218633X	中国平安财产保险股份有限公司深圳分公司	44	15676
331	330202728115855	兴业银行股份有限公司宁波分行	33	15583
332	110108771979544	中国神华能源股份有限公司铁路货车运输分公司	11	15479
333	22028472673322X	吉林吉恩镍业股份有限公司	22	15479
334	110105101636761	中铁十六局集团有限公司	11	15466
335	430102X16772187	招商银行股份有限公司长沙分行	43	15375
336	350206155013367	厦门钨业股份有限公司	35	15334
337	150240701463622	内蒙古包钢稀土高科技股份有限公司	15	15263
338	110105633796475	北京双鹤药业股份有限公司	11	15245
339	510500204706718	泸州老窖股份有限公司	51	15224
340	150121701469493	内蒙古伊利实业集团股份有限公司奶粉事业部	15	15213
341	320200135902458	交通银行股份有限公司无锡分行	32	15208
342	619000741280740	中国石化销售有限公司西北分公司	61	15201
343	130106723374102	中国石油天然气股份有限公司河北销售分公司	13	15049
344	440301710924590	三九医药股份有限公司	44	14935
345	330104719577660	杭州滨江房产集团股份有限公司	33	14876
346	411282742545894	灵宝黄金股份有限公司	41	14475
347	310115710923539	中化国际（控股）股份有限公司	31	14426
348	321700608285139	苏州金螳螂建筑装饰股份有限公司	32	14386
349	410103725823522	河南中原高速公路股份有限公司	41	14374
350	330205254106251	宁波海运股份有限公司	33	14334
351	610197220594875	陕西省天然气股份有限公司	61	14326
352	440100890508008	中国工商银行股份有限公司广州北京路支行	44	14130
353	370202863607414	中信银行股份有限公司青岛分行	37	14111
354	131102601248773	河北衡水老白干酒业股份有限公司酿酒分公司	13	14020
355	440300892418356	兴业银行股份有限公司深圳分行	44	13954
356	519000X21601534	中国建设银行股份有限公司成都岷江支行	51	13946
357	210202241268278	大商集团股份有限公司	21	13898
358	320006834782029	华夏银行股份有限公司南京分行	32	13828
359	530630291993726	云南云天化股份有限公司	53	13828
360	320502837711496	中信银行股份有限公司苏州分行	32	13782
361	320103134881640	南京中央商场（集团）股份有限公司	32	13702
362	340502150523317	安徽山鹰纸业股份有限公司	34	13701
363	440600893543642	交通银行股份有限公司佛山分行	44	13548
364	330000843047309	中国工商银行股份有限公司浙江省分行营业部	33	13544

续表

序号	企业代码	企业名称	地区	实纳税额
365	44030027954141X	深圳市机场股份有限公司	44	13467
366	14240211303694X	山西安泰集团股份有限公司冶炼分公司	14	13439
367	330000142943469	浙江医药股份有限公司	33	13420
368	610103920520236	中国银行股份有限公司陕西省分行	61	13418
369	340603726325699	安徽恒源煤电股份有限公司	34	13339
370	372525168130028	山东东阿阿胶股份有限公司	37	13304
371	340103711759128	中国工商银行股份有限公司合肥四牌楼支行	34	13304
372	450991708650252	中国工商银行股份有限公司玉林分行	45	13289
373	350102705102437	福建发展高速公路股份有限公司	35	13279
374	320705138997640	江苏康缘药业股份有限公司	32	13264
375	110102801124775	深圳发展银行股份有限公司北京分行	11	13215
376	120114718272224	招商银行股份有限公司天津分行	12	13211
377	420000931155553	交通银行股份有限公司湖北省分行	42	13089
378	320200748734186	中国电信股份有限公司无锡分公司	32	13057
379	110106802129498	中国工商银行股份有限公司北京丰台支行	11	13049
380	370206163577402	青岛碱业股份有限公司	37	12996
381	441900198058741	中国银行股份有限公司东莞分行	44	12954
382	370212264574251	青岛海尔股份有限公司	37	12921
383	342524669461239	安徽海螺水泥股份有限公司宁国水泥厂	34	12854
384	440113891425650	中国工商银行股份有限公司广州番禺支行	44	12795
385	61009092055556X	招商银行股份有限公司西安分行	61	12792
386	320113134955662	中国长江航运集团南京油运股份有限公司	32	12664
387	440604748014859	中国电信股份有限公司佛山分公司	44	12656
388	320200704046760	无锡小天鹅股份有限公司	32	12640
389	32050471857525X	招商银行股份有限公司苏州分行	32	12628
390	142703113872091	山西漳泽电力股份有限公司河津发电分公司	14	12567
391	610090920607171	交通银行股份有限公司陕西省分行	61	12501
392	330602142943303	浙江古越龙山绍兴酒股份有限公司	33	12491
393	35059075736499X	中国电信股份有限公司泉州分公司	35	12451
394	510104X21607362	中信银行股份有限公司成都分行	51	12447
395	440301279351261	中国长城计算机深圳股份有限公司	44	12436
396	450100711494908	中国石油天然气股份有限公司广西销售分公司	45	12431
397	440681190343548	海信科龙电器股份有限公司	44	12415
398	51010672341539X	四川水井坊股份有限公司	51	12414
399	110105101782670	北京京客隆商业集团股份有限公司	11	12257
400	11010580169951X	中国工商银行股份有限公司北京望京支行	11	12255
401	420105722084584	湖北楚天高速公路股份有限公司	42	12163

续表

序号	企业代码	企业名称	地区	实纳税额
402	510105201961940	国金证券股份有限公司	51	12084
403	320111663764650	南车南京浦镇车辆有限公司	32	12059
404	330000843008318	中信银行股份有限公司绍兴分行	33	12036
405	140111713672069	太原化工股份有限公司	14	11994
406	210211711341725	大连金牛股份有限公司	21	11972
407	130811601268264	河北承德露露股份有限公司	13	11939
408	440106716340473	广州广电运通金融电子股份有限公司	44	11930
409	340506713957793	安徽星马汽车股份有限公司	34	11888
410	370402864440513	中国工商银行股份有限公司枣庄分行	37	11786
411	370202718064572	招商银行股份有限公司青岛分行	37	11776
412	370402864440919	中国建设银行股份有限公司枣庄分行	37	11714
413	650102928585392	建行股份有限公司新疆分行营业部	65	11701
414	320400837156701	中国工商银行股份有限公司常州分行	32	11672
415	330000720081814	中国民生银行股份有限公司杭州分行	33	11650
416	140109110071555	中铁十二局集团第三工程有限公司	14	11648
417	110222802500760	北京顺鑫农业股份有限公司牛栏山酒厂	11	11637
418	510113202285163	川化股份有限公司	51	11536
419	220104823939561	建设银行吉林省分行	22	11426
420	152602701396626	蒙电华能热电股份有限公司丰镇发电厂	15	11395
421	350206154996787	厦门信达股份有限公司	35	11370
422	230110826962994	中国人民财产保险股份有限公司省分公司	23	11232
423	110102681953105	中国电信股份有限公司北京分公司	11	11183
424	120114103065501	天津创业环保集团股份有限公司	12	11086
425	520100714307389	中国石油化工股份有限公司贵州石油分公司	52	11070
426	320502837701677	交通银行苏州分行	32	11059
427	150102114123615	内蒙古蒙电华能热电股份有限公司	15	11057
428	350204155052227	厦门工程机械股份有限公司	35	11030
429	140404719842137	山西漳泽电力股份有限公司漳泽发电分公司	14	11012
430	610481294207364	陕西兴化化学股份有限公司	61	10990
431	370202746566123	山东中外运船务代理有限公司	37	10982
432	210804716409709	营口港务股份有限公司	21	10964
433	430102883761646	中国银行股份有限公司湖南分行	43	10954
434	110192710925163	华北高速公路股份有限公司	11	10927
435	130203804748225	交通银行股分有限公司唐山分行	13	10893
436	210103001603903	中国石油天然气辽宁沈阳销售分公司	21	10803
437	440300192207267	中信银行股份有限公司深圳分行	44	10786
438	441302456659284	中国工商银行股份有限公司惠州分行	44	10780

续表

序号	企业代码	企业名称	地区	实纳税额
439	34010271175903X	中国工商银行股份公司合肥长江东路支行	34	10775
440	370902166408727	中国石化山东泰山石油股份有限公司	37	10771
441	310101132329342	上海新世界股份有限公司	31	10767
442	650103731836311	新疆中泰化学股份有限公司	65	10710
443	110108101929281	北京石油机械厂	11	10684
444	320281703519028	凯诺科技股份有限公司	32	10642
445	440300618831041	深圳市振业（集团）股份有限公司	44	10642
446	440300708585091	上海浦东发展银行股份有限公司深圳分行	44	10592
447	320200835893732	中国工商银行股份有限公司无锡分行	32	10584
448	360425705653896	蓝星新材料股份有限公司江西星火有机硅厂	36	10581
449	110108710924187	有研半导体材料股份有限公司	11	10581
450	430204780850865	株洲南车时代电气股份有限公司	43	10527
451	330203844098028	交通银行股份有限公司宁波分行	33	10518
452	330000843499401	中国银行股份有限公司杭州市萧山支行	33	10505
453	320502837691819	中国银行股份有限公司苏州分行	32	10478
454	310101132203694	上海百联集团股份有限公司	31	10464
455	430603186201870	岳阳兴长石化股份有限公司	43	10461
456	440601724779144	中国石油化工股份有限公司广东佛山石油分公司	44	10440
457	330000720007286	招商银行股份有限公司温州分行	33	10431
458	130124795464238	中国太平洋财产保险股份有限公司河北分公司栾城营销服务部	13	10333
459	530103731230416	招商银行昆明分行	53	10327
460	230198127046743	哈尔滨空调股份有限公司	23	10290
461	330300704320133	上海浦东发展银行股份有限公司温州分行	33	10268
462	350427158157497	福建省青山纸业股份有限公司	35	10248
463	130102700715920	石家庄常山纺织股份有限公司	13	10241
464	130302105252888	中交一航局第五工程有限公司	13	10235
465	330381717613998	浙江华峰氨纶股份有限公司	33	10211
466	23019871201745X	哈尔滨东安汽车动力股份有限公司	23	10205
467	120114725725885	上海浦东发展银行股份有限公司天津分行	12	10183
468	140111701006798	华夏银行股份有限公司太原分行	14	10175
469	420981706803542	湖北双环科技股份有限公司	42	10165
470	210114243490075	沈阳化工股份有限公司	21	10147
471	210701719686672	锦州港股份有限公司	21	10147
472	370323749881110	山东联合化工有限公司	37	10122
473	350305611258799	福建佳通轮胎有限公司	35	10115
474	220202124496079	吉林化纤股份有限公司	22	10099
475	411100170001516	河南银鸽实业投资股份有限公司	41	10089

续表

序号	企业代码	企业名称	地区	实纳税额
476	410402871754529	平顶山煤业（集团）二矿	41	10059
477	370681705830311	山东南山铝业股份有限公司	37	10040
478	370323168611868	山东省药用玻璃股份有限公司	37	10028
479	142625110055862	山西三维集团股份有限公司	14	9999
480	320103134896447	南京新街口百货商店股份有限公司	32	9958
481	320106724588575	深圳发展银行股份有限公司南京分行	32	9905
482	310115132204523	上海万业企业股份有限公司	31	9877
483	321023718546176	宝胜科技创新股份有限公司	32	9868
484	340103149140650	交通银行股份有限公司安徽省分行	34	9856
485	519000744670365	中国民生银行股份有限公司成都分行	51	9810
486	320002726058578	兴业银行股份有限公司南京分行	32	9806
487	110108100026793	同方股份有限公司	11	9800
488	370612165341292	山东恒邦冶炼股份有限公司	37	9799
489	371102740965844	日照港股份有限公司	37	9772
490	410403169972489	神马实业股份有限公司	41	9746
491	450891198227509	广西贵糖（集团）股份有限公司	45	9740
492	440601190380023	佛山塑料集团股份有限公司	44	9728
493	330000704398408	上海浦东发展银行股份有限公司嘉兴分行	33	9715
494	320200703514737	无锡商业大厦大东方股份有限公司	32	9688
495	441900X18074614	中国建设银行股份有限公司东莞市分行	44	9687
496	130105730278653	中信银行股份有限公司石家庄分行	13	9683
497	420103717984158	中信银行股份有限公司武汉分行	42	9658
498	440300192186574	中国人民财产保险股份有限公司深圳市分公司	44	9629
499	420106714666795	华夏银行股份有限公司武汉分行	42	9628
500	330000845035010	中国建设银行股份有限公司温州分行	33	9597

四、2008年度全国外商（含港澳台）投资企业纳税五百强排行榜

单位：万元

序号	企业代码	企业名称	地区	实纳税额
1	11010571785912X	梅赛德斯－奔驰（中国）汽车销售有限公司	11	1409985
2	110105717859867	宝马（中国）汽车贸易有限公司	11	1090082
3	220104605120697	一汽－大众汽车有限公司	22	930128
4	310046607371748	上海通用汽车有限公司	31	720529
5	110105710938183	丰田汽车（中国）投资有限公司	11	702702
6	440100707653099	中国移动通信集团广东有限公司	44	685230
7	120115710939151	天津一汽丰田汽车有限公司	12	675629
8	310046607200463	上海大众汽车有限公司	31	571398
9	440194717852200	广州丰田汽车有限公司	44	513123
10	440112708263885	广州本田汽车有限公司	44	498305
11	110192101783083	诺基亚（中国）投资有限公司	11	493614
12	420101616401865	东风本田汽车有限公司	42	471415
13	440114749934315	东风汽车有限公司东风日产乘用车公司	44	395501
14	500904709375109	长安福特马自达汽车有限公司	50	393980
15	37010372495538X	中国移动通信集团山东有限公司	37	387978
16	440801617797099	中国石化湛江东兴石油化工有限公司	44	387494
17	510108713006509	四川一汽丰田汽车有限公司	51	358864
18	32000670404188X	中国移动通信集团江苏有限公司	32	326963
19	440101618419487	安利（中国）日用品有限公司	44	301402
20	110222710935986	北京现代汽车有限公司	11	285973
21	210104746494975	华晨宝马汽车有限公司	21	263537
22	510122772989760	中国国际航空股份有限公司西南分公司	51	255773
23	441301710939725	中海壳牌石油化工有限公司	44	239424
24	110192600003205	北京奔驰－戴姆勒·克莱斯勒汽车有限公司	11	213920
25	420101616412935	神龙汽车有限公司	42	211110
26	310046132149237	中国移动通信集团上海有限公司	31	209033
27	350102710920936	中国移动通信集团福建有限公司	35	196569
28	210101719646152	中国移动通信集团辽宁有限公司	21	192796
29	440101100017600	中国南方航空股份有限公司	44	186879
30	110101722611700	中国移动通信集团北京有限公司	11	182405

续表

序号	企业代码	企业名称	地区	实纳税额
31	110105625912210	佳能（中国）有限公司	11	154137
32	310115729446189	雅培贸易（上海）有限公司	31	154059
33	310112607417881	华硕电脑（上海）有限公司	31	142974
34	12011572574957X	天津三星通信技术有限公司	12	139371
35	310103717853158	保乐力加（中国）贸易有限公司	31	136770
36	120115600899320	天津三星电子显示器有限公司	12	136459
37	420101710937412	中国移动通信集团湖北有限公司	42	135214
38	440112708263519	东风本田发动机有限公司	44	134664
39	321700660088829	阿迪达斯体育（中国）有限公司	32	130284
40	530111760417482	中国移动通信集团云南有限公司	53	126533
41	450200708731386	上汽通用五菱汽车股份有限公司	45	125234
42	140115710937455	中国移动通信集团山西有限公司	14	118088
43	320901608606625	东风悦达起亚汽车有限公司	32	117963
44	450600715191891	大海粮油工业（防城港）有限公司	45	117627
45	430103710937420	中国移动通信集团湖南有限公司	43	116787
46	310112607330647	可口可乐（中国）饮料有限公司	31	116216
47	130227721610976	河北津西钢铁股份有限公司	13	116083
48	210104604606804	上海通用（沈阳）北盛汽车有限公司	21	116067
49	130302723397611	秦皇岛金海粮油工业有限公司	13	114774
50	510198735866286	中国移动通信集团四川有限公司	51	113148
51	440301618815578	康佳集团股份有限公司	44	111110
52	469040754358922	中国石化海南炼油化工有限公司	46	110391
53	11010571785226X	现代汽车（中国）投资有限公司	11	110339
54	310112717880375	上海电气电站设备有限公司	31	109007
55	110105717859138	克莱斯勒（中国）汽车销售有限公司	11	105859
56	370602613422169	斗山工程机械（中国）有限公司	37	105092
57	610190735354889	中国移动通信集团陕西有限公司	61	103414
58	340104610308512	日立建机（中国）有限公司	34	100628
59	310115607339756	上海索广映像有限公司	31	100093
60	120115773646700	维斯塔斯风力技术（中国）有限公司	12	98506
61	310115607425849	国际商业机器全球服务（中国）有限公司	31	94943
62	350100717868448	中石化森美（福建）石油有限公司	35	94247
63	310108101691285	飞利浦（中国）投资有限公司	31	91771
64	320200791954918	尚能太阳能电力有限公司	32	86822
65	320582608257189	张家港浦项不锈钢有限公司	32	86610
66	321101608835858	金东纸业（江苏）股份有限公司	32	86349
67	440101734930290	联众（广州）不锈钢有限公司	44	84773

续表

序号	企业代码	企业名称	地区	实纳税额
68	321101608834353	镇江奇美化工有限公司	32	82043
69	130323746874054	秦皇岛首秦金属材料有限公司	13	81785
70	321600608258317	中粮东海粮油工业（张家港）有限公司	32	81317
71	370502706242888	东营方圆有色金属有限公司	37	80554
72	110192600035733	拜耳医药保健有限公司	11	80202
73	120116722997404	中国移动通信集团天津有限公司	12	79455
74	320601765860600	嘉吉粮油（南通）有限公司	32	79102
75	320113608943998	南京夏普电子有限公司	32	78397
76	110105717850555	日产（中国）投资有限公司	11	77930
77	310115607339254	联合汽车电子有限公司	31	77271
78	610190623100825	西安杨森制药有限公司	61	77140
79	442000617592341	完美（中国）日用品有限公司	44	76821
80	230190762734027	中国移动通信集团黑龙江有限公司	23	76789
81	220104776551133	四川一汽丰田汽车有限公司长春丰越公司	22	76344
82	320300608002178	卡特彼勒（徐州）有限公司	32	76335
83	500902621900167	重庆长安铃木汽车有限公司	50	75424
84	420601735211503	风神襄樊汽车有限公司	42	74187
85	310115607211699	上海贝尔股份有限公司	31	73399
86	371102791528521	日照钢铁轧钢有限公司	37	72899
87	440306738817535	深圳富泰宏精密工业有限公司	44	72825
88	440705617733669	ABB 新会低压开关有限公司	44	72444
89	110192742602094	利乐包装（北京）有限公司	11	71557
90	110108600006959	中国惠普有限公司	11	70953
91	310046132207580	上海国际港务（集团）股份有限公司	31	70142
92	110105625907585	西门子（中国）有限公司	11	69735
93	150102756683040	中国移动通信集团内蒙古有限公司	15	69171
94	440191618416948	箭牌糖果（中国）有限公司	44	69106
95	370211753752987	青岛丽东化工有限公司	37	68802
96	440301618817282	南海油脂工业（赤湾）有限公司	44	68566
97	411221753877093	东方希望（三门峡）铝业有限公司	41	68141
98	310101717860470	宏碁电脑（上海）有限公司	31	67753
99	411481753858386	河南龙宇能源股份有限公司	41	67748
100	110222743300346	北京现代摩比斯汽车零部件有限公司	11	67561
101	370802613590592	小松山推工程机械有限公司	37	67117
102	360108612446943	江铃汽车股份有限公司	36	66286
103	440401632847138	珠海碧辟化工有限公司	44	66225
104	310115607231489	多美滋婴幼儿食品有限公司	31	65355

续表

序号	企业代码	企业名称	地区	实纳税额
105	370602710936591	上海通用东岳汽车有限公司	37	65079
106	110102101156864	中化化肥有限公司	11	63685
107	310115765998431	法拉利玛莎拉蒂汽车国际贸易（上海）有限公司	31	63108
108	5009053736550152	中国移动通信集团重庆有限公司	50	62997
109	350505735651410	泉州福海粮油工业有限公司	35	62086
110	320112710939573	扬子石化—巴斯夫有限责任公司	32	61312
111	330195609136127	杭州赛诺菲安万特民生制药有限公司	33	60818
112	340700610436303	金隆铜业有限公司	34	60769
113	120115600537733	诺和诺德（中国）制药有限公司	12	60293
114	310106710939418	欧莱雅（中国）有限公司	31	60017
115	330206732116324	台化塑胶（宁波）有限公司	33	59807
116	350121611007201	东南（福建）汽车工业有限公司	35	59768
117	420601615406672	东风康明斯发动机有限公司	42	59742
118	320113608967965	南京 LG 新港显示有限公司	32	59658
119	310115607382623	明尼苏达矿业制造（上海）国际贸易有限公司	31	58263
120	31011571093975X	小松（中国）投资有限公司	31	57922
121	440401618390629	广东省珠海发电厂有限公司	44	57657
122	440307715281416	艾默生网络能源有限公司	44	57186
123	210104604603259	沈阳华晨金杯汽车有限公司	21	56944
124	310043710938474	上海赛科石油化工有限责任公司	31	56583
125	469040620050666	海南金海浆纸业有限公司	46	56424
126	310101717854505	尼康映像仪器销售（中国）有限公司	31	56061
127	310115703465170	强生（上海）医疗器材有限公司	31	56042
128	310043798961993	渣打银行（中国）有限公司	31	55907
129	320601608309823	南通醋酸纤维有限公司	32	55746
130	13048174540750X	河北文丰钢铁有限公司	13	55620
131	441788796213641	嘉吉粮油（阳江）有限公司	44	55123
132	110105600039013	北京 ABB 电气传动系统有限公司	11	55062
133	350206612020483	戴尔（中国）有限公司	35	55013
134	321700753217722	欧莱雅（中国）有限公司苏州分公司	32	54378
135	331021744117463	华能国际电力股份有限公司浙江分公司	33	54193
136	120115600502506	摩托罗拉（中国）电子有限公司	12	54071
137	330211610278712	宁波乐金甬兴化工有限公司	33	53649
138	320585739426077	玖龙纸业（太仓）有限公司	32	53519
139	310115607229696	上海仁恒房地产有限公司	31	52694
140	110108710931838	一汽丰田汽车销售有限公司	11	52646
141	130225766614559	唐山中厚板材有限公司	13	52252

续表

序号	企业代码	企业名称	地区	实纳税额
142	310112607205141	上海三菱电梯有限公司	31	51918
143	110105625909986	中国国际金融有限公司	11	51862
144	440191618419751	美赞臣营养品（中国）有限公司	44	51703
145	320583608279441	利乐包装（昆山）有限公司	32	51451
146	120115600911828	天津电装电子有限公司	12	50887
147	630121710495888	青海桥头铝电有限公司	63	50537
148	35030373565446X	英博雪津啤酒有限公司	35	50396
149	120117600587482	西门子电气传动有限公司	12	50239
150	330206610262876	金光食品（宁波）有限公司	33	49731
151	310043664339541	三菱东京日联银行（中国）有限公司	31	49621
152	440300618884266	深圳远洋运输股份有限公司	44	48883
153	110105625910426	施耐德电气（中国）投资有限公司	11	48874
154	440101617406684	百事（中国）有限公司	44	48732
155	441900732186197	统一嘉吉（东莞）饲料蛋白科技有限公司	44	48626
156	35010572793981X	日立数字映像（中国）有限公司	35	48504
157	120111600900467	天津一汽丰田发动机有限公司	12	48440
158	310114789570966	舍弗勒贸易（上海）有限公司	31	48374
159	350206612012766	厦门 ABB 开关有限公司	35	47785
160	110105X00000801	摩托罗拉（中国）电子有限公司北京分公司	11	47695
161	440101745962482	广州珠江啤酒股份有限公司	44	47593
162	310046607419035	上海上汽大众汽车销售有限公司	31	47259
163	31011260727223X	强生（中国）有限公司	31	47094
164	310115703097064	上海嘉里食品工业有限公司	31	47063
165	310043710936612	上海巴斯夫聚氨酯有限公司	31	47033
166	210213604814718	辉瑞制药有限公司	21	46694
167	320581608248696	芬欧汇川（常熟）纸业有限公司	32	46638
168	110108600010704	北京发那科机电有限公司	11	46559
169	310107X07249415	施耐德电气（中国）投资有限公司上海分公司	31	46520
170	450991619723149	广西玉柴机器股份有限公司	45	46447
171	22010471785373X	一汽马自达销售有限公司	22	46201
172	220106702570892	一汽－大众销售有限责任公司	22	46201
173	330206756285499	台塑聚丙烯（宁波）有限公司	33	45541
174	11019260004105X	北京 ABB 高压开关设备有限公司	11	45437
175	110105717850133	本田技研工业（中国）投资有限公司	11	45084
176	310115607297170	上海罗氏制药有限公司	31	44808
177	310115132214887	上海陆家嘴金融贸易区股份开发有限公司	31	44727
178	370602724987453	益海（烟台）粮油工业有限公司	37	44465

续表

序号	企业代码	企业名称	地区	实纳税额
179	371103613800596	中粮黄海粮油工业（山东）有限公司	37	43991
180	130521757518864	德龙钢铁有限公司	13	43812
181	321700716805103	博世汽车部件（苏州）有限公司	32	43780
182	320102608942178	南京依维柯汽车有限公司	32	43335
183	220105605917786	大陆汽车电子（长春）有限公司	22	43286
184	210213782460801	淡水河谷英可新型镍材料（大连）有限公司	21	42648
185	33019560912074X	杭州中策橡胶有限公司	33	42610
186	430103183792804	五凌电力有限公司	43	42572
187	310112607220034	中美上海施贵宝制药有限公司	31	42339
188	310112607328264	大金空调（上海）有限公司	31	42132
189	210213751588693	大连田村塑料有限公司	21	41785
190	520101761388505	中国移动通信集团贵州有限公司	52	41677
191	11011460001684X	北京诺华制药有限公司	11	41641
192	371402167270774	华能国际电力股份有限公司德州电厂	37	41579
193	110116600088878	北京万置房地产开发有限公司	11	41019
194	320200607917966	博世汽车柴油系统股份有限公司	32	40761
195	440300X26002020	丹文能源中国有限公司	44	40692
196	110108710932929	五矿铝业有限公司	11	39965
197	120115600580459	天津三星光电子有限公司	12	39411
198	330195609132097	杭州默沙东制药有限公司	33	39136
199	440301710936938	深圳三星科健移动通信技术有限公司	44	38729
200	110105625911920	索尼（中国）有限公司	11	38245
201	310104607220405	3M 中国有限公司	31	37603
202	340104607382412	联合利华服务（合肥）有限公司	34	37587
203	31011571093983X	上海松下等离子显示器有限公司	31	37466
204	321700608238156	伟创力电子（技术）苏州有限公司	32	37370
205	370202727813301	中国联合网络通信有限公司青岛市分公司	37	37251
206	31011260721286X	上海吉田拉链有限公司	31	37164
207	120116700416373	永立建机（中国）有限公司	12	37161
208	420101717869088	东风汽车有限公司	42	37029
209	321700742473202	苏州三星电子电脑有限公司	32	36813
210	350204705446475	中国移动通信集团福建有限公司厦门分公司	35	36720
211	310115607306460	上海博世力士乐液压及自动化有限公司	31	36473
212	152302743874331	内蒙古鸿骏铝电有限责任公司	15	36452
213	650203X2600187X	HAFNIUM 有限公司	65	36394
214	440682768428450	中海地产（佛山）有限公司	44	36303
215	330422609457182	浙江壳牌化工石油有限公司	33	36053

续表

序号	企业代码	企业名称	地区	实纳税额
216	310043798981134	花旗银行（中国）有限公司	31	35972
217	310115740290058	三菱电机自动化（上海）有限公司	31	35745
218	310115717865933	上海益海商贸有限公司	31	35594
219	440801X26002370	哈斯基石油中国有限公司	44	35506
220	110192600015927	资生堂丽源化妆品有限公司	11	35292
221	32040077543498X	瓦卢瑞克曼内斯曼无缝钢管（常州）有限公司	32	34813
222	32040075324574X	现代（江苏）工程机械有限公司	32	34629
223	451302619303021	广西来宾法资发电有限公司	45	34491
224	320200743925784	科特拉（无锡）汽车环保科技有限公司	32	34312
225	110105710920274	葛兰素史克（中国）投资有限公司	11	33946
226	120107600540000	壳牌（天津）石油化工有限公司	12	33927
227	320400608125290	小松（常州）工程机械有限公司	32	33859
228	120107600538170	埃克森美孚（天津）石油有限公司	12	33536
229	340104607408459	联合利华（中国）有限公司	34	33307
230	500102742895659	重庆新涪食品有限公司	50	33290
231	310115607381700	山特维克国际贸易（上海）有限公司	31	33156
232	12011060055017X	中美天津史克制药有限公司	12	33101
233	210213604878746	大连东芝电视有限公司	21	33098
234	330421753019961	浙江昱辉阳光能源有限公司	33	32989
235	310105774770914	明基电通有限公司	31	32932
236	110108710933702	中国人民人寿保险股份有限公司	11	32913
237	321600750046091	双狮（张家港）精细化工有限公司	32	32901
238	610190294204008	比亚迪汽车有限公司	61	32463
239	441900618100230	东莞雀巢有限公司	44	32037
240	310112717860307	雅诗兰黛（上海）商贸有限公司	31	31987
241	320200717867939	阿斯利康（无锡）贸易有限公司	32	31958
242	310043607216756	法国巴黎银行（中国）有限公司	31	31907
243	330206610274332	宁波宝新不锈钢有限公司	33	31884
244	371002613752790	三星电子（山东）数码打印机有限公司	37	31852
245	321283608784747	新浦化学（泰兴）有限公司	32	31836
246	310115736650364	中银国际证券有限责任公司	31	31730
247	410122614712838	郑州日产汽车有限公司	41	31669
248	320106134796083	博西家用电器（中国）有限公司	32	31600
249	310115700218879	嘉实基金管理有限公司	31	31493
250	310115607206953	上海振华港口机械（集团）股份有限公司	31	31437
251	310114762242794	上海采埃孚变速器有限公司	31	31428
252	310046717851785	宝钢新日铁汽车板有限公司	31	31391

续表

序号	企业代码	企业名称	地区	实纳税额
253	511024727447487	威远钢铁有限公司	51	31129
254	110108600051290	太阳计算机系统（中国）有限公司	11	31066
255	220791710932072	MI 能源公司	22	31015
256	310043798999780	东亚银行（中国）有限公司	31	30916
257	110227600037341	玛氏食品（中国）有限公司	11	30829
258	110222746101764	北京现代海斯克钢材有限公司	11	30521
259	110222710925403	北京首都国际机场股份有限公司	11	30493
260	33048373030919X	巨石集团有限公司	33	30438
261	310115710921007	巴斯夫（中国）有限公司	31	30243
262	420301751003819	东风汽车有限公司东风商用车公司	42	30136
263	230198712017118	哈尔滨东安汽车发动机制造有限公司	23	30112
264	320601608317567	申华化学工业有限公司	32	30096
265	120115600500017	天津矢崎汽车配件有限公司	12	29991
266	110192741582503	诺基亚西门子通信网络科技服务有限公司	11	29939
267	360504775877086	江西赛维 LDK 太阳能高科技有限公司	36	29910
268	441900X17400174	广东广合电力有限公司沙角发电厂 C 厂	44	29865
269	330602766403612	浙江加多宝饮料有限公司	33	29737
270	31011560741770X	美敦力医疗用品技术服务（上海）有限公司	31	29460
271	330000142942094	浙江沪杭甬高速公路股份有限公司	33	29451
272	450704753730999	钦州大洋粮油有限公司	45	29438
273	330206736999689	台塑工业（宁波）有限公司	33	29171
274	321700608243801	金华盛纸业（苏州工业园区）有限公司	32	29076
275	310115607384426	日立建机（上海）有限公司	31	29015
276	32058573782766X	太仓港协鑫发电有限公司	32	28993
277	310046607204763	上海纳铁福传动轴有限公司	31	28855
278	450200198606509	东风柳州汽车有限公司	45	28743
279	110105600034888	北京握奇数据系统有限公司	11	28737
280	310101717854193	斯凯孚（中国）销售有限公司	31	28601
281	440101617425586	华南蓝天航空油料有限公司	44	28183
282	31011571785023X	资生堂（中国）投资有限公司	31	28071
283	441900787988285	东莞卡尔吉蛋白饲料有限公司	44	27634
284	340104610306859	安徽佳通轮胎有限公司	34	27628
285	310115607376063	杰尼亚贸易（上海）有限公司	31	27433
286	440601617621448	利乐华新（佛山）包装有限公司	44	27417
287	460100710920952	中国移动通信集团海南有限公司	46	27345
288	37028472781753X	圣元营养食品有限公司	37	27271
289	120117777336785	歌美飒风电（天津）有限公司	12	27239

续表

序号	企业代码	企业名称	地区	实纳税额
290	33019560916761X	杭州顶益食品有限公司	33	27162
291	320581785580067	江苏波司登羽绒服装有限公司	32	26982
292	440501708028113	华能国际电力股份有限公司汕头电厂	44	26830
293	110192600063785	施耐德北京中压电器有限公司	11	26744
294	320200607912321	华瑞制药有限公司	32	26733
295	31011560721358X	上海日立电器有限公司	31	26625
296	330621745083795	绍兴滨海石化集团有限公司	33	26553
297	130730601230127	中国长城葡萄酒有限公司	13	26521
298	330102609136119	杭州娃哈哈保健食品有限公司	33	26490
299	150105701465425	内蒙古蒙牛乳业（集团）股份有限公司	15	25981
300	150203701241480264	中国移动通信内蒙古有限公司包头分公司	15	25965
301	110108625903832	甲骨文（中国）软件系统有限公司	11	25942
302	440107190529430	广州钢铁企业集团金钧国际贸易有限公司	44	25901
303	510198720350287	中海兴业（成都）发展有限公司	51	25900
304	350698611451062	招商局漳州开发区有限公司	35	25677
305	310114607307316	德尔福派克电气系统有限公司	31	25563
306	510104621704027	成都神钢建设机械有限公司	51	25516
307	321281142650535	江苏兴达钢帘线股份有限公司	32	25494
308	310106609167206	玫琳凯（中国）化妆品有限公司上海分公司	31	25472
309	310107607320828	上海联家超市有限公司	31	25394
310	152706776105184	鄂尔多斯市西金矿冶有限责任公司	15	25352
311	130213601225619	唐山相林晓昌皮革有限公司	13	25162
312	310103X07256148	索尼（中国）有限公司上海分公司	31	25038
313	220105717850790	一汽丰田（长春）发动机有限公司	22	24959
314	320583608278094	四海电子（昆山）有限公司	32	24913
315	440105618413376	广州造纸股份有限公司	44	24890
316	310115607366949	上海国际商业机器工程技术有限公司	31	24852
317	142303743524059	山西东辉煤化工股份有限公司	14	24838
318	310115703098374	帝亚吉欧（上海）洋酒有限公司	31	24777
319	370882725421072	兖州天章纸业有限公司	37	24650
320	310226607359642	远纺工业（上海）有限公司	31	24647
321	441900618332373	东莞理文造纸厂有限公司	44	24550
322	310114607379993	上海太太乐食品有限公司	31	24523
323	140521734002216	沁和能源集团有限公司	14	24484
324	320106134789924	苏果超市有限公司	32	24442
325	31011560741105X	汽巴精细化工（上海）有限公司	31	24408
326	340104610306381	合肥 ABB 变压器有限公司	34	24378

续表

序号	企业代码	企业名称	地区	实纳税额
327	110105625910602	卡特彼勒（中国）投资有限公司	11	24288
328	330195609167206	玫琳凯（中国）化妆品有限公司	33	24235
329	310112607286172	不凡帝凡梅勒糖果（中国）有限公司	31	24223
330	310104607316693	上海松下半导体有限公司	31	24006
331	130102718369616	中国移动通信集团河北公司石家庄分公司	13	24001
332	320508738299440	琳得科（苏州）科技有限公司	32	23926
333	310115710938597	上投摩根基金管理有限公司	31	23791
334	310109750565692	上海复地智宝房地产开发有限公司	31	23777
335	310225607332044	上海施耐德配电电器有限公司	31	23741
336	110105625911998	壳牌（中国）有限公司	11	23706
337	210114604623495	普利司通（沈阳）轮胎有限公司	21	23678
338	120110600896015	天津丰津汽车传动部件有限公司	12	23660
339	330621758060613	浙江南方石化工业有限公司	33	23646
340	110105710937463	赢创德固赛（中国）投资有限公司	11	23616
341	320901738291916	江苏摩比斯汽车零部件有限公司	32	23607
342	310227607433128	宜家采购（上海）有限公司	31	23570
343	440194743596407	广州华凯石油燃气有限公司	44	23530
344	441900707833575	东莞骏豪房地产开发有限公司	44	23513
345	310101607270998	德勤华永会计师事务所有限公司	31	23503
346	310225717859189	华谦商贸（上海）有限公司	31	23496
347	210804604112177	嘉里粮油（营口）有限公司	21	23469
348	330206750354043	宁波百丰选矿有限公司	33	23461
349	371311769712592	临沂烨华焦化有限公司	37	23459
350	320800608473885	江苏韩泰轮胎有限公司	32	23456
351	310106717852681	路易威登（中国）商业销售有限公司	31	23431
352	440183618402730	五羊－本田摩托（广州）有限公司	44	23335
353	321282141128948	江苏新世纪造船有限公司	32	23294
354	32110160883437X	镇江国亨化学有限公司	32	23265
355	131081798418042	路易达孚（霸州）饲料蛋白有限公司	13	23180
356	310115703006839	上海德尔福排气控制有限公司	31	23176
357	500107621917575	重庆 ABB 变压器有限公司	50	23021
358	31011260729237X	衣恋时装（上海）有限公司	31	22993
359	33019560913544X	杭州肯德基有限公司	33	22970
360	330621742046841	绍兴怡华纺织有限公司	33	22917
361	330195609136821	杭州摩托罗拉移动通信设备有限公司	33	22899
362	110105625910856	ABB（中国）有限公司	11	22875
363	320583750510755	浦项（苏州）汽车配件制造有限公司	32	22846

续表

序号	企业代码	企业名称	地区	实纳税额
364	330104609138624	西子奥的斯电梯有限公司	33	22784
365	440801730481301	湛江华农饲料蛋白开发有限公司	44	22767
366	32170060819777X	中新苏州工业园区开发股份有限公司	32	22730
367	440194618789752	沙伯基础创新塑料（中国）有限公司	44	22720
368	420101616400352	长飞光纤光缆有限公司	42	22643
369	23019871093633X	哈尔滨安博威飞机工业有限公司	23	22598
370	140507602003081	阳城国际发电有限责任公司	14	22484
371	440111771198203	霸王（广州）有限公司	44	22455
372	469007754363393	中海石油建滔化工有限公司	46	22433
373	110227618908360	红牛维他命饮料有限公司	11	22399
374	500902621909196	庆铃汽车股份有限公司	50	22358
375	110192625911509	中外运－敦豪国际航空快件有限公司	11	22357
376	350105733614544	LG 麦可龙（福建）电子有限公司	35	22349
377	310108607211015	上海港沪房地产有限公司	31	22336
378	44018161878541X	广州市番禺祈福新邨房地产有限公司	44	22336
379	320200607919515	无锡宝井钢材加工配送有限公司	32	22303
380	320281607984069	江阴苏龙发电有限公司	32	22299
381	620403624172476	靖远第二发电有限公司	62	22295
382	320200607915071	阿斯利康制药有限公司	32	22294
383	320105721756748	金鹰国际商贸集团（中国）有限公司	32	22273
384	310115607266120	普华永道中天会计师事务所有限公司	31	22141
385	330165704202620	杭州汽轮机股份有限公司	33	22136
386	330227610253873	宁波中华纸业有限公司	33	22097
387	320121671342351	上海大众汽车有限公司南京分公司	32	22088
388	31011560731230X	丰田通商（上海）有限公司	31	21971
389	120115746699022	天津英泰汽车饰件有限公司	12	21935
390	130121X01701132	华能国际电力股份有限公司上安电厂	13	21925
391	340603744890974	安徽口子酒业有限责任公司	34	21923
392	150631701412139	鄂尔多斯移动通信分公司	15	21895
393	440301708467837	深圳迈瑞生物医疗电子股份有限公司	44	21872
394	440101618478401	安美特（中国）化学有限公司	44	21859
395	110105710929949	索尼爱立信移动通信产品（中国）有限公司	11	21847
396	310115607244183	迪堡金融设备有限公司	31	21827
397	440601722448755	佛山市海天调味食品有限公司	44	21738
398	210106604608201	华润雪花啤酒（辽宁）有限公司	21	21733
399	500902X21900091	华能重庆珞璜发电有限责任公司	50	21726
400	445121707825911	广东雅士利集团股份有限公司	44	21720

续表

序号	企业代码	企业名称	地区	实纳税额
401	310112710937906	先锋电子（中国）投资有限公司	31	21691
402	500902621910672	重庆康明斯发动机有限公司	50	21660
403	440300710939303	广东粤港供水有限公司	44	21632
404	110192600055056	博世力士乐（北京）液压有限公司	11	21626
405	110105625906195	中国国际贸易中心有限公司	11	21546
406	32020072416545X	无锡市雪丰钢铁有限公司	32	21430
407	310115607375378	上海和联房产开发有限公司	31	21371
408	142327112521740	山西柳林寨崖底煤业有限公司	14	21316
409	330206742156629	台塑丙烯酸酯（宁波）有限公司	33	21289
410	44040461751487X	珠海经济特区飞利浦家庭电器有限公司	44	21193
411	230182606410215	双城雀巢有限公司	23	21165
412	120115717854046	天津乐金渤海化学有限公司	12	21138
413	310115607385947	伊顿流体动力（上海）有限公司	31	21086
414	310115710936321	华宝兴业基金管理有限公司	31	20986
415	370602726718943	中国移动通信集团山东有限公司烟台分公司	37	20944
416	110105600041252	日立（中国）有限公司	11	20860
417	360107744264607	江西晨鸣纸业有限责任公司	36	20850
418	110108600040399	微软（中国）有限公司	11	20846
419	370281718016255	青岛现代机械有限公司	37	20835
420	440106618405114	雅芳（中国）有限公司	44	20831
421	310115607263292	立邦涂料（中国）有限公司	31	20784
422	110102600013542	百盛商业发展有限公司	11	20756
423	350105611447389	福建中日达金属有限公司	35	20651
424	44019161844173X	高露洁棕榄（中国）有限公司	44	20648
425	130402718352355	中国移动通信集团河北有限公司邯郸分公司	13	20606
426	330195609138560	杭州东信移动电话有限公司	33	20588
427	310112607359597	贺德克液压技术（上海）有限公司	31	20518
428	371302756399007	鲁南贝特制药有限公司	37	20506
429	210202726011227	中国移动通信集团辽宁有限公司大连分公司	21	20444
430	110108784800267	华锐风电科技有限公司	11	20412
431	440114751995678	广州优尼冲压有限公司	44	20355
432	110101799001011	诺基亚西门子通信技术（北京）有限公司	11	20261
433	620102712780981	中国移动通信集团甘肃有限公司兰州分公司	62	20120
434	310043710936620	上海联恒异氰酸酯有限公司	31	20120
435	350102X11695282	中国移动通信集团福建有限公司福州分公司	35	20056
436	310115607431448	香奈儿（中国）贸易有限公司	31	20022
437	310229753825170	高田（上海）汽配制造有限公司	31	20000

续表

序号	企业代码	企业名称	地区	实纳税额
438	42010577456159X	百威（中国）销售有限公司	42	19987
439	440194761942502	电装（广州南沙）有限公司	44	19945
440	310115607405565	奥林巴斯贸易（上海）有限公司	31	19941
441	37060261342085X	烟台首钢电装有限公司	37	19940
442	310229607299782	妮维雅（上海）有限公司	31	19897
443	330181743489978	浙江荣翔化纤有限公司	33	19884
444	320200607915434	江苏统一马口铁有限公司	32	19876
445	110108625907462	通标标准技术服务有限公司	11	19857
446	440301618932432	记忆科技（深圳）有限公司	44	19841
447	120115727519516	爱信（天津）车身零部件有限公司	12	19836
448	110192717852462	铃木（中国）投资有限公司	11	19793
449	440181618437239	日立电梯（中国）有限公司	44	19743
450	142327112520609	山西柳林金家庄煤业有限公司	14	19743
451	310104747269438	三星（中国）投资有限公司上海分公司	31	19729
452	310115607413100	安迪苏生命科学制品（上海）有限公司	31	19668
453	350204612020862	林德（中国）叉车有限公司	35	19632
454	370602613421545	汉高乐泰（中国）有限公司	37	19605
455	210711603973637	华润电力（锦州）有限公司	21	19597
456	11019260002492X	SMC（中国）有限公司	11	19493
457	31022560738360X	上海延锋江森座椅有限公司	31	19493
458	510104740325097	华润置地（成都）有限公司	51	19474
459	230111769212838	华电能源股份有限公司哈尔滨第三发电厂	23	19405
460	231282606108585	中粮生化能源（肇东）有限公司	23	19383
461	321700738299360	康美包（苏州）有限公司	32	19331
462	440606231927946	广东腾越建筑工程有限公司	44	19315
463	321700754637964	优美科汽车催化剂（苏州）有限公司	32	19287
464	320583608278641	正新橡胶（中国）有限公司	32	19252
465	210213604814160	大连日清制油有限公司	21	19219
466	44040174084951X	珠海粤裕丰钢铁有限公司	44	19148
467	310115607383765	西门子国际贸易（上海）有限公司	31	19124
468	440101618402933	卜内门太古漆油（中国）有限公司	44	19088
469	110105625911621	北京飞机维修工程有限公司	11	19070
470	230190607170460	哈尔滨啤酒有限公司	23	19000
471	320113745391659	乐金电子（南京）等离子有限公司	32	18997
472	310108625910522	嘉吉投资（中国）有限公司	31	18987
473	440116618422272	仙妮蕾德（中国）有限公司	44	18977
474	130406601167076	河北邯峰发电有限责任公司	13	18968

续表

序号	企业代码	企业名称	地区	实纳税额
475	310227607317178	巴特勒（上海）有限公司	31	18967
476	320601608316572	华能国际电力股份有限公司南通电厂	32	18924
477	11010571786464X	标致雪铁龙（中国）汽车贸易有限公司	11	18878
478	310115736227531	沃尔沃建筑设备（中国）有限公司	31	18873
479	370681757467200	龙口东海氧化铝有限公司	37	18869
480	441900736161990	东莞京滨汽车电喷装置有限公司	44	18861
481	440801618905012	BP（中国）勘探及生产公司	44	18725
482	320583608278537	鸿准精密模具（昆山）有限公司	32	18687
483	321700724448871	天弘（苏州）科技有限公司	32	18646
484	330165768201424	杭州九阳小家电有限公司	33	18646
485	310105710938431	米其林（中国）投资有限公司	31	18620
486	44130261789506X	惠州住润电装有限公司	44	18558
487	350203612017727	厦门国际银行	35	18554
488	130102601000356	河北维尔康制药有限公司	13	18552
489	320508745585592	苏州阿海珐高压电气开关有限公司	32	18551
490	341102705042956	博西华家用电器有限公司	34	18548
491	440606708165900	佛山市顺德区雅骏装饰设计工程有限公司	44	18522
492	310110X07226221	西门子（中国）有限公司上海分公司	31	18518
493	450901715156228	中国移动通信集团广西有限公司玉林分公司	45	18476
494	440183747595575	广州电装有限公司	44	18419
495	440114724840400	广州绿北洋皮革制品有限公司	44	18404
496	310106741167174	大金（中国）投资有限公司上海分公司	31	18374
497	410702614406101	河南新飞电器有限公司	41	18321
498	310105717854417	兄弟（中国）商业有限公司	31	18315
499	440191741887390	广州斯坦雷电气有限公司	44	18289
500	130212755495849	唐山佳华煤化工有限公司	13	18285

五、2008年度分地区企业纳税百强排行榜

北京市企业纳税百强排行榜

单位：万元

序号	企业代码	企业名称	地区	实纳税额
1	110102100003962	中国工商银行股份有限公司	11	4229629
2	110108100005474	中国农业银行	11	2853104
3	110102100001342	中国银行股份有限公司	11	2209954
4	110102000018454	国家开发银行	11	1661641
5	11010571785912X	梅赛德斯－奔驰（中国）汽车销售有限公司	11	1409985
6	110105717859867	宝马（中国）汽车贸易有限公司	11	1090082
7	110101710935038	中国投资有限责任公司	11	848547
8	110108000013477	中华人民共和国铁道部	11	746539
9	110105710938183	丰田汽车（中国）投资有限公司	11	702702
10	110192101783083	诺基亚（中国）投资有限公司	11	493614
11	110101710933024	中国神华能源股份有限公司	11	454768
12	110102100004447	中国建设银行股份有限公司	11	450200
13	110101100018988	中国民生银行股份有限公司	11	396622
14	11010271093123X	国家电网公司	11	363318
15	11010271092841X	中国人寿保险股份有限公司	11	337770
16	11010810169040X	中国矿产有限责任公司	11	320517
17	110104101109822	华北电网有限公司	11	294187
18	110222710935986	北京现代汽车有限公司	11	285973
19	110102801365632	北京市电力公司	11	279416
20	110104101174712	北京银行股份有限公司	11	266673
21	110108100000059	中钢贸易有限公司	11	263067
22	110101710939135	中国联合网络通信有限公司	11	257853
23	110108700000458	联想（北京）有限公司	11	228348
24	110192600003205	北京奔驰－戴姆勒·克莱斯勒汽车有限公司	11	213920
25	110222717871006	中国国际航空股份有限公司	11	208709
26	110107101120028	中国首钢国际贸易工程公司	11	208391
27	110105746717497	瑞钢联集团有限公司	11	203137
28	110105101100414	中粮集团有限公司	11	202737
29	110101722611700	中国移动通信集团北京有限公司	11	182405

续表

序号	企业代码	企业名称	地区	实纳税额
30	110112101100772	北京卷烟厂	11	163395
31	110191802763501	中国石油化工股份有限公司北京燕山分公司	11	154952
32	110105625912210	佳能（中国）有限公司	11	154137
33	110108102052389	中建材集团进出口公司	11	147753
34	110102801380971000	国家开发银行北京市分行	11	145820
35	110108710923766	朔黄铁路发展有限责任公司	11	144058
36	110105100007170	中信金属公司	11	137179
37	110101101690637	中国石化国际事业有限公司	11	136847
38	110102100003102	中国石化销售有限公司	11	136502
39	110101710929658	中纺粮油进出口有限责任公司	11	129181
40	110104100017336	大唐国际发电股份有限公司	11	119079
41	11010210112001X	华夏银行股份有限公司	11	118400
42	110108710929236	五矿有色金属股份有限公司	11	116573
43	110192600087023	富士康精密组件（北京）有限公司	11	114464
44	11010571785226X	现代汽车（中国）投资有限公司	11	110339
45	110105710934289	中国中煤能源股份有限公司	11	110154
46	110102710934537	中国银河证券股份有限公司	11	109719
47	110105717859138	克莱斯勒（中国）汽车销售有限公司	11	105859
48	110108100013669	北京 铁 路 局	11	104139
49	110102101135684	交通银行股份有限公司北京市分行	11	103505
50	110108801977962	中国民生银行股份有限公司总行营业部	11	100636
51	110108100008157	中钢炉料有限公司	11	99116
52	110104101609026	中国印钞造币总公司	11	94928
53	110107700234318	北京首钢股份有限公司	11	94034
54	110104710931483	中国人民财产保险股份有限公司	11	93533
55	110108100016448	中国进出口银行	11	92780
56	11010840001134X	中国中央电视台	11	90650
57	110105101129938	中石油北京天然气管道有限公司	11	88529
58	110107101120001	首 钢 总 公 司	11	87586
59	110108717745042	神州数码（中国）有限公司	11	86484
60	110102100028625	华商储备商品管理中心	11	85561
61	11010271093465X	中国邮政储蓄银行有限责任公司	11	85276
62	110102100017045	中国农业发展银行	11	84291
63	110192600035733	拜耳医药保健有限公司	11	80202
64	110105101730993	中信信托有限责任公司	11	79467
65	110105781703453	中信建投证券有限责任公司	11	79209
66	110102100006426	中国兵工物资总公司	11	78422

续表

序号	企业代码	企业名称	地区	实纳税额
67	110192749353393	北京京东方光电科技有限公司	11	78025
68	110105717850555	日产（中国）投资有限公司	11	77930
69	110102100018558	中油财务有限责任公司	11	75623
70	110102801124011	中信银行股份有限公司总行营业部	11	72321
71	110102100015525	中国电力财务有限公司	11	71797
72	110192742602094	利乐包装（北京）有限公司	11	71557
73	110108600006959	中国惠普有限公司	11	70953
74	110105625907585	西门子（中国）有限公司	11	69735
75	110109746132245	北京昊华能源股份有限公司	11	69001
76	110222743300346	北京现代摩比斯汽车零部件有限公司	11	67561
77	11010220283066X	金融街控股股份有限公司	11	67273
78	110102101156864	中化化肥有限公司	11	63685
79	110102795951626	北京市燃气集团有限责任公司	11	61555
80	110105101692907	中国石化财务有限责任公司	11	59021
81	110102100023816	泰康人寿保险股份有限公司	11	58126
82	110102100012666	中国联合石油有限责任公司	11	57618
83	110105710934369	中国交通建设股份有限公司	11	56452
84	110105100000905	中国船舶燃料有限责任公司	11	56210
85	110108742623426	北京神州数码有限公司	11	55666
86	110105600039013	北京 ABB 电气传动系统有限公司	11	55062
87	110105710934860	中国石化集团石油商业储备有限公司	11	54765
88	110108710931838	一汽丰田汽车销售有限公司	11	52646
89	110114661596577	北京神华恒运能源科技有限公司	11	52643
90	110101710920506	北京东方广场有限公司	11	52467
91	110105625909986	中国国际金融有限公司	11	51862
92	110105100013431	中国国际石油化工联合有限责任公司	11	51288
93	110222633694065	华夏基金管理有限公司	11	51029
94	110105625910426	施耐德电气（中国）投资有限公司	11	48874
95	110104101625739	中国水利电力物资有限公司	11	48328
96	110105X00000801	摩托罗拉（中国）电子有限公司北京分公司	11	47695
97	110102710925032	中国移动通信集团公司	11	47181
98	110108102005179	中国进口汽车贸易有限公司	11	46920
99	110108600010704	北京发那科机电有限公司	11	46559
100	110103101506051	中国农业银行股份有限公司北京市分行	11	46152

天津市企业纳税百强排行榜

单位：万元

序号	企业代码	企业名称	地区	实纳税额
1	120118712824649	中海石油（中国）有限公司	12	1728116
2	120115710939151	天津一汽丰田汽车有限公司	12	675629
3	120114722958405	中国石油化工股份有限公司天津分公司	12	366373
4	120114718258908	中国石油股份有限公司大港油田分公司	12	330139
5	120118718249438	中海石油（中国）有限公司天津分公司	12	314442
6	120116101166595	中远散货运输有限公司	12	174790
7	120114104313327	天津钢管集团股份有限公司	12	160194
8	12011572574957X	天津三星通信技术有限公司	12	139371
9	120115600899320	天津三星电子显示器有限公司	12	136459
10	120114749125091	中国石化销售有限公司华北分公司	12	121941
11	120114103061295	天津市电力公司	12	121158
12	120115600539026	天津俊安煤焦化工有限公司	12	102142
13	120115773646700	维斯塔斯风力技术（中国）有限公司	12	98506
14	120110767648013	上海烟草（集团）公司天津卷烟厂	12	92043
15	120114724495870	中石油天然气股份有限公司大港石化分公司	12	82915
16	120116722997404	中国移动通信集团天津有限公司	12	79455
17	120101103063434	天津市物资集团总公司	12	78121
18	120114724488101	天津钢铁有限公司	12	69292
19	120113103070984	中储发展股份有限公司	12	63425
20	120115600537733	诺和诺德（中国）制药有限公司	12	60293
21	120115600502506	摩托罗拉（中国）电子有限公司	12	54071
22	120115600911828	天津电装电子有限公司	12	50887
23	120117600587482	西门子电气传动有限公司	12	50239
24	120111600900467	天津一汽丰田发动机有限公司	12	48440
25	12011871092921X	中海油田服务股份有限公司	12	42724
26	120101103065720	中国烟草总公司天津市公司	12	39586
27	120115600580459	天津三星光电子有限公司	12	39411
28	120116700416373	永立建机（中国）有限公司	12	37161
29	120222600907490	绫致时装（天津）有限公司	12	35907
30	120116761275199	九三集团天津大豆科技有限公司	12	34237
31	120107600540000	壳牌（天津）石油化工有限公司	12	33927
32	120107600538170	埃克森美孚（天津）石油有限公司	12	33536
33	12011060055017X	中美天津史克制药有限公司	12	33101
34	120225712823929	天津国华盘山发电有限责任公司	12	32341

续表

序号	企业代码	企业名称	地区	实纳税额
35	120115600534129	PPG 涂料（天津）有限公司	12	30681
36	120114803060859	国家开发银行天津市分行	12	30172
37	120113600550030	中法合营王朝葡萄酿酒有限公司	12	30052
38	120115600500017	天津矢崎汽车配件有限公司	12	29991
39	120107103607112	天津大沽化工股份有限公司	12	28904
40	120117777336785	歌美飒风电（天津）有限公司	12	27239
41	120116789363043	中冶天工建设有限公司	12	26471
42	120116103082483	天津大沽贸易有限公司	12	26055
43	12011472295069X	中国石油化工股份有限公司天津石油分公司	12	25269
44	120118722950227	海洋石油工程股份有限公司	12	24564
45	120114103464633	中国农业银行天津新技术产业园区支行	12	24355
46	12011010375258X	天津二十冶建设有限公司	12	23941
47	120118100023285	中国石油天然气勘探开发公司	12	23710
48	120110600896015	天津丰津汽车传动部件有限公司	12	23660
49	12011323944464X	天津天士力制药股份有限公司	12	23307
50	12011210306009X09X	中铁十八局集团有限公司	12	23245
51	120114700468296	天津钢管制铁有限公司	12	21944
52	120115746699022	天津英泰汽车饰件有限公司	12	21935
53	120115717854046	天津乐金渤海化学有限公司	12	21138
54	120114103060065	大港油田集团有限责任公司	12	21116
55	120114103071899	天津一汽夏利汽车股份有限公司	12	20666
56	120111103069465	天津华能杨柳青热电有限责任公司	12	20406
57	120107103622427	中交一航局第一工程有限公司	12	20405
58	120114103070298	天津银行股份有限公司	12	20141
59	120225700560092	天津大唐国际盘山发电有限责任公司	12	19836
60	120115727519516	爱信（天津）车身零部件有限公司	12	19836
61	120114103061834	交通银行股份有限公司天津市分行	12	19531
62	12011371824002X	天津市聚龙贸易有限公司	12	19252
63	120115600501650	天津顶益国际食品有限公司	12	19137
64	120114710933956	渤海银行股份有限公司	12	18449
65	120111600899400	天津阿斯莫汽车微电机有限公司	12	17804
66	120113749105269	天津丰铁汽车部件有限公司	12	17703
67	120118101765977	中海油气开发利用公司	12	17683
68	120113600898141	西门子机械传动（天津）有限公司	12	17487
69	120115600901857	天津三星视界有限公司	12	17278
70	120222104086654	天津天狮生物工程有限公司	12	16742
71	120114600531542	天津肯德基有限公司	12	16605

续表

序号	企业代码	企业名称	地区	实纳税额
72	120116744013269	大众进口汽车销售有限公司	12	16525
73	120114803206483	中国银行股份有限公司天津河东支行	12	15957
74	120115718238042	施耐德电气低压（天津）有限公司	12	15930
75	120104767628434	天津富力城房地产开发有限公司	12	15723
76	12011060089591X	天津电装电机有限公司	12	15189
77	120114103100506	天津信托投资有限责任公司	12	15027
78	12010774912956X	天津市国泰实业发展有限公司	12	14748
79	120107730340795	天津塘沽贻成实业有限公司	12	14738
80	120113600588485	天津阿尔斯通水电设备有限公司	12	14581
81	120110783300412	天津军粮城发电有限公司	12	14548
82	120110103068219	天津天铁炼焦化工有限公司	12	14474
83	120115103068227	天津泰达建设集团有限公司	12	14073
84	120108600891791	天津日石润滑油脂有限公司	12	13846
85	120107103620456	中交一公局第六工程公司	12	13308
86	120114718272224	招商银行股份有限公司天津分行	12	13211
87	120110600895696	天津丰田合成有限公司	12	13093
88	12011575812535X	天津艾达自动变速器有限公司	12	13006
89	120112758140656	天津中联进出口贸易有限公司	12	12830
90	120115600538920	诺维信（中国）生物技术有限公司	12	12724
91	120105744029762	中化物产股份有限公司天津分公司	12	12585
92	120117700435080	天津海泰控股集团有限公司	12	12584
93	120114668839025	天津滨海农村商业银行股份有限公司	12	12253
94	120115767607617	天津万通时尚置业有限责任公司	12	12070
95	120107103063602	中国建筑第六工程局有限公司	12	12067
96	120115761297398	现代高新电子（天津）有限公司	12	12009
97	120115600891804	普利司通（天津）轮胎有限公司	12	11929
98	120102103203185	中铁十六局集团第二工程有限公司	12	11823
99	120112770602841	天津荣程祥矿产有限公司	12	11626
100	120114712835946	天津市燃气集团有限公司	12	11461

河北省企业纳税百强排行榜

单位：万元

序号	企业代码	企业名称	地区	实纳税额
1	130982721634003	中国石油天然气股份有限公司华北油田分公司	13	417748
2	130702106158578	张家口卷烟厂有限责任公司	13	225938
3	130203104759628	唐山钢铁股份有限公司	13	183293
4	130106104321300	河北省电力公司	13	165147
5	130104784057215	河北白沙烟草有限责任公司	13	162096
6	130182670310403	中国石化石家庄炼油化工股份有限公司	13	153222
7	130503718311625	河北金牛能源股份有限公司	13	136757
8	130207601074048	唐山国丰钢铁有限公司	13	123018
9	130227721610976	河北津西钢铁股份有限公司	13	116083
10	130302723397611	秦皇岛金海粮油工业有限公司	13	114774
11	130203721614029	中国石油天然气股份有限公司冀东油田分公司	13	111629
12	130404700647251	邯郸钢铁股份有限公司	13	106681
13	130203757512841	华北电网有限公司唐山供电公司	13	92757
14	130302805260053	华北电网有限公司秦皇岛电力公司	13	89986
15	13040310552795X	邯邢冶金矿山管理局	13	82249
16	130323746874054	秦皇岛首秦金属材料有限公司	13	81785
17	13028380511817X	首钢矿业公司	13	80173
18	130705106181022	宣化钢铁集团有限责任公司	13	80095
19	130202104744522	开滦（集团）有限责任公司	13	75090
20	130982804322363	中国石油天然气股份有限公司华北石化分公司	13	74597
21	130604105947209	石家庄卷烟厂保定卷烟分厂	13	72494
22	130406105670924	冀中能源峰峰集团有限公司	13	65730
23	130202730266302	开滦能源化工股份有限公司	13	60071
24	130283746868009	河北省首钢迁安钢铁有限责任公司	13	57499
25	13048174540750X	河北文丰钢铁有限公司	13	55620
26	130503105783910	邢台钢铁有限责任公司	13	53500
27	131082765175531	三河汇福粮油集团饲料蛋白有限公司	13	52271
28	130225766614559	唐山中厚板材有限公司	13	52252
29	130426107140396	天津铁厂	13	51857
30	130913723359121	中海石油中捷石化有限公司	13	51094
31	131011663670945	华为技术服务有限公司	13	46394
32	130521757518864	德龙钢铁有限公司	13	43812
33	130283740187835	唐山长城钢铁集团燕山钢铁有限公司	13	43026
34	130681710926983	中国石油集团东方地球物理勘探有限责任公司	13	41647

续表

序号	企业代码	企业名称	地区	实纳税额
35	130203789830991	唐山钢铁集团国际贸易有限公司	13	38776
36	130203730285511	中国移动通信集团河北有限公司唐山分公司	13	38709
37	130283752420382	迁安中化煤化工有限责任公司	13	38610
38	130902721677572	中国石油化工股份有限公司沧州分公司	13	37805
39	131082743400742	三河福成房地产开发有限公司	13	37172
40	130803106512303	承德新新钒钛股份有限公司	13	35180
41	130205804791805	大唐国际发电股份有限公司陡河发电厂	13	34032
42	130403805527774	邯郸供电公司	13	33977
43	130131734345104	河北敬业钢铁有限公司	13	33799
44	130481104365768	新兴铸管股份有限公司	13	33630
45	130281601250857	唐山建龙实业有限公司	13	33261
46	130982104322397	华北石油管理局	13	30817
47	130104601703131	河北冀星高速公路有限公司	13	30239
48	130421745448467	河北纵横钢铁集团有限公司	13	29648
49	130427107111157	河北省磁县申家庄煤矿	13	28628
50	130104104393865	河北省烟草公司石家庄市公司	13	28578
51	130208661055789	中冶京唐建设有限公司	13	28107
52	130403748493300	冀中能源邯郸矿业集团有限公司	13	27923
53	130106723388547	中国石油化工股份有限公司河北石油分公司	13	27609
54	130302673224391	秦皇岛港股份有限公司	13	27442
55	130213721620963	唐山三友化工股份有限公司	13	27197
56	130427700842284	河北省磁县六合工业有限公司	13	26810
57	130730601230127	中国长城葡萄酒有限公司	13	26521
58	130602105945019	保定钞票纸厂	13	26518
59	130207745420296	唐山瑞丰钢铁（集团）有限公司	13	26501
60	130281735602993	唐山港陆钢铁有限公司	13	26399
61	130102104365784	石家庄钢铁有限责任公司	13	26283
62	130213601225619	唐山柏林晓昌皮革有限公司	13	25162
63	130204754036552	唐山不锈钢有限责任公司	13	24436
64	130102718369616	中国移动通信集团河北有限公司石家庄分公司	13	24001
65	130602805953589	保定供电公司	13	23237
66	130311741530404	秦皇岛太行贸易有限公司	13	23207
67	131081798418042	路易达孚（霸州）饲料蛋白有限公司	13	23180
68	130103104322848	国家开发银行河北省分行股份有限公司	13	23178
69	131082109315911	三河发电有限责任公司	13	23111
70	130603105941085	河北省烟草公司保定市公司	13	23065
71	131011236077725	荣盛房地产发展股份有限公司	13	22859

续表

序号	企业代码	企业名称	地区	实纳税额
72	130682755463660	河北旭阳焦化有限公司	13	22648
73	130203104744995	河北省烟草公司唐山市公司	13	22602
74	130203104792823	唐山钢铁集团有限责任公司	13	22565
75	131081737361353	河北前进钢铁集团有限公司	13	22275
76	130216780837126	首钢京唐钢铁联合有限责任公司	13	22220
77	130283741535782	唐山长城钢铁集团九江线材有限公司	13	22207
78	130321752404358	青龙满族自治县安胜矿业有限责任公司	13	21934
79	130121X01701132	华能国际电力股份有限公司上安电厂	13	21925
80	130132700702652	河北诚信有限责任公司	13	21835
81	130912735605449	河北国华沧东发电有限责任公司	13	21609
82	130481105744268	邯邢冶金矿山管理局北洺河铁矿	13	21353
83	130283601072333	迁安市隆宇工贸有限责任公司	13	21201
84	130682601110408	河北国华定洲发电有限责任公司	13	21163
85	130212784073944	河北大唐国际王滩发电有限责任公司	13	21110
86	130402718352355	中国移动通信集团河北有限公司邯郸分公司	13	20606
87	131003109261423	华北电网有限公司廊坊供电公司	13	20105
88	130825755471804	隆化县顺达矿业有限责任公司	13	19412
89	13101160134794X	廊坊立邦涂料有限公司	13	19248
90	130406601167076	河北邯峰发电有限责任公司	13	18968
91	130481601165396	河北普阳钢铁有限公司	13	18909
92	130602718358175	保定天威保变电气股份有限公司	13	18722
93	13028310510149X	唐山首钢马兰庄铁矿有限责任公司	13	18643
94	130102601000356	河北维尔康制药有限公司	13	18552
95	130212755495849	唐山佳华煤化工有限公司	13	18285
96	130302104324077	河北远洋运输集团股份有限公司	13	17940
97	131082769824527	阳光硅谷电子科技有限公司	13	17803
98	130104804321045	石家庄供电公司	13	17795
99	130302718368920	中国移动集团河北有限公司秦皇岛分公司	13	17701
100	130481805528793	邯邢冶金矿山管理局西石门铁矿	13	17642

山西省企业纳税百强排行榜

单位：万元

序号	企业代码	企业名称	地区	实纳税额
1	140213710932953	大秦铁路股份有限公司	14	296830
2	140213602161688	大同煤矿集团有限责任公司	14	279833
3	140116110050121	山西省电力公司	14	227203
4	140116701011888	山西太钢不锈钢股份有限公司	14	220413
5	140116713676510	山西西山煤电股份有限公司	14	202512
6	140405729666771	山西潞安环保能源开发股份有限公司	14	175083
7	14032371599263X	山西国阳新能股份有限公司	14	134601
8	14060411141525X	山西平朔安家岭露天煤炭有限公司	14	129114
9	140604811410505	平朔煤炭工业公司运销公司	14	124539
10	140115710937455	中国移动通信集团山西有限公司	14	118088
11	14011611007158X	山西昆明烟草有限责任公司	14	106341
12	140511746034864	晋城无烟煤矿业集团有限责任公司寺河煤矿	14	92731
13	140604602460258	山西中煤平朔安太堡煤炭有限责任公司	14	90419
14	14032370107060X	阳泉煤业（集团）有限责任公司	14	87612
15	140213729670025	大同煤业股份有限公司	14	84890
16	140211764654266	同煤大唐塔山煤矿有限公司	14	76099
17	142302741096548	山西大土河焦化有限责任公司	14	75337
18	140106810015183	中国建设银行股份有限公司山西省分行	14	73306
19	140507713630037	山西兰花科技创业股份有限公司	14	70571
20	142729715939089	山西海鑫国际钢铁有限公司	14	65939
21	142703113873561	山西阳光焦化集团股份有限公司	14	60761
22	140511734028598	晋城蓝焰煤业股份有限公司	14	60637
23	140116743547162	山西焦煤集团西山煤矿总公司	14	59392
24	141002113126734	临汾市尧都区屯里农村信用合作社	14	56433
25	142603113091746	霍州煤电集团有限责任公司	14	55657
26	141002741096177	中国移动通信集团山西有限公司临汾分公司	14	54999
27	140111110071184	中铁十二局集团有限公司	14	53993
28	140431111171187	山西沁新煤焦股份有限公司	14	53173
29	140116110014331	太原钢铁（集团）国际经济贸易有限公司	14	53029
30	140404810758921	山西三元煤业股份有限公司	14	52471
31	142334112359966	山西杏花村汾酒厂股份有限公司	14	46884
32	142334112310134	华晋焦煤有限责任公司	14	45718
33	142703736335903	中国铝业股份有限公司山西分公司	14	42607
34	142202746040199	山西鲁能晋北铝业有限责任公司	14	41429

续表

序号	企业代码	企业名称	地区	实纳税额
35	140121715902382	山西美锦煤炭气化股份有限公司	14	41045
36	140511746035410	晋城蓝焰煤业股份有限公司成庄矿	14	40662
37	140121701026537	太原市梗阳实业集团有限公司	14	39473
38	14232376248251X	山西亚太焦化冶镁有限公司	14	38131
39	142402112731529	山西汾西矿业（集团）有限责任公司	14	37770
40	142631113450876	山西省乡宁县毛则渠煤炭有限公司	14	37752
41	142323812404692	山西华鑫煤焦化实业有限公司	14	37467
42	140111775152894	太原铁路局	14	35378
43	14262511327143X	山西汾河焦煤股份有限公司	14	34970
44	140421794213875	山西潞安集团司马煤业有限公司	14	34647
45	140106810015810	中国工商银行股份有限公司山西省分行	14	34498
46	142232736333166	山西鲁能河曲发电有限公司	14	32337
47	140423110930719	山西省襄垣县地方国营襄垣煤矿	14	32196
48	142327701126618	山西省柳林同德焦煤有限公司	14	31063
49	140621729675037	山西金海洋能源集团有限公司	14	29812
50	140511111200363	山西省晋城无烟煤矿业集团有限责任公司	14	29219
51	140181739322980	山西金业煤焦化集团古交有限公司	14	28656
52	142623751530248	临汾万鑫达焦化有限责任公司	14	28355
53	140323798286043	阳泉煤业集团三矿煤业有限责任公司	14	27833
54	142625113273064	山西焦化股份有限公司	14	27641
55	140111110120089	山西省烟草公司太原市公司	14	27407
56	140116715997051	中国石油化工股份有限公司山西石油分公司	14	27127
57	140107724600378	山西三联正丰国际贸易有限公司	14	26390
58	142623719828247	山西光大焦化气源有限公司	14	26359
59	142703739336477	山西曙光煤焦集团有限公司	14	26266
60	140424668613704	山西潞安余吾煤业有限责任公司	14	25935
61	142303743524059	山西东辉煤化工股份有限公司	14	24838
62	140521734002216	沁和能源集团有限公司	14	24484
63	140581748587294	晋城市高平公路煤炭销售有限公司	14	24329
64	142323112400009	交城义望铁合金有限责任公司	14	24078
65	140114776713323	山西焦煤集团国际贸易有限责任公司	14	23798
66	140428748579358	长治市华晟荣矿业有限公司	14	23173
67	140507602003081	阳城国际发电有限责任公司	14	22484
68	140114701138010	太原煤气化股份有限公司	14	21954
69	140481110900130	天脊煤化工集团股份有限公司	14	21793
70	140114110104513	中铁三局集团有限公司	14	21745
71	142701813643345	山西省电力公司运城大用户营业所	14	21734

续表

序号	企业代码	企业名称	地区	实纳税额
72	140116110013910	山西省电力公司太原供电分公司	14	21593
73	142301725904621	山西楼东俊安煤气化有限公司	14	21561
74	140114701013306	太原重工股份有限公司	14	21442
75	142327112521740	山西柳林寨崖底煤业有限公司	14	21316
76	140507715995275	山西亚美大宁能源有限公司	14	21194
77	140411736307435	山西南耀集团小常矿业有限公司	14	20756
78	140114110070843	中铁十七局集团有限公司	14	20488
79	140121783266939	山西美锦焦化有限公司	14	20322
80	140106810041525	中国人民财产保险股份公司山西省分公司	14	20296
81	140116110054915	山西焦煤集团国际发展有限公司	14	20270
82	140107810016098	中国农业银行山西省分行	14	20125
83	14062178100621X	山西观音堂煤炭运销有限公司	14	19968
84	142327112520609	山西柳林金家庄煤业有限公司	14	19743
85	140111110055125	山西明迈特实业贸易有限公司	14	19591
86	142402757279429	山西宏安焦化科技有限公司	14	19469
87	140421110870904	山西省长治经坊煤业有限公司	14	19338
88	140525746022871	山西天地王坡煤业有限公司	14	19024
89	142330764697338	霍州煤电集团吕梁山煤电有限公司	14	18914
90	140423792208351	山西大平煤业有限公司	14	18902
91	14011474855218X	山西太钢不锈钢科技有限公司	14	18894
92	142601113103196	临汾四通焦化有限公司	14	18869
93	14260260281268X	山西建邦集团有限公司	14	18859
94	140115728183970	中国联合网络通信有限公司山西省分公司	14	18604
95	140321713679818	山西阳光发电有限责任公司	14	18582
96	140323728164876	阳泉市南庄煤炭集团有限责任公司	14	18437
97	14021311040230X	山西省烟草公司大同市公司	14	18365
98	140604715928128	山西大唐国际神头发电有限责任公司	14	18215
99	142733746008674	北方铜业股份有限公司	14	18013
100	142701113632995	山西省烟草公司运城市公司	14	17629

内蒙古自治区企业纳税百强排行榜

单位：万元

序号	企业代码	企业名称	地区	实纳税额
1	152701772221612	中国神华能源股份有限公司东胜结算部	15	359728
2	150230114392559	包头钢铁（集团）有限责任公司	15	345868
3	150230701464975	内蒙古包钢钢联股份有限公司	15	220097
4	150104114155211	内蒙古昆明卷烟有限责任公司	15	169406
5	152702626402490	内蒙古伊泰煤炭股份有限公司	15	109255
6	150105114111593	内蒙古电力（集团）有限责任公司	15	108375
7	15210276105971X	满洲里中石油国际事业有限公司	15	92107
8	150122114179096	内蒙古大唐国际托克托发电有限责任公司	15	87107
9	15272170125242X	神华准格尔能源有限责任公司	15	74366
10	150102756683040	中国移动通信集团内蒙古有限公司	15	69171
11	150501743892417	通辽市华泰房地产开发有限公司	15	67740
12	150102701467412	中国石油天然气股份公司内蒙古销售分公司	15	66582
13	152128115196461	华能伊敏煤电有限责任公司	15	64639
14	152201115611784	红云红河烟草（集团）有限责任公司乌兰浩特卷烟厂	15	54204
15	152530747941116	内蒙古上都发电有限责任公司	15	51333
16	152302733266340	内蒙古霍林河露天煤业股份有限公司	15	50430
17	152728772200483	中国神华能源股份有限公司万利分公司	15	49369
18	152502701479077	中国石油华北油田公司二连分公司	15	47694
19	150102701466583	国家开发银行股份有限公司内蒙古分行	15	46302
20	152101701354995	大庆油田有限责任公司呼伦贝尔分公司	15	45627
21	152528664091478	镶黄旗鑫垠能源技术开发有限公司	15	44838
22	152102720153822	满洲里中化国际贸易有限责任公司	15	42671
23	150304114671005	神华集团乌达矿业有限责任公司	15	40246
24	152723736122537	准格尔旗弓家塔宝平湾煤炭有限责任公司	15	39889
25	152302743874331	内蒙古鸿骏铝电有限责任公司	15	36452
26	150230772231677	包钢集团国际经济贸易有限公司	15	35947
27	150240740146937	东方希望包头稀土铝业有限公司	15	34179
28	152824701444800	内蒙古大中矿业有限责任公司	15	32827
29	152723603302227	内蒙古满世煤炭集团有限责任公司	15	30568
30	152721767895014	中国神华能源股份有限公司准格尔运销公司	15	30433
31	150104114154657	呼和浩特市烟草公司	15	29549
32	150102814110524	中国建设银行股份有限公司内蒙古分行	15	29433
33	152723701418813	内蒙古伊东煤炭集团有限责任公司	15	28830
34	15010362640500X	中国工商银行股份有限公司内蒙古分行	15	28577

续表

序号	企业代码	企业名称	地区	实纳税额
35	152701797174533	中国神华能源股份有限公司金烽煤炭分公司	15	27735
36	150102626405317	呼和浩特铁路局	15	26820
37	150105701465425	内蒙古蒙牛乳业（集团）股份有限公司	15	25981
38	150203701241480264	中国移动通信内蒙古有限公司包头分公司	15	25965
39	152706776105184	鄂尔多斯市西金矿冶有限责任公司	15	25352
40	150302114670766	神华集团海勃湾矿业有限责任公司	15	25001
41	152301752570057	通辽梅花生物科技有限公司	15	24933
42	152629747939649	内蒙古岱海发电有限责任公司	15	24768
43	150403701280332	元宝山发电有限责任公司	15	24239
44	150102626405018	中国农业银行股份有限公司内蒙古自治区分行	15	23457
45	150105814190106	中国石油天然气股份呼和浩特石化分公司	15	23391
46	152102797185435	满洲里盛世华强贸易有限公司	15	22735
47	152728701427509	神东天隆集团有限责任公司煤炭运销分公司	15	22239
48	150631701412139	鄂尔多斯移动通信分公司	15	21895
49	150240114392532	内蒙古自治区烟草公司包头市公司	15	21487
50	152728701427103	内蒙古蒙发煤炭有限责任公司	15	21108
51	150590767871733	中国移动通信集团内蒙古有限公司通辽公司	15	19692
52	152722626590110	内蒙古蒙达发电有限责任公司	15	19575
53	150117114124263	内蒙古伊利实业集团股份有限公司	15	19103
54	152131743882403	神华宝日希勒能源有限公司	15	18716
55	152826787084841	巴彦淖尔西部铜业有限公司	15	18679
56	150240701463032	包商银行股份有限公司	15	18644
57	152721701419883	内蒙古国华准格尔发电有限责任公司	15	18007
58	152722772228160	北方联合电力有限责任公司鄂尔多斯发电厂	15	17758
59	152826720199783	内蒙古东升庙矿业有限责任公司	15	17076
60	150223116870008	包头市石宝铁矿集团有限责任公司	15	16805
61	150303767887997	神华乌海煤焦化有限责任公司	15	16587
62	152721667310795	神华哈尔乌素煤炭分公司	15	15955
63	152723787064322	伊泰煤炭股份有限公司纳林庙煤矿二号井	15	15954
64	150102814112044	中国银行股份有限公司内蒙古自治区分行	15	15932
65	152728117172420	鄂尔多斯市富安煤炭有限责任公司	15	15564
66	152303115792052	通辽发电总厂	15	15346
67	152701116961284	鄂尔多斯电业局	15	15329
68	150102752587860	上海三菱电梯有限公司内蒙古分公司	15	15306
69	150240701463622	内蒙古包钢稀土高科技股份有限公司	15	15263
70	150121701469493	内蒙古伊利实业集团股份有限公司奶粉事业部	15	15213
71	152706740133175	神华蒙西煤化股份有限公司	15	15187

续表

序号	企业代码	企业名称	地区	实纳税额
72	152826720188224	万城商务东升庙有限责任公司	15	14954
73	15272374790995X	准格尔旗准联煤炭有限责任公司	15	14883
74	152601779485979	内蒙古东送电力管理所	15	14855
75	150303772232426	北方联合电力有限责任公司乌海发电厂	15	14764
76	152502756669249	神华北电胜利能源有限公司	15	14646
77	152723736119880	内蒙古伊泰煤炭股份有限公司宏景塔一矿	15	14465
78	152728764491321	伊金霍洛旗昊达煤炭有限责任公司	15	14099
79	152702116930146	内蒙古自治区烟草公司鄂尔多斯市公司	15	13451
80	150102814119203	中国农业发展银行内蒙古自治区分行	15	13422
81	150223764483604	包钢集团巴润矿业有限责任公司	15	12487
82	152102720169744	扎赉诺尔煤业有限责任公司	15	12196
83	150207752580140	内蒙古华电包头发电有限公司	15	11844
84	152301115790890	通辽电业局	15	11631
85	152903752597217	内蒙古太西煤集团乌斯太焦化有限责任公司	15	11581
86	150402114790151	内蒙古自治区烟草公司赤峰市公司	15	11525
87	152602701396626	蒙电华能热电股份有限公司丰镇发电厂	15	11395
88	15024075258087X	包头华鼎铜业发展有限公司	15	11362
89	152706743893209	内蒙古利民煤焦有限责任公司	15	11337
90	150203X27041312	中国农业银行包头市分行	15	11304
91	152721767878388	内蒙古亚矿资源有限公司	15	11207
92	150102114123615	内蒙古蒙电华能热电股份有限公司	15	11057
93	15020762644034X	包头华美稀土高科有限公司	15	11038
94	152327116033605	扎鲁特旗鲁霍煤炭有限责任公司	15	10855
95	150105772202948	创维电子（内蒙古）有限公司	15	10833
96	150221670671655	神华集团包头矿业有限责任公司运销集装站	15	10824
97	152826767866440	巴彦淖尔紫金有色金属有限公司	15	10816
98	15270675256620X	内蒙古棋盘井矿业有限责任公司	15	10756
99	150104793609990	内蒙古能源发电投资有限公司	15	10712
100	150123790173212	内蒙古蒙牛高科乳业有限公司	15	10479

辽宁省企业纳税百强排行榜

单位：万元

序号	企业代码	企业名称	地区	实纳税额
1	210211716947734	中国石油天然气股份有限公司大连石化分公司	21	934397
2	210303242669479	鞍钢股份有限公司	21	735713
3	210213604821942	大连西太平洋石油化工有限公司	21	503123
4	211103716484362	中国石油辽河油田分公司	21	340174
5	210102701796881	辽宁省电力有限公司	21	278995
6	210104746494975	华晨宝马汽车有限公司	21	263537
7	210502242690243	本钢板材股份有限公司	21	199653
8	210101719646152	中国移动通信集团辽宁有限公司	21	192796
9	210302241423725	鞍钢集团国际经济贸易公司	21	154314
10	210102117601635	沈阳铁路局	21	132778
11	21030224150404X	鞍钢集团矿业公司	21	132281
12	210702716459108	中国石油天然气股份有限公司锦州石化分公司	21	128981
13	210802121122004	红塔辽宁烟草有限责任公司营口卷烟厂	21	128271
14	21040271960098X	中国石油天然气股份有限公司抚顺石化分公司	21	121815
15	211281123814696	铁法煤业（集团）有限责任公司	21	117472
16	210105716408175	中油辽宁销售分公司	21	116276
17	210104604606804	上海通用（沈阳）北盛汽车有限公司	21	116067
18	211401716427237	中国石油天然气股份有限公司锦西石化分公司	21	108022
19	210102755522149	红塔辽宁烟草有限责任公司沈阳卷烟厂	21	79194
20	211103122565835	辽河石油勘探局	21	78445
21	210303241420014	鞍山钢铁集团公司	21	78005
22	211005701709733	鞍钢集团矿业公司弓长岭矿业公司	21	74238
23	210404777794268	抚顺新钢铁有限责任公司	21	66126
24	211103729061625	中国石油天然气股份有限公司辽河石化公司	21	62166
25	210213736421537	大连尊荣汽车贸易有限公司	21	61903
26	210104604603259	沈阳华晨金杯汽车有限公司	21	56944
27	210111240817693	沈阳矿业有限责任公司林盛煤矿	21	53913
28	210502736737267	本溪北营钢铁（集团）股份有限公司	21	50609
29	210502701577726	本溪钢铁（集团）矿业有限责任公司	21	48391
30	210213604814718	辉瑞制药有限公司	21	46694
31	21031170152806X	鞍山宝得钢铁有限公司	21	45554
32	211004701696207	中国石油股份有限公司辽阳石化分公司	21	44225
33	210711725673536	中信锦州铁合金股份有限公司	21	43822
34	21020211843754X	辽宁省电力有限公司大连供电公司	21	43770

续表

序号	企业代码	企业名称	地区	实纳税额
35	210811121400684	五矿营口中板有限责任公司	21	42971
36	210213782460801	淡水河谷英可新型镍材料（大连）有限公司	21	42648
37	210213751588693	大连田村塑料有限公司	21	41785
38	210203118466391	中国烟草总公司大连市公司	21	40645
39	210102X04720187	辽宁省电力有限公司沈阳供电公司	21	39695
40	210202118417266	大连远洋运输公司	21	38397
41	211002122027391	中铁十九局集团有限公司	21	37917
42	210311768301505	鞍钢集团鞍千矿业有限责任公司	21	37857
43	211103X26002418	BECKBURY 国际有限公司	21	35928
44	210203118475757	大连船用柴油机有限公司	21	34658
45	210103701935984	辽宁省烟草公司沈阳市公司	21	34624
46	210202716951354	中国石油天然气股份有限公司大连销售分公司	21	34353
47	21140112076702X	葫芦岛锌业股份有限公司	21	33951
48	211103122433701	盘锦北方沥青股份有限公司	21	33311
49	210213604878746	大连东芝电视有限公司	21	33098
50	210213782451606	大连港股份有限公司	21	32317
51	210910121515860	阜新矿业（集团）有限责任公司	21	32106
52	210302241445529	辽宁省电力有限公司鞍山供电公司	21	31505
53	210102817561582	中国建设银行股份有限公司辽宁省分行	21	31275
54	210502744320795	本溪北方铁业有限公司	21	29863
55	210204717812540	大连商品交易所	21	29850
56	210103701796902	国家开发银行股份有限公司辽宁省分行	21	28446
57	210811670477983	营口嘉晨燃化有限公司	21	27625
58	210711242668214	锦州银行股份有限公司	21	27351
59	210302941291583	鞍钢建设集团有限公司	21	26297
60	210213773015060	第一汽车（大连保税区）口岸通商中心	21	25856
61	210402119215009	中国石油抚顺石油化工公司	21	25670
62	210502119726263	本溪钢铁（集团）有限责任公司	21	25627
63	21138212320998X	凌源钢铁股份有限公司	21	25263
64	211421120771168	绥中发电有限责任公司	21	24570
65	210804604051941	华能国际电力股份有限公司营口电厂	21	24454
66	210114604623495	普利司通（沈阳）轮胎有限公司	21	23678
67	210804604112177	嘉里粮油（营口）有限公司	21	23469
68	21020424126711X	大连新型房地产开发有限公司	21	22397
69	210211773046860	大连重起涂装防腐工程有限公司	21	21749
70	210106604608201	华润雪花啤酒（辽宁）有限公司	21	21733
71	21040470181332X	抚顺特殊钢股份有限公司	21	21027

续表

序号	企业代码	企业名称	地区	实纳税额
72	210202726011227	中国移动通信集团辽宁有限公司大连分公司	21	20444
73	210711603973637	华润电力（锦州）有限公司	21	19597
74	210213604814160	大连日清制油有限公司	21	19219
75	21080212124284X	辽宁省电力有限公司营口供电公司	21	18237
76	210910121562106	阜新发电有限责任公司	21	17843
77	210302765442193	中冶焦耐工程技术有限公司	21	17803
78	210211716973393	大连运腾房地产开发有限公司	21	17473
79	210114604613895	安斯泰来制药（中国）有限公司	21	17024
80	210502463564339	辽宁省电力有限公司本溪供电公司	21	17024
81	210211604856336	中国华录松下电子信息有限公司	21	16975
82	210522701589006	桓仁矿业有限公司	21	16916
83	210102817581401	招商银行股份有限公司沈阳分行	21	16764
84	210103715742139	中国石油东北销售分公司	21	16723
85	21020460485690X	大连固特异轮胎有限公司	21	16671
86	210213740930369	大连东芝机车电气设备有限公司	21	16659
87	210211604854197	华能国际电力股份有限公司大连电厂	21	16416
88	211401123716682	中国石油锦西炼油化工总厂	21	16189
89	210423752758105	抚顺莱河矿业有限公司	21	15866
90	210402119312634	辽宁省电力有限公司抚顺供电公司	21	15522
91	210421119539281	抚顺罕王傲牛矿业股份有限公司	21	15500
92	21010260461103X	百胜餐饮（沈阳）有限公司	21	15481
93	210302242667983	鞍山市商业银行股份有限公司	21	15385
94	210311119151260	后英集团鞍山活龙矿业有限公司	21	15290
95	21011474649430X	沈阳李尔汽车座椅内饰系统有限公司	21	15263
96	210132774846229	通用电气能源（沈阳）有限公司	21	15220
97	210114117977093	东北制药总厂	21	14926
98	211202774629531	辽宁华电铁岭发电有限公司	21	14820
99	211011121997804	辽宁省电力有限公司辽阳供电公司	21	14813
100	210202118431447	中交一航局第三工程有限公司	21	14656

吉林省企业纳税百强排行榜

单位：万元

序号	企业代码	企业名称	地区	实纳税额
1	220104605120697	一汽－大众汽车有限公司	22	930128
2	22079171717338X	中国石油天然气股份有限公司吉林油田分公司	22	546973
3	222401795219048	吉林烟草工业有限责任公司	22	318203
4	220104244976413	一汽轿车股份有限公司	22	158813
5	220203717174219	中国石油天然气股份公司吉林市石化分公司	22	88598
6	220503717104464	通化钢铁股份有限公司	22	78429
7	220104776551133	四川一汽丰田汽车有限公司长春丰越公司	22	76344
8	22010471785373X	一汽马自达销售有限公司	22	46201
9	220106702570892	一汽－大众销售有限责任公司	22	46201
10	220105605917786	大陆汽车电子（长春）有限公司	22	43286
11	220104735902224	长春轨道客车股份有限公司	22	40520
12	220303753632424	湖南中烟工业有限责任公司四平卷烟厂	22	34100
13	220202702435463	中钢集团吉林铁合金股份有限公司	22	32472
14	220791710932072	MI 能源公司	22	31015
15	220105124014834	吉林省烟草公司长春市公司	22	30600
16	22010412399835X	吉林省电力有限公司长春供电公司	22	28932
17	220791244433152	吉林石油集团有限责任公司	22	25664
18	220204677314466	吉林省电力有限公司吉林供电公司	22	25211
19	220105717850790	一汽丰田（长春）发动机有限公司	22	24959
20	220104823941178	中国农业发展银行吉林省分行	22	24608
21	22010270255776X	吉林银行股份有限公司	22	24409
22	220202759312050	吉林铁合金进出口有限责任公司	22	23715
23	220702717170197	中国石油前郭石化分公司	22	23401
24	220202729584186	吉林燃料乙醇有限责任公司	22	22560
25	220601825618411	通化钢铁集团板石矿业有限责任公司	22	21811
26	220104702333395	中国石油天然气股份有限公司吉林销售分公司	22	21612
27	220105715309167	吉林粮食集团进出口有限公司	22	20767
28	220106123998560	一汽财务有限公司	22	19969
29	220284726760930	通钢集团吉林钢铁有限责任公司	22	18553
30	220104664275090	东北证券股份有限公司	22	18354
31	220106715303515	长春汽车检测中心	22	18125
32	220203124475104	吉化集团公司	22	17281
33	222423753623720	延边天池工贸有限公司	22	16401
34	22010671785373X	一汽马自达汽车销售有限公司	22	16167

续表

序号	企业代码	企业名称	地区	实纳税额
35	220105243846350	国电吉林龙华热电股份有限公司	22	16041
36	220282126923652	通化钢铁集团桦甸矿业有限责任公司	22	16011
37	220202100014493	中钢集团吉林炭素股份有限公司	22	15720
38	22028472673322X	吉林吉恩镍业股份有限公司	22	15479
39	220106123911541	中国第一汽车集团进出口公司	22	15456
40	220702123980600	吉林石油天然气开发有限责任公司	22	15120
41	22240466427977X	大唐珲春发电厂	22	15087
42	220211124472974	吉林省烟草公司吉林市公司	22	14297
43	220106702204948	一汽轿车销售有限公司	22	13652
44	220106743028725	一汽解放汽车有限公司	22	13594
45	220581737049044	梅河口市阜康酒精有限责任公司	22	13134
46	220302791137723	四平金士百啤酒股份有限公司	22	13104
47	220322125047988	吉林省新天龙酒业有限公司	22	12991
48	220105729555000	长春富维－江森自控汽车饰件系统有限公司	22	12502
49	220106123917070	一汽贸易总公司	22	11816
50	220104723137473	吉林省福达集团有限公司	22	11639
51	220104823939561	建设银行吉林省分行	22	11426
52	220581125151099	辽源矿业（集团）有限责任公司梅河煤矿	22	11272
53	220211723146169	松花江水力发电有限公司	22	11026
54	220382125115792	国电东北电力有限公司双辽发电厂	22	10938
55	222401126320309	吉林省烟草公司延边州公司	22	10933
56	220105727099566	长春热电发展有限公司	22	10860
57	220221768965424	吉林大黑山钼业有限公司	22	10743
58	220203702205174	华润雪花啤酒（吉林）有限公司	22	10622
59	220501125360368	吉林省电力有限公司通化供电公司	22	10515
60	220105732587222	伟巴斯特车顶系统（长春）有限公司	22	10291
61	220202124496079	吉林化纤股份有限公司	22	10099
62	220802605250117	德尔福派克电气系统有限公司白城分公司	22	9961
63	220503786802303	吉林通钢金属资源有限责任公司	22	9848
64	220203123918444	吉林化学工业进出口公司	22	9641
65	220203824519999	国电吉林龙华吉林热电厂	22	9578
66	220302124950307	四平红嘴钢铁有限公司	22	9432
67	220104702512027	长春现代电梯设备有限公司	22	9330
68	220112243844398	吉林亚泰水泥有限公司	22	9059
69	220382125122036	国电双辽发电有限公司	22	9055
70	220104823930188	中国银行股份有限公司吉林省分行	22	8919
71	220302723107370	吉林省电力有限公司四平供电公司	22	8889

续表

序号	企业代码	企业名称	地区	实纳税额
72	220104123998499	中国石油天然气股份有限公司吉林长春销售分公司	22	8711
73	220621702233095	松江河发电厂	22	8570
74	220303124905602	吉林省烟草公司四平市公司	22	8554
75	220104605905427	长春恩福油封有限公司	22	8460
76	220490726751460	吉林麦达斯铝业有限公司	22	8394
77	222403732565090	吉林敖东延边药业股份有限公司	22	8323
78	220502244585084	修正药业集团股份有限公司	22	8302
79	220284732559053	吉林亚泰明城水泥有限公司	22	8219
80	220721244431683	大唐长山热电厂	22	8177
81	220403125151099	辽源矿业（集团）有限责任公司	22	8107
82	220105723180180	福耀集团长春有限公司	22	8102
83	22020277872435X	吉林晨鸣纸业有限责任公司	22	7874
84	220105735930540	吉林省吴太感康药业有限公司	22	7863
85	220204724872285	中石油有限公司东北销售吉林分公司	22	7863
86	220203724884972	中油吉林化建工程股份有限公司	22	7826
87	220105124019221	大唐长春第二热电有限责任公司	22	7792
88	220501125366022	吉林省烟草公司通化市公司	22	7651
89	22010678592275X	长春高力投资集团有限公司	22	7504
90	220104605132110	长春佛吉亚排气系统有限公司	22	7431
91	220105764565001	采埃孚富奥底盘技术（长春）有限公司	22	7407
92	220104767191201	本特勒长瑞汽车系统（长春）有限公司	22	7299
93	220521244578300	通化东宝药业股份有限公司	22	7084
94	220102673315541	长春海华房地产开发有限公司	22	7045
95	22010477657241X	长春市轻轨六合房地产开发有限公司	22	7045
96	220103748408882	长春建工集团有限公司	22	7005
97	220104756174684	佛吉亚（长春）汽车部件系统有限公司	22	7001
98	220602125610718	通化矿业（集团）有限责任公司	22	6946
99	220602702302177	吉林省天风制药有限责任公司	22	6934
100	222401126325636	吉林省电力有限公司延边供电公司	22	6825

黑龙江省企业纳税百强排行榜

单位：万元

序号	企业代码	企业名称	地区	实纳税额
1	230690716675409	大庆油田有限责任公司	23	4229138
2	230103127050339	黑龙江烟草工业有限责任公司	23	222906
3	230690129310130	大庆石油管理局	23	150193
4	230198126970993	黑龙江省电力有限公司	23	126311
5	230690X06584158	中国石油天然气股份有限公司大庆炼化分公司	23	81165
6	230190762734027	中国移动通信集团黑龙江有限公司	23	76789
7	230603716676129	中国石油天然气股份有限公司大庆石化分公司	23	72559
8	230402777880115	黑龙江龙煤矿业集团鹤岗分公司	23	67611
9	230903769249294	黑龙江龙煤矿业集团有限责任公司七台河分公司	23	60516
10	230198128175037	哈药集团股份公司	23	60123
11	230110127047965	哈尔滨电机厂有限责任公司	23	54518
12	230110128025389	哈尔滨锅炉厂有限责任公司	23	50909
13	230621733649747	大庆模范屯油田有限责任公司	23	50825
14	230590772600276	黑龙江龙煤集团有限责任公司双鸭山分公司	23	47520
15	230622126976818	大庆头台油田开发有限责任公司	23	45313
16	230102702852099	中国石油天然气股份有限公司黑龙江销售分公司	23	44666
17	230102127592111	哈尔滨银行股份有限公司	23	44386
18	23010471844994X	中国石油天然气股份有限公司哈尔滨石化分公司	23	44230
19	230690129316372	大庆油田建设集团有限责任公司	23	43750
20	230302777869661	黑龙江龙煤矿业集团鸡西分公司	23	43227
21	230198127041096	黑龙江省烟草公司哈尔滨市公司	23	39236
22	231282126979349	大庆榆树林油田开发有限责任公司	23	38989
23	231281702811174	安达市庆新油田开发有限责任公司	23	35370
24	230604129311053	大庆电业局	23	32454
25	230603129320398	中国石油大庆石油化工总厂	23	31038
26	230921766048008	亿达信煤焦化能源有限公司	23	30561
27	230198712017118	哈尔滨东安汽车发动机制造有限公司	23	30112
28	230110128024925	哈尔滨汽轮机厂有限责任公司	23	29815
29	230705129540614	西林钢铁集团有限公司	23	27675
30	231281739693087	大庆油田有限责任公司安达分公司	23	26106
31	230624726898390	大庆杜尔伯特龙虎泡油田有限责任公司	23	25920
32	230102127048941	哈尔滨电业局	23	24016
33	230198769221128	黑龙江龙煤矿业集团有限责任公司	23	23678
34	230103828027713	哈药集团制药总厂	23	23461

续表

序号	企业代码	企业名称	地区	实纳税额
35	230590752363859	黑龙江建龙钢铁有限公司	23	22830
36	23019871093633X	哈尔滨安博威飞机工业有限公司	23	22598
37	230698762728460	大庆油田化工有限公司	23	22456
38	230182606410215	双城雀巢有限公司	23	21165
39	230198128173269	哈药集团三精制药股份有限公司	23	21094
40	230206128512937	中国华电集团富拉尔基发电总厂	23	20801
41	230198127044967	哈药集团制药六厂	23	20755
42	230506702734180	国电双鸭山发电有限公司	23	19529
43	230111769212838	华电能源股份有限公司哈尔滨第三发电厂	23	19405
44	231282606108585	中粮生化能源（肇东）有限公司	23	19383
45	230204663857435	齐齐哈尔轨道交通装备有限责任公司	23	19347
46	230902749673100	七台河宝泰隆煤化工股份有限公司	23	19125
47	230190607170460	哈尔滨啤酒有限公司	23	19000
48	230302128930100	鸡西矿业（集团）有限责任公司	23	18660
49	230198127575573	哈尔滨动力设备股份有限公司	23	17232
50	230903130053522	大唐七台河发电有限责任公司	23	17071
51	230602129315695	黑龙江省烟草公司大庆市公司	23	16224
52	230903130053485	七台河矿业精煤（集团）有限责任公司	23	15831
53	23090375867800X	七台河龙洋焦电有限责任公司	23	15568
54	230103126962731	黑龙江省烟草公司哈尔滨烟叶公司	23	15540
55	230490702710277	华能鹤岗发电有限公司	23	15305
56	230690731286049	大庆油田工程有限公司	23	14926
57	230190726908659	中国联通有限公司黑龙江分公司	23	12720
58	230206128512566	中国第一重型机械集团公司	23	12672
59	230698702877229	大庆恒新房地产开发有限公司	23	11737
60	230590752376705	黑龙江建龙化工有限公司	23	11552
61	230110127050910	哈尔滨热电有限责任公司	23	11504
62	230206739676439	中国第一重型机械（集团）有限责任公司	23	11370
63	230110826962994	中国人民财产保险股份有限公司黑龙江省分公司	23	11232
64	230690677465096	大庆钻探工程公司	23	11168
65	230112734591081	哈尔滨松江铜业有限公司	23	11109
66	230202128516022	黑龙江省烟草公司齐齐哈尔市公司	23	10775
67	230190702990002	哈尔滨光宇蓄电池股份有限公司	23	10737
68	230302702838852	黑龙江天源煤炭股份有限公司	23	10602
69	230206128511918	东北特钢集团北满特殊钢有限责任公司	23	10456
70	230590746996297	双鸭山市建龙矿业有限公司	23	10431
71	230102738618325	哈尔滨爱达投资置业有限公司	23	10401

续表

序号	企业代码	企业名称	地区	实纳税额
72	230198127046743	哈尔滨空调股份有限公司	23	10290
73	23019871201745X	哈尔滨东安汽车动力股份有限公司	23	10205
74	230203755343116	黑龙江华电齐齐哈尔热电有限公司	23	9999
75	231090130212095	牡丹江电业局	23	9977
76	230202128517623	齐齐哈尔电业局	23	9878
77	231090130233769	牡丹江恒丰纸业股份有限公司	23	9831
78	230102665691264	哈尔滨上实置业有限公司	23	9780
79	230112723698000	西林钢铁集团阿城钢铁有限公司	23	9777
80	231081128155917	哈铁路局对外经济技术合作公司绥芬河公司	23	9696
81	231084733651951	黑龙江省烟草公司牡丹江烟叶公司	23	9692
82	230604772614141	大庆银亿房地产开发有限公司	23	9653
83	230125756309358	黑龙江省宾州水泥有限公司	23	9555
84	23019874441664X	中油黑龙江农垦石油有限公司	23	9527
85	23059073364572X	大唐双鸭山热电有限公司	23	9439
86	23010294592240X	中国农业发展银行黑龙江省分行营业部	23	9332
87	230206702847417	黑龙江黑化股份有限公司	23	9258
88	231282766046352	大庆油田有限责任公司肇东分公司	23	8994
89	230890721361340	佳木斯电机股份有限公司	23	8898
90	230202711088838	齐齐哈尔二机床（集团）有限责任公司	23	8683
91	230198738613081	哈尔滨顶津食品有限公司	23	8561
92	230103606111426	黑龙江远大购物中心有限公司	23	8491
93	230110758691335	黑龙江立汇房地产开发有限公司	23	8485
94	230904762749202	七台河市吉伟煤焦有限公司	23	8387
95	230183727692976	华润雪花啤酒（哈尔滨）有限公司	23	8352
96	230902741847030	七台河市隆鹏煤炭发展有限责任公司	23	8254
97	230123129902320	黑龙江省依兰煤矿	23	8194
98	230705663870517	伊春市佳德金属料加工有限公司	23	8191
99	230621710931950	中亚石油有限公司	23	8117
100	230621710925462	大庆油田有限责任公司州十三合作区块管理部	23	7901

上海市企业纳税百强排行榜

单位：万元

序号	企业代码	企业名称	地区	实纳税额
1	310043132200434	上海烟草（集团）公司	31	2069451
2	310046631696382	宝山钢铁股份有限公司	31	1497363
3	310043132200581	上海证券交易所	31	767275
4	310046607371748	上海通用汽车有限公司	31	720529
5	310046607200463	上海大众汽车有限公司	31	571398
6	310043834486537	中国石油化工股份有限公司上海高桥分公司	31	486187
7	310043132212291	中国石化上海石油化工股份有限公司	31	444097
8	31004313221158X	上海浦东发展银行股份有限公司	31	404583
9	310106100019382	光大证券股份有限公司	31	366188
10	310043744912184	中国石化销售有限公司华东分公司	31	340867
11	310046132200821	宝钢集团有限公司	31	310549
12	310046132224671	上海市电力公司	31	308448
13	31010663159284X	国泰君安证券股份有限公司	31	281742
14	310043834480565	中石油华东销售分公司	31	263046
15	310046132149237	中国移动通信集团上海有限公司	31	209033
16	310043132257510	上海银行股份有限公司	31	193978
17	310115729446189	雅培贸易（上海）有限公司	31	154059
18	310112607417881	华硕电脑（上海）有限公司	31	142974
19	310103717853158	保乐力加（中国）贸易有限公司	31	136770
20	310046754780760	华东电网有限公司	31	134763
21	310046132212734	中海发展股份有限公司	31	131859
22	310046671143758	中国电信股份有限公司上海分公司	31	126356
23	310112607330647	可口可乐（中国）饮料有限公司	31	116216
24	310046132202309	上海汽车进出口有限公司	31	112701
25	310043703486764	中石油西气东输管道分公司	31	109300
26	310112717880375	上海电气电站设备有限公司	31	109007
27	310115607339756	上海索广映像有限公司	31	100093
28	310043132204400	中国建设银行股份有限公司上海市分行	31	97740
29	310115607425849	国际商业机器全球服务（中国）有限公司	31	94943
30	310226134527983	上海世贸汽车贸易有限公司	31	93471
31	310108101691285	飞利浦（中国）投资有限公司	31	91771
32	310043132202528	中国农业银行上海市分行	31	88419
33	310115775768541	上海中煤华东有限公司	31	85065
34	310227765970957	上海永裕医药有限公司	31	79974

续表

序号	企业代码	企业名称	地区	实纳税额
35	310115607339254	联合汽车电子有限公司	31	77271
36	310043132200426	上海烟草贸易中心有限公司	31	73888
37	310115607211699	上海贝尔股份有限公司	31	73399
38	31004313220454X	中国银行股份有限公司上海市分行	31	72939
39	310105733386529	和记黄埔地产（上海）古北有限公司	31	72918
40	310112133385370	上海锅炉厂有限公司	31	70955
41	310046132207580	上海国际港务（集团）股份有限公司	31	70142
42	31011579144036X	宝钢资源有限公司	31	68278
43	310106729388433	上海宾利汽车销售有限公司	31	67902
44	31004372935636X	中国证券登记结算有限责任公司上海分公司	31	67773
45	310101717860470	宏碁电脑（上海）有限公司	31	67753
46	310110630473910	上海市烟草贸易中心卷烟经理部	31	66264
47	310115607231489	多美滋婴幼儿食品有限公司	31	65355
48	310115765998431	法拉利玛莎拉蒂汽车国际贸易（上海）有限公司	31	63108
49	310104132278661	申银万国证券股份有限公司	31	62038
50	310043832211775	招商银行股份有限公司上海分行	31	60081
51	310106710939418	欧莱雅（中国）有限公司	31	60017
52	310228132206027	中国金山联合贸易有限责任公司	31	59569
53	310115607382623	明尼苏达矿业制造（上海）国际贸易有限公司	31	58263
54	31011571093975X	小松（中国）投资有限公司	31	57922
55	310115797084124	上海卡帕体育用品有限公司	31	57560
56	310112630415526	上海国利汽车真皮饰件有限公司	31	56691
57	310043710938474	上海赛科石油化工有限责任公司	31	56583
58	310101717854505	尼康映像仪器销售（中国）有限公司	31	56061
59	310115703465170	强生（上海）医疗器材有限公司	31	56042
60	310043798961993	渣打银行（中国）有限公司	31	55907
61	310115607229696	上海仁恒房地产有限公司	31	52694
62	310046759579978	中海集装箱运输股份有限公司	31	52049
63	310112607205141	上海三菱电梯有限公司	31	51918
64	310115607416379	瑞表国际贸易（上海）有限公司	31	51609
65	31010313220921X	海通证券股份有限公司	31	50783
66	310115669401543	沪东重机有限公司	31	49912
67	310043664339541	三菱东京日联银行（中国）有限公司	31	49621
68	31004683221508X	中国航空油料有限责任公司上海分公司	31	48536
69	310114789570966	舍弗勒贸易（上海）有限公司	31	48374
70	310046607419035	上海上汽大众汽车销售有限公司	31	47259
71	31011260727223X	强生（中国）有限公司	31	47094

续表

序号	企业代码	企业名称	地区	实纳税额
72	310115703097064	上海嘉里食品工业有限公司	31	47063
73	310043710936612	上海巴斯夫聚氨酯有限公司	31	47033
74	310107X07249415	施耐德电气（中国）投资有限公司上海分公司	31	46520
75	310104132660027	中交第三航务工程局有限公司	31	46455
76	310043X07204428	汇丰银行（中国）有限公司上海分行	31	45942
77	310043734050744	上海期货交易所	31	45848
78	310115607297170	上海罗氏制药有限公司	31	44808
79	31011563126503X	中国建筑第八工程局有限公司	31	44775
80	310115132214887	上海陆家嘴金融贸易区股份开发有限公司	31	44727
81	310043132207804	交通银行股份有限公司上海市分行	31	44501
82	310225132178740	上海美特斯邦威服饰股份有限公司	31	44474
83	310103740564418	上海天万仓进出口有限公司	31	44304
84	310113746502808	上海宝冶建设有限公司	31	43512
85	310112132284914	上海焦化有限公司	31	43202
86	310043834486035	中国石油化工股份有限公司上海石油分公司	31	42967
87	310112607220034	中美上海施贵宝制药有限公司	31	42339
88	310112607328264	大金空调（上海）有限公司	31	42132
89	310046132293327	中远集装箱运输有限公司	31	39628
90	310113777139247	宝矿国际贸易有限公司	31	38727
91	310104607220405	3M 中国有限公司	31	37603
92	31011571093983X	上海松下等离子显示器有限公司	31	37466
93	31011260721286X	上海吉田拉链有限公司	31	37164
94	310101132294776	东方证券股份有限公司	31	36925
95	310115607306460	上海博世力士乐液压及自动化有限公司	31	36473
96	310043798981134	花旗银行（中国）有限公司	31	35972
97	310115607395993	泰科电子（上海）有限公司	31	35849
98	310115740290058	三菱电机自动化（上海）有限公司	31	35745
99	310115717865933	上海益海商贸有限公司	31	35594
100	310115734060694	明朗国际贸易（上海）有限公司	31	34369

江苏省企业纳税百强排行榜

单位：万元

序号	企业代码	企业名称	地区	实纳税额
1	320102134876825	江苏中烟工业公司南京卷烟厂	32	646814
2	320300136388104	江苏中烟工业公司徐州卷烟厂	32	630149
3	320800139434583	江苏中烟工业公司淮阴卷烟厂	32	370766
4	32000670404188X	中国移动通信集团江苏有限公司	32	326963
5	32058571785883X	耐克体育（中国）有限公司	32	193023
6	32100172059808X	中国石油化工股份有限公司江苏油田分公司	32	157184
7	320102134764540	江苏中烟工业公司	32	146924
8	320102721730177	中国石油化工股份有限公司金陵分公司	32	142866
9	321700660088829	阿迪达斯体育（中国）有限公司	32	130284
10	320901608606625	东风悦达起亚汽车有限公司	32	117963
11	320704755871517	益海（连云港）油化工业有限公司	32	114407
12	320704723527279	益海（连云港）粮油工业有限公司	32	109858
13	320106743917098	中国电信股份有限公司江苏分公司	32	103227
14	320300134750616	徐州矿务集团有限公司	32	97680
15	320112714085405	南京钢铁股份有限公司	32	96461
16	321081625908297	中国石化仪征化纤股份有限公司	32	95824
17	320582739421700	联峰钢铁（张家港）有限公司	32	87517
18	320200791954918	尚能太阳能电力有限公司	32	86822
19	320582608257189	张家港浦项不锈钢有限公司	32	86610
20	321101608835858	金东纸业（江苏）股份有限公司	32	86349
21	320112748204660	南京钢铁联合有限公司	32	84034
22	321101608834353	镇江奇美化工有限公司	32	82043
23	321600608258317	中粮东海粮油工业（张家港）有限公司	32	81317
24	320111797106047	中国石化扬子石油化工有限公司	32	79730
25	320601765860600	嘉吉粮油（南通）有限公司	32	79102
26	320113608943998	南京夏普电子有限公司	32	78397
27	320502137690890	江苏省烟草公司苏州市公司	32	77289
28	320300608002178	卡特彼勒（徐州）有限公司	32	76335
29	320114134872859	上海梅山钢铁股份有限公司	32	74998
30	320281607984202	江阴兴澄特种钢铁有限公司	32	72990
31	321201726639030	中海沥青（泰州）有限责任公司	32	69921
32	320582728722524	张家港宏发炼钢有限公司	32	69563
33	32010672057933X	中国石油化工股份有限公司江苏石油分公司	32	66340
34	320106134766570	江苏省电力公司	32	64312

续表

序号	企业代码	企业名称	地区	实纳税额
35	321200728698763	扬子江药业集团有限公司	32	61398
36	320112710939573	扬子石化—巴斯夫有限责任公司	32	61312
37	320200834754255	江苏省电力公司无锡供电公司	32	60781
38	320113608967965	南京 LG 新港显示有限公司	32	59658
39	320582739403799	张家港宏昌钢板有限公司	32	56674
40	320601608309823	南通醋酸纤维有限公司	32	55746
41	320006134754246	华泰证券股份有限公司	32	55191
42	321200746841914	中海油气（泰州）石化有限公司	32	55168
43	321700753217722	欧莱雅（中国）有限公司苏州分公司	32	54378
44	320106608950987	苏宁电器股份有限公司	32	53690
45	320003134762764	江苏宁沪高速公路股份有限公司	32	53566
46	320703138970480	江苏核电有限公司	32	53556
47	320585739426077	玖龙纸业（太仓）有限公司	32	53519
48	320300136442270	徐州重型机械有限公司	32	52230
49	320102134923126	江苏省烟草公司南京市公司	32	51751
50	320583608279441	利乐包装（昆山）有限公司	32	51451
51	320585746212173	江苏申久化纤有限公司	32	51405
52	32058173784235X	江苏理文造纸有限公司	32	50352
53	320103249682756	南京银行股份有限公司	32	49694
54	320322720579102	上海大屯能源股份有限公司江苏分公司	32	48669
55	320281762410268	江阴贝卡尔特合金材料有限公司	32	47410
56	320200135906010	江苏省烟草公司无锡市公司	32	47262
57	32000570404938X	江苏京沪高速公路有限公司	32	46864
58	320601138315283	江苏省烟草公司南通市公司	32	46810
59	320581608248696	芬欧汇川（常熟）纸业有限公司	32	46638
60	320584744810452	江苏盛虹化纤有限公司	32	46122
61	320300784997610	江苏中能硅业科技发展有限公司	32	44374
62	321700716805103	博世汽车部件（苏州）有限公司	32	43780
63	32070570404786X	江苏恒瑞医药股份有限公司	32	43574
64	320102608942178	南京依维柯汽车有限公司	32	43335
65	321001140861574	扬州第二发电有限责任公司	32	42352
66	320800753219058	江苏淮澳钢铁有限公司	32	41332
67	320503834754538	江苏省电力公司苏州供电公司	32	40893
68	320200607917966	博世汽车柴油系统股份有限公司	32	40761
69	321700762449875	中海发展（苏州）有限公司	32	39815
70	320006834791179	招商银行股份有限公司南京分行	32	38603
71	321700608238156	伟创力电子（技术）苏州有限公司	32	37370

续表

序号	企业代码	企业名称	地区	实纳税额
72	320800139452917	江苏沙钢集团淮钢特钢有限公司	32	37087
73	320601138290856	南通化工轻工股份有限公司	32	36951
74	321700742473202	苏州三星电子电脑有限公司	32	36813
75	320582751423362	张家港沙景宽厚板有限公司	32	36728
76	320400834754220	江苏省电力公司常州供电公司	32	36196
77	320508608199126	苏州冠捷科技有限公司	32	35769
78	32040077543498X	瓦卢瑞克曼内斯曼无缝钢管（常州）有限公司	32	34813
79	32040075324574X	现代（江苏）工程机械有限公司	32	34629
80	320200743925784	科特拉（无锡）汽车环保科技有限公司	32	34312
81	32040013720360X	江苏省烟草公司常州市公司	32	34087
82	320400608125290	小松（常州）工程机械有限公司	32	33859
83	320106733144888	江苏省电力公司南京供电公司	32	33829
84	320105834753463	中信银行股份有限公司南京分行	32	33799
85	321300779664758	江苏洋河包装有限公司	32	33724
86	321001140715905	江苏省烟草公司扬州市公司	32	33552
87	320800139450989	淮安清江石油化工有限责任公司	32	33125
88	321600750046091	双狮（张家港）精细化工有限公司	32	32901
89	320107134872875	南京汽轮电机（集团）有限责任公司	32	32895
90	320901140132929	江苏省烟草公司盐城市公司	32	32895
91	321201141855483	江苏省烟草公司泰州市公司	32	32709
92	32058577051178X	国华太仓发电有限公司	32	32183
93	320200717867939	阿斯利康（无锡）贸易有限公司	32	31958
94	321121608836068	江苏镇江发电有限公司	32	31951
95	321283608784747	新浦化学（泰兴）有限公司	32	31836
96	320106134796083	博西家用电器（中国）有限公司	32	31600
97	320582842111495	中国农业银行张家港市支行	32	30242
98	320601608317567	申华化学工业有限公司	32	30096
99	320584718615098	中达电子（江苏）有限公司	32	29680
100	320681138835764	东盛科技启东盖天力制药股份有限公司	32	29239

浙江省企业纳税百强排行榜

单位：万元

序号	企业代码	企业名称	地区	实纳税额
1	330201793017426	中国石油化工股份有限公司镇海炼化分公司	33	1679786
2	330194142916794	浙江中烟工业有限责任公司	33	1445180
3	330000142911635	浙江省电力公司	33	376784
4	330165704200297	中国移动通信集团浙江有限公司	33	295328
5	330621747727910	绍兴远东石化有限公司	33	140212
6	330206734245293	中海石油宁波大榭石化有限公司	33	134526
7	330000720083254	中国石油化工股份有限公司浙江石油分公司	33	114578
8	330206744973411	浙江逸盛石化有限公司	33	97270
9	330424142941885	秦山第三核电有限公司	33	88114
10	33022777824281X	浙江华茂国际贸易	33	76769
11	330201741035171	浙江国华浙能发电有限公司	33	76120
12	330165142910640	浙江物产金属集团有限公司	33	72400
13	330165712558221	浙江物产国际贸易有限公司	33	70647
14	330424100008392	核电秦山联营有限公司	33	70233
15	33020314405899X	宁波电业局	33	69860
16	330165704200860	杭州钢铁股份有限公司	33	65803
17	330195609136127	杭州赛诺菲安万特民生制药有限公司	33	60818
18	330204725131657	宁波神化化学品经营有限责任公司	33	60577
19	330206732116324	台化塑胶（宁波）有限公司	33	59807
20	330194253924826	杭州银行股份有限公司	33	55259
21	330201744976137	宁波钢铁有限公司	33	55082
22	331021744117463	华能国际电力股份有限公司浙江分公司	33	54193
23	330211610278712	宁波乐金甬兴化工有限公司	33	53649
24	330783147520019	中天建设集团有限公司	33	51476
25	330206610262876	金光食品（宁波）有限公司	33	49731
26	330206756285499	台塑聚丙烯（宁波）有限公司	33	45541
27	330194143058496	浙江省烟草公司杭州市公司	33	43543
28	331004720043340	台州齐合天地金属有限公司	33	43295
29	330191143042160	杭州石化有限责任公司	33	42986
30	33019560912074X	杭州中策橡胶有限公司	33	42610
31	330165142911117	浙江物产元通机电（集团）有限公司	33	42215
32	330000143048685	杭州市电力局	33	41926
33	330103744141180	中国电信股份有限公司浙江分公司	33	41905
34	33078175492287X	浙江浙能兰溪发电有限责任公司	33	41418

续表

序号	企业代码	企业名称	地区	实纳税额
35	330165716105852	阿里巴巴（中国）网络技术有限公司	33	41021
36	330602738400537	绍兴纵横聚酯有限公司	33	40284
37	330195609132097	杭州默沙东制药有限公司	33	39136
38	330206784327748	宁波万华聚氨酯有限公司	33	38018
39	330800749819608	衢州元立金属制品有限公司	33	37688
40	330000730318598	浙江嘉华发电有限责任公司	33	37315
41	330000142943450	浙江东南发电股份有限公司	33	36961
42	330165704218753	杭州杭钢对外经济贸易有限公司	33	36418
43	330422609457182	浙江壳牌化工石油有限公司	33	36053
44	330181724528388	浙江恒逸聚合物有限公司	33	35298
45	330000143563345	萧山供电局	33	35153
46	330227610259941	雅戈尔置业有限公司	33	34039
47	330000842910094	中国银行股份有限公司浙江省分行	33	33550
48	330421753019961	浙江昱辉阳光能源有限公司	33	32989
49	330205144229592	宁波金田铜业（集团）股份有限公司	33	32815
50	330206610274332	宁波宝新不锈钢有限公司	33	31884
51	330000142942853	浙江浙能北仑发电有限公司	33	30991
52	33048373030919X	巨石集团有限公司	33	30438
53	330201753286162	浙江大唐乌沙山发电有限责任公司	33	30022
54	330602766403612	浙江加多宝饮料有限公司	33	29737
55	330000142942094	浙江沪杭甬高速公路股份有限公司	33	29451
56	330621753954933	浙江欧亚薄膜材料有限公司	33	29401
57	330181143460645	杭州翔盛纺织有限公司	33	29362
58	330000720083393	国电浙江北仑第一发电有限公司	33	29284
59	330206736999689	台塑工业（宁波）有限公司	33	29171
60	330300145049294	温州电力局	33	27889
61	330725147641689	浙江中国小商品城集团股份有限公司	33	27561
62	330382142944445	浙江正泰电器股份有限公司	33	27486
63	33019560916761X	杭州顶益食品有限公司	33	27162
64	331004736863773	台州市商业银行股份有限公司	33	26797
65	330621745083795	绍兴滨海石化集团有限公司	33	26553
66	330102609136119	杭州娃哈哈保健食品有限公司	33	26490
67	330702147301940	金华电业局	33	25685
68	330501722762533	永兴特种不锈钢股份有限公司	33	25613
69	330621726624293	浙江宝业建设集团有限公司	33	25460
70	330381773121154	浙江瑞安农村合作银行	33	25432
71	330206764503935	浙江浙能富兴燃料有限公司	33	25402

续表

序号	企业代码	企业名称	地区	实纳税额
72	330107754408889	杭州华三通信技术有限公司	33	25134
73	330000842910326	国家开发银行股份有限公司浙江省分行	33	24599
74	331100148425937	浙江纳爱斯化工股份有限公司	33	24504
75	330195609167206	玫琳凯（中国）化妆品有限公司	33	24235
76	330201778213728	浙江前程石化股份有限公司	33	24215
77	330000143049514	杭州华电半山发电有限公司	33	23756
78	330621758060613	浙江南方石化工业有限公司	33	23646
79	330100773585469	杭州联合农村合作银行	33	23608
80	330903780494629	和润集团有限公司	33	23551
81	330195609122737	杭州大厦有限公司	33	23547
82	330206750354043	宁波百丰选矿有限公司	33	23461
83	330300712559654	温州银行股份有限公司	33	23449
84	330401146478349	嘉兴电力局	33	23312
85	33019560913544X	杭州肯德基有限公司	33	22970
86	330621742046841	绍兴怡华纺织有限公司	33	22917
87	330195609136821	杭州摩托罗拉移动通信设备有限公司	33	22899
88	330104609138624	西子奥的斯电梯有限公司	33	22784
89	33010077661873X	杭州名城房地产开发有限公司	33	22653
90	330165704202620	杭州汽轮机股份有限公司	33	22136
91	330227610253873	宁波中华纸业有限公司	33	22097
92	330206742156629	台塑丙烯酸酯（宁波）有限公司	33	21289
93	330182142919274	浙江新安化工集团股份有限公司	33	21168
94	330205720401806	宁波金田冶炼有限公司	33	20717
95	330195609138560	杭州东信移动电话有限公司	33	20588
96	330523710959988	华东天荒坪抽水蓄能有限责任公司	33	20535
97	330181143568234	浙江萧山农村合作银行	33	20386
98	330181751734136	和合科技集团有限公司	33	20000
99	330602704204888	绍兴市商业银行股份有限公司	33	19898
100	330181743489978	浙江荣翔化纤有限公司	33	19884

安徽省企业纳税百强排行榜

单位：万元

序号	企业代码	企业名称	地区	实纳税额
1	340104148944251	安徽中烟工业公司	34	925712
2	340504610400837	马鞍山钢铁股份有限公司	34	394073
3	340603733033942	淮北矿业集团煤业有限责任公司	34	118915
4	340402150230004	淮南矿业（集团）有限责任公司	34	109606
5	340104610308512	日立建机（中国）有限公司	34	100628
6	340103148974661	徽商银行股份有限公司	34	92286
7	340700148973642	铜陵有色金属集团股份有限公司	34	90646
8	34011114894004X	安徽省电力公司	34	85745
9	340803713982868	中国石油化工股份有限公司安庆分公司	34	79568
10	340700151105774	铜陵有色金属集团控股有限公司	34	75399
11	340202849394328	安徽省电力公司芜湖供电公司	34	67619
12	340700610436303	金隆铜业有限公司	34	60769
13	340123733037089	安徽江淮汽车股份有限公司商务车分公司	34	55269
14	340103848942433	中国银行股份有限公司安徽省分行	34	49825
15	340203748920392	芜湖新兴铸管有限责任公司	34	48678
16	341226756841125	安徽国投新集刘庄矿业有限公司	34	48531
17	340421710923520	国投新集能源股份有限公司	34	46484
18	340111149185525	中铁四局集团有限公司	34	40179
19	340421705068830	淮南矿业（集团）有限责任公司张集煤矿	34	38513
20	340104607382412	联合利华服务（合肥）有限公司	34	37587
21	340402777374271	淮浙煤电有限责任公司	34	35957
22	340111711777123	中国石油化工股份有限公司安徽石油分公司	34	33757
23	340104607408459	联合利华（中国）有限公司	34	33307
24	340700151118225	安徽铜陵海螺水泥有限公司	34	32157
25	340421667942004	淮南矿业（集团）有限责任公司张集选煤厂	34	31283
26	34020214949036X	安徽海螺水泥股份有限公司	34	29833
27	340421788558906	淮南矿业（集团）有限责任公司顾桥煤矿	34	29604
28	340603150825112	安徽省电力公司淮北供电公司	34	28881
29	340104610306859	安徽佳通轮胎有限公司	34	27628
30	340402769047502	淮沪煤电有限公司	34	26878
31	342900725538799	安徽池州海螺水泥股份有限公司	34	25659
32	340104783099130	安徽省烟草公司合肥市公司	34	25359
33	340402733034777	安徽淮南洛能发电有限责任公司	34	24444
34	340104610306381	合肥 ABB 变压器有限公司	34	24378

续表

序号	企业代码	企业名称	地区	实纳税额
35	340104148973087	安徽皖通高速公路股份有限公司	34	23897
36	340802151302495	安徽省烟草公司安庆市公司	34	23580
37	341226852221284	淮南矿业（集团）有限责任公司谢桥煤矿	34	23397
38	340823704941730	安徽枞阳海螺水泥股份有限公司	34	22500
39	342622733037134	安徽省庐江龙桥矿业有限公司	34	22323
40	340603744890974	安徽口子酒业有限责任公司	34	21923
41	340102788567175	马钢（合肥）钢铁有限责任公司	34	20399
42	340406754894610	淮南平圩第二发电有限责任公司	34	20333
43	342400152943614	安徽省烟草公司六安市公司	34	20006
44	340104848940358	中国农业发展银行安徽省分行	34	18748
45	341102705042956	博西华家用电器有限公司	34	18548
46	340222713906670	安徽荻港海螺水泥股份有限公司	34	18501
47	340504150509144	马钢（集团）控股有限公司	34	18438
48	34022276686286X	芜湖海螺水泥有限公司	34	18335
49	342600153581109	安徽省烟草公司巢湖市公司	34	17966
50	340506711783996	中国移动通信安徽有限公司马鞍山分公司	34	17823
51	340406850220739	安徽淮南平圩发电有限责任公司	34	17636
52	341600151940008	安徽古井贡酒股份有限公司	34	17452
53	340111849021476	安徽省电力公司合肥供电公司	34	17308
54	340521719934293	安徽长江钢铁股份有限公司	34	17202
55	341201717869870	阜阳华润电力有限公司	34	16617
56	341203719905855	安徽省烟草公司阜阳市公司	34	16272
57	341102713937725	安徽省烟草公司滁州市公司	34	16259
58	340602737317432	安徽省皖北煤电集团有限责任公司任楼煤矿	34	16241
59	340122704901747	安徽省合肥联合发电有限公司	34	16227
60	34250115326332X	安徽省烟草公司宣城市公司	34	15440
61	340822744882317	安徽怀宁海螺水泥有限公司	34	14570
62	340207610330453	大陆汽车电子（芜湖）有限公司	34	14113
63	342200752997210	安徽华电宿州发电有限公司	34	14105
64	340502150523317	安徽山鹰纸业股份有限公司	34	13701
65	340503850501848	安徽省电力公司马鞍山供电公司	34	13439
66	340603726325699	安徽恒源煤电股份有限公司	34	13339
67	340103711759128	中国工商银行股份有限公司合肥四牌楼支行	34	13304
68	342623153720033	安徽华菱电缆集团有限公司	34	13047
69	34060366794902X	安徽口子酒营销有限公司	34	12950
70	342524669461239	安徽海螺水泥股份有限公司宁国水泥厂	34	12854
71	340104711770706	安徽电力股份有限公司	34	12778

续表

序号	企业代码	企业名称	地区	实纳税额
72	340203719930292	安徽省烟草公司芜湖市公司	34	12644
73	340502850507377	安徽马鞍山万能达发电有限责任公司	34	12338
74	342900854224972	安徽省电力公司池州供电公司	34	12199
75	341622705095492	淮北矿业（集团）有限责任公司许疃煤矿	34	12122
76	342201152341154	安徽省烟草公司宿州市公司	34	11958
77	342427756807242	安徽迎驾贡酒有限公司	34	11949
78	340403150232595	安徽省烟草公司淮南市公司	34	11921
79	340506713957793	安徽星马汽车股份有限公司	34	11888
80	342423793598099	安徽大昌矿业集团阳光矿业有限公司	34	11739
81	340207149395434	中铁四局集团第六工程有限公司	34	10984
82	340604610420256	淮北国安电力有限公司	34	10874
83	34010271175903X	中国工商银行股份有限公司合肥长江东路支行	34	10775
84	340207704908535	广东美的集团芜湖制冷设备有限公司	34	10755
85	34020379641542X	安徽海螺川崎工程有限公司	34	10424
86	34072185111206X	铜陵化工集团新桥矿业有限公司	34	10347
87	340802610452776	安庆帝伯格茨活塞环有限公司	34	10203
88	34122666794398X	淮南矿业（集团）有限责任公司谢桥选煤厂	34	10034
89	342201850890265	淮北矿业集团煤业有限责任公司芦岭煤矿	34	9911
90	340603774975581	临涣焦化股份有限公司	34	9885
91	340103149140650	交通银行股份有限公司安徽省分行	34	9856
92	340104756813650	中国电信股份有限公司合肥分公司	34	9767
93	340504850509487	马钢集团南山矿业有限责任公司	34	9645
94	340811711015962	安徽安庆皖江发电有限责任公司	34	9598
95	340111148946361	安徽省高速公路总公司	34	9545
96	342423760845495	安徽金安矿业有限公司	34	9503
97	340207719962016	芜湖海螺型材科技股份有限公司	34	9471
98	342500259222497	安徽中鼎密封件股份有限公司	34	9428
99	340402850224721	安徽电力股份有限公司淮南田家庵发电厂	34	9419
100	342900153820595	安徽省烟草公司池州市公司	34	9255

福建省企业纳税百强排行榜

单位：万元

序号	企业代码	企业名称	地区	实纳税额
1	350802157821405	龙岩烟草工业有限责任公司	35	469912
2	350100158142711	兴业银行股份有限公司	35	459351
3	350204155016357	厦门烟草工业有限责任公司	35	352922
4	350102710920936	中国移动通信集团福建有限公司	35	196569
5	350102858144646	中国农业银行福建省分行	35	150970
6	350100717868448	中石化森美（福建）石油有限公司	35	94247
7	350505735651410	泉州福海粮油工业有限公司	35	62086
8	350681611470087	华阳电业有限公司	35	61283
9	350103158142631	福建省电力有限公司	35	60129
10	350121611007201	东南（福建）汽车工业有限公司	35	59768
11	350402733617489	福建三钢闽光股份有限公司	35	59518
12	350503156100796	福建省烟草公司泉州市公司	35	57419
13	350206612020483	戴尔（中国）有限公司	35	55013
14	35030373565446X	英博雪津啤酒有限公司	35	50396
15	35010572793981X	日立数字映像（中国）有限公司	35	48504
16	350206612012766	厦门 ABB 开关有限公司	35	47785
17	350590856105555	中国建设银行股份有限公司泉州分行	35	47055
18	35020615499233X	厦门航空有限公司	35	46518
19	35020626015919X	厦门象屿集团有限公司	35	42098
20	350102705101397	国家开发银行股份有限公司福建省分行	35	41479
21	350505717868421	福建联合石油化工有限公司	35	39189
22	350204705446475	中国移动通信集团福建有限公司厦门分公司	35	36720
23	350205612004387	厦门正新橡胶工业有限公司	35	36585
24	350103154381352	福建省烟草公司福州市公司	35	36526
25	350124724218232	福建水口发电有限公司	35	34705
26	350100158159898	兴业证券股份有限公司	35	33975
27	350590856105440	中国工商银行股份有限公司泉州分行	35	31803
28	35040215558109X	福建省烟草公司三明分公司	35	30519
29	350602156507027	福建省烟草公司漳州市公司	35	30136
30	350203761706155	福建三钢国贸有限公司	35	29830
31	350702705273092	福建省烟草公司南平市公司	35	29137
32	350103154392836	福建省福州电业局	35	28157
33	350102731886116	福建省福泉高速公路有限公司	35	27527
34	350698611451062	招商局漳州开发区有限公司	35	25677

续表

序号	企业代码	企业名称	地区	实纳税额
35	350203854989713	中国工商银行股份有限公司厦门市分行	35	24885
36	350205612024484	厦门华夏国际电力发展有限公司	35	24231
37	350205791277160	锐珂（厦门）医疗器材有限公司	35	23189
38	350102611009960	融侨集团股份有限公司	35	22508
39	350105733614544	LG 麦可龙（福建）电子有限公司	35	22349
40	350204854991426	中国建设银行股份有限公司厦门市分行	35	22327
41	350503733612960	特步（中国）有限公司	35	22019
42	350221737866423	厦门中禾实业有限公司	35	22008
43	35068161151799X	福建统一马口铁有限公司	35	21803
44	350204155014220	福建省厦门电业局	35	21080
45	350105611447389	福建中日达金属有限公司	35	20651
46	350702611055115	福建南平南孚电池有限公司	35	20331
47	350211705444744	厦门骏泰通用机械有限公司	35	20228
48	350823157987632	紫金矿业集团股份有限公司紫金山金铜矿	35	20144
49	350102X11695282	中国移动通信集团福建有限公司福州分公司	35	20056
50	350205612044901	厦门正新海燕轮胎有限公司	35	19951
51	350402158143618	福建省三钢（集团）有限责任公司	35	19926
52	350182X11041238	华能国际电力股份有限公司福州电厂	35	19720
53	350204612020862	林德（中国）叉车有限公司	35	19632
54	35012275314528X	福建华电可门发电有限公司	35	19155
55	350203612017727	厦门国际银行	35	18554
56	350521158164558	福建省燕京惠泉啤酒股份有限公司	35	18077
57	350582660383609	福建省晋江市电力有限责任公司	35	17883
58	35068175736376X	鸿一粮油资源股份有限公司	35	17557
59	35020661200343X	厦门厦顺铝箔有限公司	35	17502
60	350102858145104	中国农业发展银行福建省分行	35	17343
61	350582717357365	安踏（中国）有限公司	35	17050
62	350206612002576	罗克韦尔自动化（厦门）有限公司	35	16952
63	350581779632289	福建加多宝饮料有限公司	35	16905
64	350100158143546	广发华福证券有限责任公司	35	16697
65	350181759386148	国电福州发电有限公司	35	16222
66	350204612034658	柯达（中国）股份有限公司厦门分公司	35	16091
67	350981754997337	福建大唐国际宁德发电有限责任公司	35	16065
68	350206612023932	厦门 ABB 低压电器设备有限公司	35	15968
69	350681733614763	漳州百佳实业有限公司	35	15890
70	35030461100481X	永恩投资（集团）有限公司	35	15720
71	350206705499032	联想移动通信科技有限公司	35	15514

续表

序号	企业代码	企业名称	地区	实纳税额
72	350206154989149	厦门华特集团有限公司	35	15416
73	350206155013367	厦门钨业股份有限公司	35	15334
74	350205769266406	捷太格特转向系统（厦门）有限公司	35	15213
75	350590856105408	中国农业银行泉州市分行	35	14935
76	350902157420249	福建省烟草公司宁德市公司	35	14770
77	350204154989739	厦门市土地开发总公司	35	14672
78	35020561200482X	厦门翔鹭化纤股份有限公司	35	14644
79	35020661201872X	厦门松下电子信息有限公司	35	14581
80	350302155340800	福建省烟草公司莆田市公司	35	14525
81	350182754974821	福建省金纶高纤股份有限公司	35	14455
82	350204854990423	中国银行股份有限公司厦门市分行	35	14373
83	350594775353434	福建中体房地产发展有限公司	35	14147
84	350822158162202	福建棉花滩水电开发有限公司	35	13830
85	350105759373734	名城地产（福建）有限公司	35	13794
86	350591705388519	中国移动通信集团福建有限公司泉州分公司	35	13559
87	350204854990757	中国农业银行厦门市分行	35	13547
88	350102705102437	福建发展高速公路股份有限公司	35	13279
89	350583259855585	中宇建材集团有限公司	35	13108
90	350105724223816	福州开发区钜联鞋业有限公司	35	12905
91	350524731869447	福建三安钢铁有限公司	35	12822
92	350212791295852	厦门安踏贸易有限公司	35	12682
93	35059075736499X	中国电信股份有限公司泉州分公司	35	12451
94	350205612045955	腾龙特种树脂（厦门）有限公司	35	12122
95	35021178415228X	世纪宝姿服装（厦门）有限公司	35	11891
96	35020515505760X	厦门海投房地产有限公司	35	11798
97	350206612038886	厦门 ABB 华电高压开关有限公司	35	11731
98	350221612040126	厦门银鹭食品有限公司	35	11479
99	350206154996787	厦门信达股份有限公司	35	11370
100	350102154381424	中建七局第三建筑有限公司	35	11227

江西省企业纳税百强排行榜

单位：万元

序号	企业代码	企业名称	地区	实纳税额
1	360101767016649	江西中烟工业公司	36	420332
2	360501158308443	新余钢铁股份有限公司	36	108235
3	360108612446943	江铃汽车股份有限公司	36	66286
4	360101014504031	南昌铁路局	36	61882
5	360401716522330	中国石油化工股份有限责任公司九江分公司	36	61775
6	361181X12425989	江西铜业股份有限公司德兴铜矿	36	61480
7	360106705514271	南昌长力钢铁股份有限公司	36	50701
8	360101014504082	江西省电力公司	36	36892
9	361122796959291	江西中烟工业公司广丰卷烟厂	36	34261
10	360301159066415	萍乡钢铁有限责任公司	36	33349
11	360504775877086	江西赛维 LDK 太阳能高科技有限公司	36	29910
12	360101705500988	南昌银行股份有限公司	36	28061
13	360301754207243	萍乡安源钢铁有限责任公司	36	27419
14	361101705558047	中国石油化工股份有限公司江西上饶石油分公司	36	25648
15	360701160237197	江西省烟草公司赣州市公司	36	24498
16	360101158376593	江西省烟草公司南昌市公司	36	22750
17	360107744264607	江西晨鸣纸业有限责任公司	36	20850
18	360982775881405	四特酒有限责任公司	36	20477
19	360981794754903	江西赣能股份有限公司丰城二期发电厂	36	20252
20	36110116144311X	江西省烟草公司上饶市公司	36	19633
21	360403159304292	江西省烟草公司九江市公司	36	19330
22	361001162581645	江西省烟草公司抚州市公司	36	18575
23	361101161445000	江西上饶供电公司	36	18160
24	36020161271096X	江西昌河铃木汽车有限责任公司	36	17825
25	360101705516816	中国石油化工股份有限公司江西石油分公司	36	17689
26	360101158363485	江西南昌供电公司	36	16621
27	360429778802637	江西九江钢厂有限公司	36	16223
28	360902705516349	江西济民可信医药有限公司	36	16032
29	360101733916729	国家开发银行股份有限公司江西省分行	36	15766
30	360801161978595	江西省烟草公司吉安市公司	36	15540
31	360101158266212	南昌印钞厂	36	15528
32	36090116096014X	江西省烟草公司宜春市公司	36	15334
33	360702723944371	赣州逸豪优美科实业有限公司	36	15031
34	360981158295873	江西丰城发电有限责任公司	36	15020

续表

序号	企业代码	企业名称	地区	实纳税额
35	360501159860053	新余钢铁有限责任公司	36	14318
36	360982778817599	江西四特酒营销有限责任公司	36	13354
37	360605799468017	江西金田铜业有限公司	36	13066
38	360501159881508	江西赣西供电公司	36	12451
39	361103794799028	晶科能源有限公司	36	12158
40	360824796951812	江西金龙铜业有限公司	36	11962
41	360403741989637	中国移动通信集团江西有限公司九江分公司	36	11502
42	360401705506933	国电九江发电有限公司	36	11140
43	361124X12425970	江西铜业股份有限公司永平铜矿	36	10931
44	360108612411441	江铃五十铃汽车有限公司	36	10884
45	360723772369617	大余华润铜材厂	36	10655
46	360425705653896	蓝星新材料股份有限公司江西星火有机硅厂	36	10581
47	360725160482766	崇义章源钨业股份有限公司	36	10435
48	360733705697426	江西省会昌金龙锡业有限公司	36	10109
49	36010861244928X	南昌亚洲啤酒有限公司	36	10071
50	360122100017678	中国东方航空股份有限公司江西分公司	36	9788
51	36070116019078X	江西赣州供电公司	36	9564
52	361127759969546	国电黄金埠发电有限公司	36	9422
53	360401159303695	江西九江供电公司	36	9242
54	360481756766209	江西亚东水泥有限公司瑞昌分公司	36	8916
55	360101772354650	江西稀有稀土金属钨业集团进出口有限公司	36	8813
56	360424748528796	江西省修水香炉山钨业有限责任公司	36	8452
57	360109736382603	南昌万达房地产开发有限公司	36	8359
58	360201158784247	江西省烟草公司景德镇市公司	36	8074
59	360101158277691	江西公路开发总公司	36	7816
60	36040315930345X	中铁大桥局集团第五工程有限公司	36	7671
61	360701705714329	中国石油化工股份有限公司江西赣州石油分公司	36	7662
62	36030170563939X	萍乡市恒盛白云矿业有限公司	36	7579
63	360701962499818	江西章贡酒业有限责任公司	36	7493
64	360801763385260	华能国际电力股份有限公司井冈山电厂	36	7306
65	360982716535529	江西仁和药业有限公司	36	7279
66	360201716583766	景德镇开门子陶瓷化工集团有限公司	36	6934
67	361130756795982	婺源武口电业发展有限责任公司	36	6917
68	360728772375283	定南大华新材料资源有限公司	36	6808
69	360981769751444	江西坪湖煤业有限责任公司	36	6685
70	361002792833974	江西金弘实业有限公司	36	6678
71	360301159064188	江西省烟草公司萍乡市公司	36	6566

续表

序号	企业代码	企业名称	地区	实纳税额
72	360605799473019	鹰潭市金涛铜业有限公司	36	6521
73	360821739150795	吉安县油盘铁矿漳安峥嵘选厂	36	6486
74	360102741966830	中国移动通信集团江西有限公司南昌分公司	36	6448
75	360981741956966	丰城曲江煤矿开发有限责任公司	36	6398
76	36010661244784X	江西济民可信金水宝制药有限公司	36	6388
77	36078272393339X	南康市汇丰矿业有限公司	36	6277
78	360782705709802	南康市众鑫矿业有限公司	36	6151
79	360106612440197	捷德（中国）信息科技有限公司	36	5982
80	36070116019027X	中国银行股份有限公司赣州市分行	36	5940
81	360521727779270	分宜海螺水泥有限责任公司	36	5922
82	360681751126536	江西铜材有限公司	36	5886
83	36040115930206X	中国国电集团公司九江发电厂	36	5832
84	36040170552834X	九江银行股份有限公司	36	5808
85	360107705521076	江西变压器科技股份有限公司	36	5785
86	360702767001754	赣州华劲纸业有限公司	36	5765
87	360105705515119	江西江中医药贸易有限责任公司	36	5707
88	360101858376631	中国建设银行股份有限公司南昌洪都支行	36	5699
89	360481733912285	江西铜业股份有限公司武山铜矿	36	5693
90	360101158375646	南昌市市政工程开发有限公司	36	5571
91	360101756770814	中国电信股份有限公司南昌分公司	36	5545
92	360728751115773	定南县南方稀土有限责任公司	36	5535
93	360828705761811	中国国电集团公司万安水力发电厂	36	5502
94	360301159066677	江西萍乡供电公司	36	5489
95	360681759954395	贵溪发电有限责任公司	36	5454
96	360925733930491	江西省金发铜业有限公司	36	5377
97	360101705561465	招商银行股份有限公司南昌分行	36	5376
98	36098375997103X	高安红狮水泥有限公司	36	5352
99	360301744268851	中国移动通信集团江西有限公司萍乡分公司	36	5169
100	360111769780974	英博雪津（南昌）啤酒有限公司	36	5156

山东省企业纳税百强排行榜

单位：万元

序号	企业代码	企业名称	地区	实纳税额
1	370502723856718	中国石油化工股份有限公司胜利油田分公司	37	2691386
2	370112759162101	山东中烟工业公司	37	840090
3	370883166122374	兖州煤业股份有限公司	37	513023
4	37010372495538X	中国移动通信集团山东有限公司	37	387978
5	370212794031617	山东中烟工业公司青岛卷烟厂	37	326551
6	37010316304901X	山东电力集团公司	37	311788
7	371203267179433	莱芜钢铁股份有限公司	37	266906
8	371102747809801	日照钢铁有限公司	37	214478
9	370112726230489	济南钢铁股份有限公司	37	197617
10	372330167206000	山东魏桥创业集团有限公司	37	181259
11	370211747204554	青岛益佳海业贸易有限公司	37	166690
12	372301706208970	中海沥青股份有限公司	37	159999
13	370502164721269	中国石化集团胜利石油管理局	37	144246
14	370781795333617	山东中烟工业公司青州卷烟厂	37	133968
15	37021126462882X	青岛海信电器股份有限公司	37	127940
16	370602613422169	斗山工程机械（中国）有限公司	37	105092
17	371203757493927	莱芜钢铁集团银山型钢有限公司	37	104018
18	370305723267788	中国石油化工股份有限公司齐鲁分公司	37	98301
19	370403164446404	枣庄矿业（集团）有限责任公司	37	96939
20	370705745676590	潍柴动力股份有限公司	37	92837
21	370202163615667	青岛啤酒股份有限公司	37	86029
22	370502706242888	东营方圆有色金属有限公司	37	80554
23	372524769712461	茌平信发华宇氧化铝有限公司	37	78765
24	372522769728295	阳谷祥光铜业有限公司	37	77549
25	370102863047816	国家开发银行山东省分行	37	75713
26	370212706414694	青岛海尔国际贸易有限公司	37	75125
27	371102791528521	日照钢铁轧钢有限公司	37	72899
28	370202264583609	青岛钢铁进出口公司	37	71936
29	37233074568737X	山东魏桥铝电有限公司	37	70783
30	370211753752987	青岛丽东化工有限公司	37	68802
31	370802613590592	小松山推工程机械有限公司	37	67117
32	370602710936591	上海通用东岳汽车有限公司	37	65079
33	370522771049849	山东国能石化进出口有限公司	37	65039
34	370481169896877	山东中烟工业公司滕州卷烟厂	37	62706

续表

序号	企业代码	企业名称	地区	实纳税额
35	370783613588986	山东晨鸣纸业集团股份有限公司	37	60217
36	371202169533590	山东泰山钢铁集团有限公司	37	59695
37	370212763639291	青岛渤海农业发展有限公司	37	56987
38	370102706312970	中国石油化工股份有限公司济南分公司	37	56251
39	370105163070951	济南铁路局	37	55210
40	370102863134717	山东高速公路股份有限公司	37	54561
41	370211766720175	中国石化青岛炼油化工有限责任公司	37	53158
42	370103729246347	齐鲁证券有限公司	37	52503
43	370882744526179	山东东山古城煤矿有限公司	37	52030
44	372330720714466	魏桥纺织股份有限公司	37	50501
45	370203713700736	山东青岛烟草有限公司	37	50462
46	370202163585613	山东电力集团公司青岛供电公司	37	50225
47	370983726242893	山东石横特钢集团有限公司	37	46498
48	370602724987453	益海（烟台）粮油工业有限公司	37	44465
49	371103613800596	中粮黄海粮油工业（山东）有限公司	37	43991
50	372523873954006	中石化中原油田分公司采油三厂	37	42893
51	371302727541078	中国移动通信集团山东有限公司临沂分公司	37	41870
52	370883866156823	华电国际电力股份有限公司邹县发电厂	37	41688
53	371402167270774	华能国际电力股份有限公司德州电厂	37	41579
54	370829779717557	肥城矿业集团梁宝寺能源有限责任公司	37	41452
55	370303164105335	山东电力集团公司淄博供电公司	37	39656
56	37112272071954X	山东晨曦集团有限公司	37	39164
57	370705723278313	山东潍坊烟草有限公司	37	38050
58	370502164721189	山东电力集团公司东营供电公司	37	37716
59	370202727813301	中国联合网络通信有限公司青岛市分公司	37	37251
60	371302724990871	山东临沂烟草有限公司	37	37122
61	370681740215103	龙口煤电有限公司	37	36495
62	370705165557771	潍坊钢铁集团有限公司	37	36291
63	370206163576944	中国石化集团青岛石油化工有限责任公司	37	36261
64	370305725442578	南金兆集团有限公司	37	36054
65	371302168320518	山东三维油脂集团股份有限公司	37	35996
66	370112163148157	济钢集团有限公司	37	35976
67	370602165047704	山东烟台烟草有限公司	37	35188
68	370826864444856	枣庄矿业（集团）有限责任公司高庄煤矿	37	34505
69	370202264610857	青岛远洋运输有限公司	37	34360
70	37030373817367X	中国铝业股份有限公司山东分公司	37	33826
71	370830791531544	山东济矿鲁能煤电有限公司阳城煤矿	37	33430

中国印钞造币总公司

中国印钞造币总公司下属21家企业，1个国家级技术中心。图为中国印钞造币总公司总部。

中国印钞造币总公司是中国人民银行直属法定从事人民币印制业务的大型国有企业。公司前身为中国人民银行印制管理局，为适应国家经济社会发展需要，经国务院批准，1980年改制为中国人民银行印制总公司，1992年更名为中国印钞造币总公司。2005年公司实施现代企业制度改革，建立了现代公司治理结构，为公司的持续健康发展注入了新的活力。

中国印钞造币总公司广泛开展国际技术交流和合作，图为2008年钞票设计和防伪技术现状及发展趋势国际研讨会现场。

2005年，印钞造币行业启动现代企业制度改革，图为中国印钞造币总公司改革动员会现场。

CHINA BANKNOTE PRINTING AND MINTING CORPORATION

多年来，中国印钞造币总公司始终秉承为央行履行职责服务的行业使命和“优质安全保发行、科学管理增效益”的行业宗旨，忠诚印制，追求第一，努力提高人民币防伪技术水平、印制质量和管理水平，全力打造共和国精美“名片”，确保国家货币发行需要，有力维护了国家金融和经济秩序的稳定。经过几代印制人的艰苦奋斗，公司现已发展成为综合实力雄厚、门类配套齐全、装备水平先进、工艺技术独特的现代化大型企业集团，形成印钞、造币、钞票纸、金银提炼加工、专用机械制造、信用卡、增值税发票印制、安全印务和银行机具8大专业门类。公司下辖21家直属企业和1个国家级技术中心，员工近3万人，净资产总额300多亿元。

“十一五”以来，随着现代企业制度改革的逐步深入,为行业发展带来了崭新的理念、注入了新的生机和活力，公司的经营管理水平有了质的飞跃。公司坚持以内涵为主、适度外延的发展战略，大力提升生产能力，完善产品结构和区域布局，加强自主创新能力建设，集中精力打造核心竞争力。在人民银行和国家有关部委的领导和关心支持下，通过一系列决策部署的实施，公司产能大幅提升，发展格局日趋完善，产品结构更加合理，科研开发能力进一步增强，一大批具有自主知识产权、国际领先的科技成果成功转化应用，人民币产品的印制质量和防伪科技水平不断提高，满足货币发行需要以及应对各种不确定性因素的能力和水平显著提升。

在确保主营业务、保障货币发行的基础上，公司还积极利用自身在防伪科技、管理等方面的优

公司成立以来，在中国人民银行的领导下，得到社会各界的支持和关心。图为2009年12月，中国人民银行行长周小川同志视察。

南京造币有限公司举办《铸造品牌，超越梦想》大型文艺晚会。

中国印钞造币总公司注重技术创新和传统工艺相结合，图为手工雕刻现场。

中国印钞造币总公司积极落实国家环保政策，图为所属保定钞票纸业公司污水处理场。

势，积极开拓安全印务、银行机具、信用卡、贵金属提炼加工等人民币上下游相关市场业务，为社会提供丰富多样的优质产品和服务。2009年，公司市场经营业务营业收入103亿元，利润总额5.3亿元，在公司总体业务中地位显著提高且占比呈逐年递增态势。

安全印务是公司市场经营的核心业务之一，主要包括邮资品、有价证券、包装商标，以及出国护照、结婚证、记者证等各类高级防伪证书的印制业务，其优良的印制和防伪科技水平一直在业界享有盛誉；银行机具是公司为

中国印钞造币总公司积极承担社会责任，图为总公司援建四川灾区希望小学落成典礼。

配合商业银行清分、营造健康流通环境而推出的战略性产业，旗下的中钞长城金融设备控股有限公司秉承“以市场需求为导向，把握核心技术”的发展理念，致力于银行机具业务拓展应用，形成了纸币机具、硬币机具和银行自主设备三大产品系列，是国内多家商业银行的设备和服务提供商；信用卡是公司为适应现代电子支付手段的发展而积极扶持的新兴产业，所属中钞信用卡产业发展有限公司以新技术、新产品为生产导向，逐步形成了拥有国际先进水平的电子货币开发和生产能力，是VISA和 MASTERCARD信用卡国际组织的指定生产商之一；贵金属提炼加工是公司的传统强势业务，下属的长城金银精炼厂生产的各类工业金银材产品在我国的国防工业和电工行业发挥着不可替代的重要作用；中钞国鼎投资有限公司作为总公司旗下唯一从事印钞造币衍生产品研发、制造和销售的公司，遵循完全市场化的经营理念和发展模式，在衍生品市场和钱币收藏界具有较高的知名度和市场占有率。

在新的历史时期，中国印钞造币总公司将继续以“高起点、高质量、高效率、出精品”为目标，坚持自主创新，着力提高公司核心竞争力，在致力于由印制大国向印制强国转变的发展征程中，加强与世界各国同行、国内有关机构的广泛合作，共求发展，为中国乃至世界的货币印制和钱币文化发展做出新的贡献！

中国印钞造币总公司积极参与社会活动，图为行业员工参加迎奥运活动。

举办中国印钞造币总公司劳模表彰大会。

中国印钞造币总公司

图为中国印钞造币总公司所属上海印钞有限公司（夜景）

图为中国印钞造币总公司所属中钞油墨有限公司

CHINA BANKNOTE PRINTING AND MINTING CORPORATION

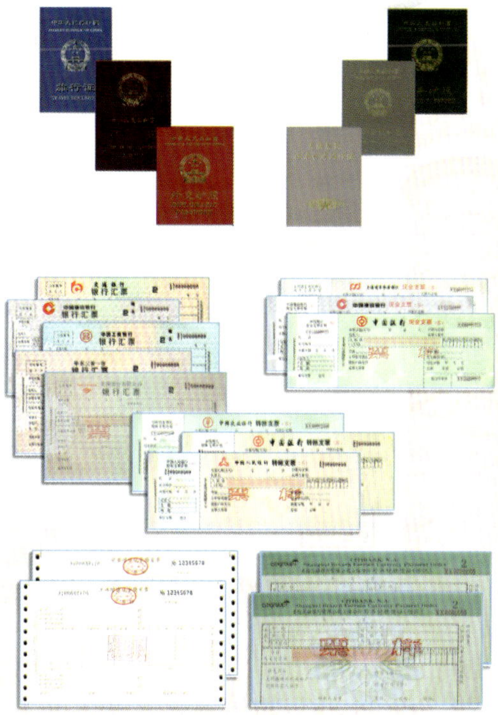

图为高级防伪印务产品系列

图为信用卡产品

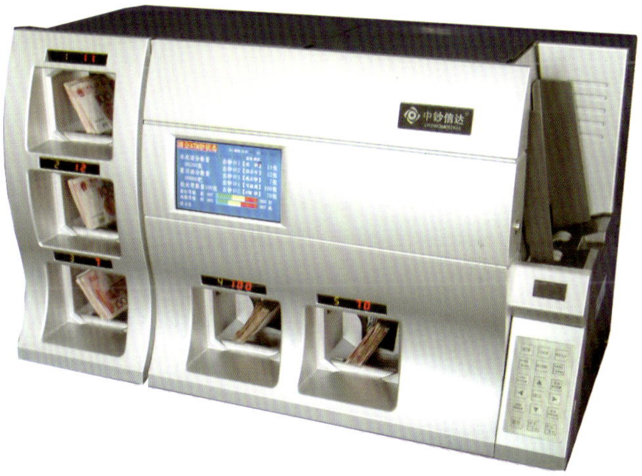

图为银行机具设备

中国印钞造币总公司在确保满足人民币发行需要的前提下，积极拓展市场业务，图为贵金属产品系列。

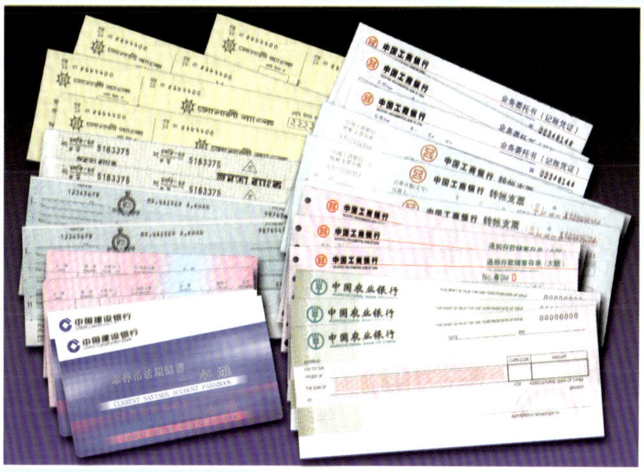

图为高级防伪印务产品

内蒙古伊利实业集团股份有限公司

中国乳业领军者

内蒙古伊利实业集团股份有限公司是一家极具创新精神和社会责任感的乳品企业，是唯一一家符合奥运标准、为奥运会提供乳制品的中国企业。

伊利集团由液态奶、冷饮、奶粉、酸奶和原奶五大事业部组成，所属企业130多个，旗下拥有雪糕、冰淇淋、奶粉、奶茶粉、无菌奶、酸奶、奶酪等1000多个产品品种。在近50年的发展过程中， 伊利始终致力于生产100%安全、100%健康的乳制品，输出最适合中国人体质的营养和健康理念，并以世界最高的生产标准为消费者追求健康体魄和幸福生活服务。

作为行业领军者，伊利以振兴中国乳业为己任，在率先完成产业升级之后，正致力于推动乳业发展从“又快又好”向“又好又快”转型。

最新的权威机构调查数据表明，奥运企业伊利集团的品牌价值由2008年的201.35亿升至2009年的205.45亿，稳步上升4.1亿元，以绝对优势第6次蝉联乳品行业首位。这意味着伊利在经济影响力、技术影响力、文化影响力、社会影响力等方面全面展示了行业领导者的绝对优势。

发展态势稳健可持续

从2003年至今，伊利集团始终以强劲的实力领跑中国乳业，并以极其稳健的增长态势成为了持续发展的行业代表。

如今，伊利雪糕、冰淇淋产销量已连续15年居全国第一，伊利超高温灭菌奶产销量连续多年在全国遥遥领先，伊利奶粉、奶茶粉产销量自2005年起即跃居全国第一位。

2009年上半年，伊利实现主营业务收入122.17亿元，同比增长6.69%，同时实现净利润2.54亿元，较去年同期增长117.57%，在竞争白热化的乳业第一集团军中占得先机，更进一步拉大了伊利与追随者的差距。

伊利与奥运同行

2009年前三季度，伊利累计实现主营业务收入192.22亿，同比增长1.03%，同时前三季度累计实现净利润5.51亿元，较去年同期增长636.66%，再度摘得行业桂冠，继续以稳健的发展态势引领中国乳业健康发展。

秉承奥运品质

2005年11月，伊利通过了全球最高标准的检验,成为中国有史以来第一家、也是唯一一家符合奥运标准,为奥运会提供乳制品的企业。目前，伊利已拥有中国规模最大的优质奶源基地，优质牧场近800个，由此进一步保证了高品质原奶的稳定供应。

伊利率先在行业内创造了全过程、全方位、全员的“三全”质量管理体系，对生产过程实施严格的技术监控，并在生产过程中率先采用国际上最先进的超高温灭菌技术、无菌灌装技术，充分保证产品的安全、健康。

与此同时，伊利不断通过技术创新提升品质标准。目前，伊利拥有中国唯一的乳业研究院，中国唯一的乳业专利信息平台，每年研发新品数百种。

内蒙古伊利实业集团股份有限公司

亚洲最大的乳品生产车间

乳都科技示范园

激情牵手世博　2009年5月25日，伊利凭借过硬的产品品质、完善的网络渠道、出色的科技创新、良好的社会责任形象等强大的综合实力，成功牵手2010年世博会，成为唯一一家符合世博标准、为上海世博会提供乳制品的企业。

在2010年世博会上，伊利集团旗下全系列产品，包括液态奶、乳饮料、酸奶、冰激凌、奶粉等，都为世博专供产品。同时，伊利集团已经在全公司上下推行“世博标准”工程，通过世博会，实现产品品质与服务的全面升级，实现标准的固定化，持续化，系统化，并将这一标准用于全公司，全环节和全产品，向每一位消费者提供“世博标准”的产品与服务。

卓越的企业公民　伊利承诺成为一名负责任的企业公民。在近50年的发展中，伊利始终将承担社会责任作为立身之本，秉承“厚度优于速度、行业繁荣胜于个体辉煌、社会价值大于商业财富”的发展观，以自身的良好经营、与环境的和谐共处、与社会的多方共赢带动了企业公民理念在中国商界的普及。及至2007年末，伊利连续三次荣膺“最佳企业公民”称号，从而为中国商界树立了新的责任标杆。

截至2008年，伊利集团累计纳税近80亿元，同时先后发起了“阳光爱心，情满西藏”、“爱心照亮回家路”、“伊利母婴关爱行动”、“健康中国—阳光社区公益梦想”等多项大型公益活动，累计为公益事业投入6亿元。此外，还为养奶牛户累计发放奶款500多亿元，以滚动的方式累计向农户发放购牛款近20亿元，带动500万奶农走上了脱贫致富的道路。

伊利优质奶牛

优质新西兰荷斯坦奶牛

在2008年5月12日四川汶川大地震发生后，伊利通过各种渠道向灾区捐款捐物1300万元，并积极参与灾后重建工作。伊利一直持续的“健康中国”计划，长期致力于推动“社区、青少年、环境”三大核心目标的健康发展，实现健康文化与健康生活的和谐共融。

“中国制造”放眼全球

面对全球经济一体化的挑战，伊利提出了“用全球的资源，做中国的市场”的远大战略，和打造世界品牌的发展愿景——

2010年，在国内乳品行业品牌知名度、美誉度、忠诚度最高；全面推进国际化经营战略，进入世界乳业20强，成为中国最有竞争力的企业之一。

蒙牛乳业集团

——中国乳都核心区的缔造者

1999年8月，内蒙古蒙牛乳业（集团）股份有限公司（简称蒙牛乳业集团）成立，总部设在中国乳都核心区——内蒙古和林格尔经济开发区，拥有总资产100多亿元，职工近3万人，乳制品年生产能力达600万吨。

到目前为止，包括和林基地在内，蒙牛乳业集团已经在全国16个省区市建立生产基地20多个，拥有液态奶、酸奶、冰淇淋、奶品、奶酪五大系列400多个品项，产品以其优良的品质覆盖国内市场，并出口到美国、加拿大、蒙古、东南亚及港澳等多个国家和地区。

本着“致力于人类健康的牛奶制造服务商”的企业定位，蒙牛乳业集团在短短十年中，创造出了举世瞩目的“蒙牛速度”和“蒙牛奇迹”。从创业初“零”的开始，至2008年底，主营业务收入实现239亿元，年均递增104%，是全国首家收入过200亿元的乳品企业。主要产品的市场占有率超过35%；UHT牛奶销量全球第一，液体奶、冰淇淋和酸奶销量居全国第一；乳制品出口量、出口的国家和地区居全国第一。

据2006年9月国家统计局发布的“中国大企业集团首届竞争力500强”，蒙牛乳业集团位居第11位，名列全国同行业之首；在2006年首届“亚洲品牌500强排行榜”中，蒙牛乳业集团位居亚洲乳制品企业第3位（前两名为日本企业）。另据权威机构公布数据显示，蒙牛乳业集团跻身2009年全国大企业集团500强第241位，2009年全球乳业20强第19位，居全国同行业之首。蒙牛股票被国际著名金融服务公司摩根士丹利评选为至2012年全球50只最优质股票之一。

作为农业产业化国家重点龙头企业，蒙牛乳业集团已在全国各生产基地的周边地区建立奶站共计3000多个，联系奶农达百万户，累计收购鲜奶超过1500万吨，累计为农牧民发放奶款超过400亿元，累计创造产值超过1000亿元，累计缴纳税款超过40亿元，累计创造就业机会超过30万个，被社会形象地誉为我国西部大开发以来“最大的造饭碗企业”。

为了适应蒙牛现代化生产技术的需求和满足高端乳制品生产的需要，蒙牛乳业集团加强奶源建设，积极与现代牧业公司合作，在全国先后建成了11个万头以上现代牧场。目前，来自现代牧场的奶源已经占到了蒙牛总奶源的60%以上。今后，围绕全国重点工厂将以同样的方式组织建设20多个万头以上超大型现代牧场。

十年来，按照“立足自主开发，强化联合作业，培育核心产品，抢占技术高端”的工作思路，蒙牛乳业集团累计投入科研资金上亿元，走出了一条独特的自主创新之路。在国内外申请商标注册430件，申请国家专利847件（其中发明专利166件，实用新型专利14件，外观设计专利667件），先后建成我国第一个乳业生物技术平台，推出极品纯牛奶“奶爵6特乳”和“特仑苏纯牛奶”，突破世界乳业3项技术难题完成了乳品新秀——蒙牛真果粒的研发与上市；合作研制出符合国人体质的LABS益生菌群和高档婴幼儿配方奶粉；创建了国际领先的乳制品研发中心；掌握了具有完全自主知识产权、世界一流的奶牛性别控制技术，性控准确率达93%以上，对我国奶牛品种结构优化升级将起到决定性推动作用。

2006年3月份，蒙牛乳业集团获得“最具创造力的中国企业”称号，这也是我国唯一获此殊荣的食品制造企业。就在当年10月份举行第27届世界乳业大会上，蒙牛乳业集团高端产品“特仑苏”从技术、品牌、品质、工艺等各方面特别是创新性上远远超越了其他竞争对手，最终捧回了“IDF产品开发奖”，实现了中国在世界乳业史上金牌“零的突破”，为我们的国家和民族争了光，为“中国乳都”添了彩。

在企业快速发展的同时，蒙牛乳业集团积极致力于社会公益事业：2003年率先捐款、捐奶1200万元抗击非典；2004年为全国教师捐奶3000多万元；2005年出资1000万元参与呼和浩特市奶牛风险基金的设立；2006年积极响应温家宝总理号召，率先向全国贫困地区500所小学捐赠牛奶一年，受益小学生达到6万多人，总价值达1.1亿元。2007年，蒙牛乳业集团再度选择500所小学，继续开展免费送奶活动。2008年，率先向遭遇严重雨雪冰冻灾害的南方地区捐助1000万元，向遭受重大地震灾害的四川地区捐赠超过1200万元。十年来，蒙牛乳业集团累计投入各种公益事业资金超过5亿元，原董事长牛根生更是捐出全部个人股份设立“老牛专项基金”，用于开展各类公益事业。此外，蒙牛乳业集团还与中国奶业协会、中国教育发展基金会、国家学生奶办公室、国家公众营养与发展中心、人民日报经济部等7家单位，联合启动了以“每天一斤奶，强壮中国人”为主题的“中国饮奶运动”，并会同国家体育总局训练局、NBA关怀行动、联想、微软、新浪、华润万家、家乐福、利乐中国公司等联合发起了“中国牛奶爱心行动”，为促进国人饮奶观念的树立，提升国人身体素质做着自己的贡献。

与此同时，蒙牛乳业集团积极致力于环境保护和循环经济实践。累计投入环保资金超过4亿元，全部生产性污水处理均达到了国家综合排放一级标准，年总处理污水量达1500万多吨，年消减化学需氧量约3.8万多吨，所产生中水也全部得到重复利用。在大型牧场建设中，蒙牛乳业集团引入循环经济理念，通过建设沼气发电项目，有效地解决了奶牛养殖中大量排泄物对环境的污染，不仅取得了良好社会效益和经济效益，也为中国大型牧场建设起到了积极的示范、引导作用。

“建设世界乳都，打造国际品牌”是蒙牛乳业集团始终不渝的奋斗目标。2007年以来，蒙牛乳业集团先后在和林基地建成了国内乃至世界上最先进的智能化工厂和高科技乳品研究院，119项技术创新被成功运用其中；在乳都呼和浩特市隆重举办了内蒙古首届国际乳业节，吸引了国内外各界人士对内蒙古乳业发展的高度关注；与中央电视台联合举办的“赢在中国”节目，为全国的创业者提供了一个展示自我的平台；与中央电视台联合举办的“城市之间”活动，掀起了趣味运动全民健身的热潮……这些卓越的工作有效地提升了蒙牛品牌的美誉度和世界乳都的影响力。

目前，蒙牛乳业集团正按照既定的在2011年跻身“世界乳业15强”的既定目标，为中国乳业的发展，为国人体魄的强健，为内蒙经济的腾飞做着自己不懈的努力。

蒙牛®
MENGNIU
每一天 为明天
中国生态草原
生态草原自然纯
蒙牛
纯牛奶
净含量:1L
蒙牛阿拉
金装佳智
幼儿配方奶粉
双Q配方
蒙牛
冠益乳
酸牛奶
YOGHURT

纳税大户是国家的

脊梁！

中华人民共和国财政部税政司
中国财政经济出版社
《中国纳税百强年鉴》编辑部

中国烟草

CHINA TOBACCO

国家利

消费者

至上

益至上

国家烟草专卖局
中国烟草总公司

中国烟草
CHINA TOBACCO

2009年，
全国烟草行业

河南省企业纳税百强排行榜

单位：万元

序号	企业代码	企业名称	地区	实纳税额
1	41010575714492X	河南中烟工业公司	41	1115979
2	410402727034084	平顶山天安煤业股份有限公司	41	244727
3	410902719176285	中国石油化工股份有限公司中原油田分公司	41	232501
4	410103169951151	河南省电力公司	41	223709
5	410303171076587	河南省电力公司洛阳供电公司	41	192191
6	410504719173420	安阳钢铁股份有限公司	41	183158
7	411300719176832	中国石油化工股份有限公司河南油田分公司	41	139582
8	410103169994215	郑州铁路局	41	125854
9	410324171080594	洛阳栾川钼业集团股份有限公司	41	124458
10	410500172267086	安钢集团国际贸易有限责任公司	41	117853
11	411481749235557	河南省正龙煤业有限公司	41	90272
12	410481706575279	舞阳钢铁有限责任公司	41	88039
13	410902169954862	中国石化集团中原石油勘探局（中原油田）	41	86975
14	411221753877093	东方希望（三门峡）铝业有限公司	41	68141
15	411481753858386	河南龙宇能源股份有限公司	41	67748
16	411481706784652	河南神火煤电股份有限公司	41	62122
17	410306721836588	中国石油化工股份有限公司洛阳分公司	41	57050
18	41110070678701X	河南双汇投资发展股份有限公司	41	48954
19	410381681797923	洛阳中硅高科技有限公司二分公司	41	45133
20	410105869971268	中国农业发展银行河南省分行	41	43777
21	410104971859950	交通银行股份有限公司河南省分行	41	41753
22	410106737441935	中国铝业股份有限公司河南分公司	41	40777
23	411200750704816	开曼铝业（三门峡）有限公司	41	40502
24	410800712634853	风神轮胎股份有限公司	41	39989
25	410102170032734	河南省电力公司郑州供电公司	41	38992
26	410804737427535	中国铝业股份有限公司中州分公司	41	37537
27	411481170010463	永煤集团股份有限公司	41	37195
28	41088171917196X	河南豫光金铅股份有限公司	41	37093
29	410881177470403	河南济源钢铁（集团）有限公司	41	37000
30	410102170030528	河南省烟草公司郑州市公司	41	36792
31	41032317147426X	河南万基铝业股份有限公司	41	34682
32	410800173471038	焦作煤业（集团）有限责任公司	41	34545
33	410303171075680	中铁隧道集团有限公司	41	33981
34	410104170001401	郑州宇通客车股份有限公司	41	33548

续表

序号	企业代码	企业名称	地区	实纳税额
35	410105769480453	河南阳光国际贸易有限公司	41	33351
36	410122614712838	郑州日产汽车有限公司	41	31669
37	411081177555730	河南省许昌新龙矿业有限责任公司	41	31364
38	410600725831549	鹤壁煤电股份有限公司	41	30918
39	413001176882967	河南省电力公司信阳供电公司	41	29841
40	41048178221474X	舞阳新宽厚钢板有限责任公司	41	29334
41	410800173525171	焦作万方铝业股份有限公司	41	28700
42	410183169991110	郑州煤炭工业（集团）有限责任公司	41	26854
43	411281706779589	义马煤业（集团）有限责任公司	41	25852
44	410881750738573	济源市金马焦化有限公司	41	24306
45	410181170002324	河南中孚实业股份有限公司	41	23176
46	410305716778897	中国移动通信集团河南有限公司洛阳分公司	41	23105
47	410183170011386	郑州煤电股份有限公司	41	22969
48	410102790639588	郑州煤电长城房产开发投资有限公司	41	22788
49	410103719181797	河南高速公路发展有限责任公司	41	22630
50	411403175000969	河南省烟草公司商丘市公司	41	21140
51	411000174272612	河南省烟草公司许昌市公司	41	20557
52	410324753895494	洛阳富川矿业有限公司	41	20461
53	410881735514918	华能沁北发电有限责任公司	41	20334
54	413001176883054	河南省烟草公司信阳市公司	41	20248
55	410500172196054	河南省电力公司安阳供电公司	41	19723
56	410118794254765	郑州百斯特矿机有限公司	41	19437
57	410481871956956	河南安钢集团舞阳矿业有限责任公司	41	18771
58	411300176350776	河南省电力公司南阳供电公司	41	18736
59	410105614717452	郑州丹尼斯百货有限公司	41	18694
60	410105745761285	招商银行股份有限公司郑州分行	41	18683
61	410105719178475	中国石油化工股份有限公司河南石油分公司	41	18677
62	412800175860627	河南省烟草公司驻马店市公司	41	18480
63	410702614406101	河南新飞电器有限公司	41	18321
64	410321171086961	大唐洛阳首阳山发电厂	41	17353
65	41060078054434X	河南省电力公司鹤壁供电公司	41	17335
66	412700175410685	河南省烟草公司周口市公司	41	16741
67	411323757107387	南阳汉冶特钢有限公司	41	16715
68	410102170033534	郑州煤矿机械集团股份有限公司	41	16492
69	410324614837059	栾川县大东坡钨钼矿业有限公司	41	16343
70	410323772170771	洛阳香江万基铝业有限公司	41	16338
71	410402171753218	河南省烟草公司平顶山市公司	41	16301

续表

序号	企业代码	企业名称	地区	实纳税额
72	411481789181717	河南神火铝业股份有限公司	41	16226
73	410105415807279	郑州商品交易所	41	16177
74	411300176310571	河南省烟草公司南阳市公司	41	15911
75	411221874842137	义马煤业（集团）有限责任公司耿村煤矿	41	15820
76	410106670064070	中铝矿业有限公司郑州分公司	41	15753
77	41040071918260X	河南平高东芝高压开关有限公司	41	15657
78	410800782243807	河南省电力公司焦作供电公司	41	15580
79	41031117108195X	中国石油天然气第一建设公司	41	15570
80	410881752283795	济源市金利冶炼有限责任公司	41	15471
81	41031117107918X	中国石化集团洛阳石油化工工程公司	41	14825
82	410324171510355	栾川县三强钼钨有限公司	41	14770
83	410105169999577	郑州市商业银行股份有限公司	41	14769
84	410183783431543	郑州煤炭工业（集团）杨河煤业有限公司	41	14502
85	411282742545894	灵宝黄金股份有限公司	41	14475
86	410103725823522	河南中原高速公路股份有限公司	41	14374
87	410305171073415	河南省烟草公司洛阳市公司	41	14355
88	410329757127564	洛阳豫港龙泉铝业有限公司	41	14307
89	410411171758000	河南省电力公司平顶山供电公司	41	14143
90	411200174725490	河南省电力公司三门峡供电公司	41	13896
91	411300169951928	中国石化集团河南石油勘探局	41	13801
92	410329731334063	河南豫港龙泉铝业有限公司	41	13748
93	410703172920663	河南省电力公司新乡供电公司	41	13592
94	410702172920655	河南省烟草公司新乡市公司	41	13547
95	410381717852892	河南华润电力首阳山有限公司	41	13444
96	410881169950968	黄河水利水电开发总公司	41	13389
97	410522744051070	安钢集团永通球墨铸铁管有限责任公司	41	13330
98	410104614404704	河南银基房地产开发有限公司	41	13298
99	410811728676927	昊华宇航化工有限责任公司	41	13228
100	411025169991946	平顶山天安煤业股份有限公司十三矿	41	13098

湖北省企业纳税百强排行榜

单位：万元

序号	企业代码	企业名称	地区	实纳税额
1	420104757009410	湖北中烟工业有限责任公司	42	1312584
2	420107300247654	武汉钢铁股份有限公司	42	576463
3	420101616401865	东风本田汽车有限公司	42	471415
4	420501100015058	中国长江三峡工程开发总公司	42	271046
5	420106177589391	湖北省电力公司	42	255324
6	420101616412935	神龙汽车有限公司	42	211110
7	420501710930405	中国长江电力股份有限公司	42	208045
8	420103744618954	中国石化销售有限公司华中分公司	42	137095
9	420101710937412	中国移动通信集团湖北有限公司	42	135214
10	429005735209235	中国石油化工股份有限公司江汉油田公司	42	88771
11	420106877596808	国家开发银行湖北省分行	42	86284
12	420601735211503	风神襄樊汽车有限公司	42	74187
13	420106615401409	武汉铁路局	42	72357
14	420801714644238	中国石油化工股份有限公司荆门分公司	42	61519
15	420107711992632	武汉钢铁集团矿业有限责任公司	42	61098
16	42070170691922X	武汉钢铁集团鄂城钢铁有限责任公司	42	59842
17	420601615406672	东风康明斯发动机有限公司	42	59742
18	420501177591096	湖北清江水电开发有限责任公司	42	59565
19	420112751810979	湖北省烟草公司武汉市公司	42	57755
20	420103877715264	中国工商银行股份有限公司湖北分行营业部	42	54243
21	420107717996183	中国石油化工股份有限公司武汉分公司	42	48163
22	420103177568750	长江证券股份有限公司	42	46444
23	420107711961422	武汉平煤武钢联合焦化有限责任公司	42	43178
24	420106931251983	中国农业银行湖北省分行	42	41761
25	420103714672941	中国建设银行股份有限公司湖北省分行	42	41495
26	420105717947410	武汉钢铁股份有限公司棒材厂	42	41089
27	420103877585797	招商银行股份有限公司武汉分行	42	40677
28	420102755111139	湖北省电力公司武汉供电公司	42	40420
29	420203770785545	大冶有色金属有限公司	42	38429
30	420104722002083	中国石油化工股份有限公司湖北石油分公司	42	38331
31	420101717869088	东风汽车有限公司	42	37029
32	422801883014237	湖北省烟草公司恩施州公司	42	36675
33	420301751003819	东风汽车有限公司东风商用车公司	42	30136
34	420203757045833	湖北新冶钢有限公司	42	29471

续表

序号	企业代码	企业名称	地区	实纳税额
35	420101616400141	百威（武汉）国际啤酒有限公司	42	29260
36	420106300260453	华中电网有限公司	42	27723
37	420101757013137	中建三局建设工程股份有限公司	42	27654
38	420107300022236	武钢集团国际经济贸易总公司	42	26938
39	42011174460435X	中国石油天然气股份有限公司湖北销售分公司	42	26198
40	420302178782345	湖北省电力公司十堰供电公司	42	25544
41	420111760686164	中国石油天然气股份有限公司华中销售分公司	42	25468
42	420102177685391	中交第二航务工程局有限公司	42	25314
43	420104615571010	中国葛洲坝集团股份有限公司	42	24595
44	42020327175201X	大冶特殊钢股份有限公司	42	23811
45	42011730024252X	华能武汉发电有限责任公司	42	23575
46	420101737546008	武汉地产开发投资集团有限公司	42	23312
47	420101616400352	长飞光纤光缆有限公司	42	22643
48	421001178968502	湖北省烟草公司荆州市公司	42	21625
49	420102877603844	中国民生银行股份有限公司武汉分行	42	21102
50	42010175817731X	中冶南方工程技术有限公司	42	20168
51	42010577456159X	百威（中国）销售有限公司	42	19987
52	420501722096227	湖北省烟草公司宜昌市公司	42	19548
53	42128171463630X	华润电力湖北有限公司	42	18719
54	420606179319125	湖北省烟草公司襄樊市公司	42	17559
55	420103300248067	汉口银行股份有限公司	42	16927
56	420101748318019	武汉东风汽车进出口有限公司	42	16909
57	429005177564194	中国石化集团江汉石油管理局	42	16887
58	420901180813243	湖北省烟草公司孝感市公司	42	16808
59	420526271750612	湖北兴发化工集团股份有限公司	42	16579
60	42060670689187X	东风汽车股份有限公司	42	16287
61	420112616432207	华润雪花啤酒（武汉）有限公司	42	16072
62	420111177693041	中建三局第三建设工程有限责任公司	42	15464
63	420107177685180	武汉重工铸锻有限责任公司	42	15379
64	420111755110937	金地集团武汉房地产开发有限公司	42	14848
65	420107177727555	中国第一冶金建设有限责任公司	42	14607
66	420281728309035	湖北劲牌酒业有限公司	42	14360
67	420601744611656	东风德纳车桥有限公司	42	14173
68	420801760665777	国电长源荆门发电有限公司	42	13981
69	420112616404134	武汉统一企业食品有限公司	42	13978
70	420107177681913	武汉钢铁（集团）公司	42	13863
71	420107300271101	武汉钢铁集团财务有限责任公司	42	13583

续表

序号	企业代码	企业名称	地区	实纳税额
72	420203177573461	中国十五冶金建设有限公司	42	13292
73	420281744603429	湖北劲牌保健酒业有限公司	42	13259
74	420000931155553	交通银行股份有限公司湖北省分行	42	13089
75	420101768096011	武汉市利嘉置业有限公司	42	13084
76	420101271892354	武汉晨鸣汉阳纸业股份有限公司	42	13074
77	420105774560917	武汉世茂锦绣长江房地产开发有限公司	42	13059
78	420107711928198	武汉钢铁集团氧气有限责任公司	42	12912
79	421200777575989	红牛维他命饮料（湖北）有限公司	42	12398
80	420103717918134	中国移动通信集团湖北有限公司武汉分公司	42	12389
81	421001615405514	法雷奥汽车空调湖北有限公司	42	12290
82	420101616404089	武汉广场管理有限公司	42	12285
83	420105722084584	湖北楚天高速公路股份有限公司	42	12163
84	420102100024632	中石化长江燃料有限公司	42	12125
85	420703615789116	湖北能源集团鄂州发电有限公司	42	12080
86	420101725751485	武汉统建城市开发有限责任公司	42	11678
87	420106761217466	中国电信股份有限公司武汉分公司	42	11600
88	420203722041605	湖北西塞山发电有限公司	42	11486
89	420205878422703	武汉钢铁集团矿业有限责任公司大冶铁矿	42	11384
90	420102177733437	中国长江航运（集团）总公司	42	11339
91	421101180314436	湖北省烟草公司黄冈市公司	42	11266
92	420703615788180	波尔亚太（湖北）金属容器有限公司	42	11047
93	42011110000894X	中国长江动力公司（集团）	42	11006
94	420984707096907	国电长源汉川第一发电有限公司	42	10766
95	422826747660576	恩施州鑫鑫麻织品有限责任公司	42	10761
96	429004757003107	湖北丝宝日化有限公司	42	10603
97	420107758151128	武汉船用机械有限责任公司	42	10516
98	420583182668932	枝江酒类销售有限责任公司	42	10484
99	429004011378252	湖北省电力公司仙桃市供电公司	42	10478
100	420203788177222	湖北中特新化能科技有限公司	42	10475

湖南省企业纳税百强排行榜

单位：万元

序号	企业代码	企业名称	地区	实纳税额
1	430102740640740	湖南中烟工业有限责任公司	43	2533453
2	430111183770576	湖南省电力公司	43	182137
3	430603661699146	中国石化集团资产经营管理有限公司巴陵石化分公司	43	156534
4	430304770052915	湖南华菱湘潭钢铁有限公司	43	132844
5	430103710937420	中国移动通信集团湖南有限公司	43	116787
6	430102883761611	中国工商银行股份有限公司湖南省分行	43	93331
7	430104712194405	长沙中联重工科技发展股份有限公司	43	79607
8	430102142927995	方正证券有限责任公司	43	68807
9	431302776753288	湖南华菱涟源钢铁有限公司	43	65081
10	430121183802099	湖南长丰汽车制造股份有限公司	43	61377
11	430603717052342	中国石油化工股份有限公司长岭分公司	43	58714
12	430211616777117	株洲冶炼集团股份有限公司	43	57917
13	430104743157383	湖南中联国际贸易有限责任公司	43	53345
14	431381748373560	冷水江钢铁有限责任公司	43	52056
15	430111183855596	湖南省烟草公司长沙市公司	43	46778
16	430103183792804	五凌电力有限公司	43	42572
17	430103740648021	财富证券有限责任公司	43	39743
18	431103768004930	湖南长丰汽车制造股份有限公司永州分公司	43	34482
19	430102883842091	中国工商银行股份有限公司湖南省分行营业部	43	32165
20	431103188320144	湖南省烟草公司永州市公司	43	29846
21	430702186482860	湖南省烟草公司常德市公司	43	27503
22	430121616800612	三一重工股份有限公司	43	27371
23	430121799122817	中联重科底盘分公司	43	24669
24	430204779031096	南车株洲电力机车有限公司	43	23564
25	430102183778498	现代投资股份有限公司	43	22820
26	431302734741190	湖南华菱涟钢薄板有限公司	43	22677
27	430602722587712	岳阳纸业股份有限公司	43	20446
28	430602186085953	湖南省烟草公司岳阳市公司	43	20320
29	431381763251190	大唐华银电力股份有限公司金竹山火力发电分公司	43	19708
30	433101727985859	湘西自治州五矿进出口有限公司	43	19388
31	431003717861553	华润电力湖南有限公司	43	18320
32	430305184734649	大唐湘潭发电有限责任公司	43	18042
33	430725730538873	湖南创元铝业有限公司	43	17959
34	430105717050312	中国石油化工股份有限公司湖南石油分公司	43	17802

续表

序号	企业代码	企业名称	地区	实纳税额
35	430103183859714	湖南省电力公司长沙电业局	43	16776
36	431202707458736	中国工商银行股份有限公司怀化分行	43	16582
37	430111183761776	中国水利水电第八工程局有限公司	43	16508
38	430903187081751	湖南省烟草公司益阳市公司	43	16483
39	430121768019104	博世汽车部件（长沙）有限公司	43	16458
40	430602616650239	华能湖南岳阳发电有限责任公司	43	16455
41	430105183807033	长沙银行股份有限公司	43	16326
42	430482185440001	水口山有色金属有限责任公司	43	15846
43	430102183766817	湖南湘投控股集团有限公司	43	15559
44	43040618500797X	特变电工衡阳变压器有限公司	43	15469
45	430102X16772187	招商银行股份有限公司长沙分行	43	15375
46	430702616660314	常德金鹏印务有限公司	43	15159
47	430304184682551	湘潭钢铁集团有限公司	43	14789
48	430503185525611	湖南省烟草公司邵阳市公司	43	14363
49	430304184686085	湖南省烟草公司湘潭市公司	43	14195
50	430702707354777	中国移动通信集团湖南有限公司常德分公司	43	13974
51	430481190080303	大唐耒阳发电厂	43	13647
52	431002187760818	湖南省烟草公司郴州市公司	43	13510
53	430702186481219	湖南省电力公司常德电业局	43	13485
54	430203184283331	湖南省烟草公司株洲市公司	43	13359
55	430102763258296	家润多商业股份有限公司	43	12494
56	430103712198481	中国移动通信集团湖南有限公司长沙分公司	43	12480
57	431302187403271	涟源钢铁集团有限公司	43	12443
58	43100318796225X	湖南柿竹园有色金属有限责任公司	43	12171
59	430204727988822	湖南株冶火炬金属进出口有限公司	43	11990
60	430702186481585	常德烟草机械有限责任公司	43	11919
61	430408185036252	湖南水口山国际贸易有限公司	43	11695
62	430202184282929	湖南省电力公司株洲电业局	43	11227
63	430802186880113	湖南省烟草公司张家界市公司	43	11214
64	430105743171505	中国石油天然气股份有限公司湖南销售分公司	43	11188
65	431381776763777	冷水江博强铆螺钢有限公司	43	11108
66	430102883761646	中国银行股份有限公司湖南分行	43	10954
67	430204780850865	株洲南车时代电气股份有限公司	43	10527
68	430603186201870	岳阳兴长石化股份有限公司	43	10461
69	430111707218505	长沙市城市建设投资开发有限责任公司	43	10334
70	430211184357388	大唐华银株洲发电有限公司	43	10010
71	431081743163222	湖南华润电力鲤鱼江有限公司	43	9755

续表

序号	企业代码	企业名称	地区	实纳税额
72	43010318376036X	湖南省建筑工程集团总公司	43	9719
73	430102183850517	交通银行股份有限公司湖南省分行	43	9391
74	431321745915985	双峰海螺水泥有限公司	43	9171
75	430105740624150	湖南国合兴业经贸发展有限公司	43	9149
76	43012275580332X	湖南华电长沙发电有限公司	43	9104
77	430202666300456	南车长江车辆有限公司株洲分公司	43	9057
78	430102780872888	长沙凯通置业有限公司	43	9000
79	433101189481425	湖南省烟草公司湘西自治州公司	43	8935
80	430211738979657	株洲钻石切削刀具股份有限公司	43	8886
81	430203884288598	中国建设银行股份有限公司株洲分行	43	8834
82	430603770069696	中石化股份有限公司催化剂长岭分公司	43	8831
83	430903187092899	国电益阳发电有限公司	43	8825
84	430103183761848	湖南省第六工程有限公司	43	8803
85	430202184298947	株洲千金药业股份有限公司	43	8676
86	433101183806380	酒鬼酒股份有限公司	43	8655
87	431302187401110	湖南省烟草公司娄底市公司	43	8646
88	430105712191079	九芝堂股份有限公司	43	8485
89	430111444885356	中国水电顾问集团中南勘测设计研究院	43	8473
90	430111183853582	中建五局第三建设有限公司	43	8383
91	430103183760239	湖南省送变电建设公司	43	8218
92	430103616774151	湖南平和堂实业有限公司	43	8129
93	430181790331137	湖南省烟草公司长沙市公司浏阳市分公司	43	7945
94	431381187524110	锡矿山闪星锑业有限责任公司	43	7935
95	430105712106217	湖南电广传媒股份有限公司	43	7904
96	430105782875193	快乐购物有限责任公司	43	7850
97	430305738955399	湖南省湘潭电业局直属分局	43	7616
98	43072672798395X	大唐石门发电有限责任公司	43	7343
99	431202188882040	湖南省烟草公司怀化市公司	43	7275
100	430104717071420	威胜集团有限公司	43	7191

广东省企业纳税百强排行榜

单位：万元

序号	企业代码	企业名称	地区	实纳税额
1	440901722484553	中国石油化工股份有限公司茂名分公司	44	1197013
2	44030110001686X	招商银行股份有限公司	44	972803
3	440100707653099	中国移动通信集团广东有限公司	44	685230
4	440103190329746	广东中烟工业有限责任公司	44	662894
5	440106734916755	广东电网公司广州供电局	44	552993
6	440194717852200	广州丰田汽车有限公司	44	513123
7	440112708263885	广州本田汽车有限公司	44	498305
8	440102730486030	广东电网公司	44	486278
9	440114749934315	东风汽车有限公司东风日产乘用车公司	44	395501
10	440101618404218	广州宝洁有限公司	44	389537
11	440801617797099	中国石化湛江东兴石油化工有限公司	44	387494
12	440401105377277	中油燃料油股份有限公司	44	385074
13	440100717859912	保时捷（中国）汽车销售有限公司	44	363161
14	440100795524886	中国石化销售有限公司华南分公司	44	342437
15	441401196271995	广东中烟工业有限责任公司梅州卷烟厂	44	337185
16	440301710930739	中国平安人寿保险股份有限公司	44	305480
17	440101618419487	安利（中国）日用品有限公司	44	301402
18	441301710939725	中海壳牌石油化工有限公司	44	239424
19	440301192185379	深圳发展银行	44	237558
20	440300455744938	中国工商银行股份有限公司深圳市分行	44	200265
21	440300101781440	中信证券股份有限公司	44	199583
22	441900712250622	中国移动通信集团广东有限公司东莞分公司	44	196741
23	440101100017600	中国南方航空股份有限公司	44	186879
24	440203191526821	广东中烟工业有限责任公司韶关卷烟厂	44	177814
25	440301708594625	中海石油（中国）有限公司深圳分公司	44	177714
26	440301279285671	深圳市中兴康讯电子有限公司	44	167542
27	440301192199332	深圳烟草工业有限责任公司	44	154683
28	440301710930720	中国平安财产保险股份有限公司	44	150643
29	440114732987664	广州风神汽车有限公司	44	144341
30	440301729872524	深圳市东方嘉盛商贸物流有限公司	44	137189
31	440205231129346	广东韶钢松山股份有限公司	44	135614
32	440112708263519	东风本田发动机有限公司	44	134664
33	44030127926896X	深圳市中汽南华汽车有限公司	44	133477
34	440307100018216	岭澳核电有限公司	44	123414

续表

序号	企业代码	企业名称	地区	实纳税额
35	440112721928327	中国石油化工股份有限公司广州分公司	44	121548
36	440301726186393	深圳市九立商贸有限公司	44	117666
37	440401617436816	广发证券股份有限公司	44	117634
38	440106729911247	广东烟草广州市有限公司	44	115880
39	440301618815578	康佳集团股份有限公司	44	111110
40	440106748017099	中国电信股份有限公司广州分公司	44	110746
41	441900738593308	广东电网公司东莞供电局	44	107695
42	440307755675030	深圳华为通信技术有限公司	44	107455
43	440401192548256	珠海格力电器股份有限公司	44	106698
44	440781727840297	广东国华粤电台山发电有限公司	44	104537
45	440106719289001	中国南方电网有限责任公司超高压输电公司	44	102756
46	440304708542518	中国移动通信集团广东有限公司深圳分公司	44	98453
47	440801707913938	中海石油（中国）有限公司湛江分公司	44	98397
48	440101190336428	广东省发展银行股份有限公司	44	94190
49	440300192278444	国信证券有限责任公司	44	93188
50	440301619290822	广东电网公司深圳供电局	44	88823
51	440682738591185	广东省石油企业集团南方石油化工有限公司	44	85837
52	440101734930290	联众（广州）不锈钢有限公司	44	84773
53	440103722457168	中国石油化工股份有限公司广东石油分公司	44	80664
54	440601708178082	中国移动通信集团广东有限公司佛山分公司	44	80200
55	442000617592341	完美（中国）日用品有限公司	44	76821
56	440306738817535	深圳富泰宏精密工业有限公司	44	72825
57	440705617733669	ABB 新会低压开关有限公司	44	72444
58	440306763491848	新百丽鞋业（深圳）有限公司	44	72001
59	440301729878010	深圳市华富洋进出口有限公司	44	71929
60	44010676384341X	中国南方电网有限责任公司	44	71526
61	440191618416948	箭牌糖果（中国）有限公司	44	69106
62	440301618817282	南海油脂工业（赤湾）有限公司	44	68566
63	440401632847138	珠海碧辟化工有限公司	44	66225
64	440300192365580	平安银行股份有限公司（平安银行）	44	65723
65	440801770180773	广东中烟工业有限责任公司湛江卷烟厂	44	65501
66	440307618830559	广东核电合营有限公司	44	63233
67	440301192238549	招商证券股份有限公司	44	60408
68	440301455766379	中国建设银行股份有限公司深圳市分行	44	60085
69	440300445769023	中国银行股份有限公司深圳市分行	44	60076
70	440306761967961	群康科技（深圳）有限公司	44	59929
71	440703712362560	江门市大长江集团有限公司	44	59916

续表

序号	企业代码	企业名称	地区	实纳税额
72	440100890328787	中国银行股份有限公司广东省分行	44	58891
73	440104190348824	广州铁路（集团）公司	44	58784
74	440106762916947	中国石油天然气股份有限公司华南销售分公司	44	58737
75	440401618390629	广东省珠海发电厂有限公司	44	57657
76	440307715281416	艾默生网络能源有限公司	44	57186
77	440301279398406	深圳市怡亚通供应链股份有限公司	44	55781
78	441623707674375	广东大顶铁矿股份有限公司	44	55684
79	441788796213641	嘉吉粮油（阳江）有限公司	44	55123
80	440300192411663	广深铁路股份有限公司	44	54635
81	440102231228758	广州市华泰兴石油化工有限公司	44	53998
82	440101617405702	广东南华石油有限公司	44	53577
83	440191618419751	美赞臣营养品（中国）有限公司	44	51703
84	440307767580418	深圳市海思半导体有限公司	44	51121
85	440106190548279	广州富力地产股份有限公司	44	51018
86	440301192179593	中国烟草总公司深圳市公司	44	50031
87	440306192211290	深圳航空有限责任公司	44	49917
88	440300618884266	深圳远洋运输股份有限公司	44	48883
89	440101617406684	百事（中国）有限公司	44	48732
90	441900732186197	统一嘉吉（东莞）饲料蛋白科技有限公司	44	48626
91	44190073145791X	广东烟草东莞市有限公司	44	48275
92	440101745962482	广州珠江啤酒股份有限公司	44	47593
93	440300455769852	交通银行股份有限公司深圳分行	44	47536
94	440104455352838	广州市房屋调换总站	44	47490
95	440194708346859	中海发展股份有限公司货轮公司	44	47267
96	440104190346511	中国对外贸易中心（集团）	44	46964
97	440300733079852	深圳荣盛创新贸易有限公司	44	46918
98	440301618816706	深圳妈湾电力有限公司	44	42610
99	440102194945722	东凌集团有限公司	44	42530
100	440300192227030	深圳农村商业银行股份有限公司（深圳农村商业银行）	44	42082

广西壮族自治区企业纳税百强排行榜

单位：万元

序号	企业代码	企业名称	地区	实纳税额
1	450100198222644	广西中烟工业有限责任公司	45	461420
2	450205715187622	柳州钢铁股份有限公司	45	193497
3	450200708731386	上汽通用五菱汽车股份有限公司	45	125234
4	450600715191891	大海粮油工业（防城港）有限公司	45	117627
5	450100718890786	中国移动通信集团广西有限公司	45	106615
6	451222715180527	龙滩水电开发有限公司	45	68249
7	451023737615325	中国铝业股份有限公司广西分公司	45	58743
8	450100711428783	国家开发银行广西壮族自治区分行	45	55126
9	451302199882548	广西八一铁合金（集团）有限责任公司	45	50530
10	450704739966997	广西东油沥青有限公司	45	47506
11	450991619723149	广西玉柴机器股份有限公司	45	46447
12	450100198222855	广西电网公司	45	37794
13	451302619303021	广西来宾法资发电有限公司	45	34491
14	450100898221888	广西电网公司南宁供电局	45	32570
15	450502199305695	中国石油化工股份有限公司北海分公司	45	30808
16	450300198857017	燕京啤酒（桂林漓泉）股份有限公司	45	29874
17	450681667025839	东兴市金源百和贸易有限公司	45	29749
18	450704753730999	钦州大洋粮油有限公司	45	29438
19	450200198606509	东风柳州汽车有限公司	45	28743
20	450100898222573	中国建设银行股份有限公司广西区分行	45	28161
21	450323742076047	桂林康密劳铁合金有限公司	45	23494
22	450100198320391	南宁糖业股份有限公司	45	22375
23	450201198585373	广西柳州钢铁（集团）公司	45	21060
24	45010089828087X	中国工商银行股份有限公司广西壮族自治区分行营业部	45	20526
25	450901715156228	中国移动通信集团广西有限公司玉林分公司	45	18476
26	450100198228800	广西壮族自治区烟草公司南宁市公司	45	17517
27	450300198888809	桂林三金药业股份有限公司	45	17049
28	450100898230186	中国建设银行股份有限公司广西区分行营业部	45	17039
29	451229201093549	大唐岩滩水力发电有限责任公司	45	16131
30	451200718852210	河池市南方有色冶炼有限责任公司	45	16125
31	450300198229766	广西壮族自治区烟草公司桂林市公司	45	15957
32	450300619386429	桂林 NEC 无线通信有限公司	45	15937
33	451002198229635	广西壮族自治区烟草公司百色市公司	45	14851
34	451321718828392	广西桂冠开投电力有限责任公司	45	14216

续表

序号	企业代码	企业名称	地区	实纳税额
35	450704727674532	东方资源（钦州）有限公司	45	13924
36	451424785208134	中信大锰矿业有限责任公司大新分公司	45	13792
37	450600763079159	中电广西防城港电力有限公司	45	13578
38	450221785204483	柳州柳工挖掘机有限公司	45	13299
39	450991708650252	中国工商银行股份有限公司玉林分行	45	13289
40	450100198223268	国海证券有限责任公司	45	12867
41	450901200444546	广西正地建设发展有限公司	45	12656
42	450400753737824	广西长洲水电开发有限责任公司	45	12525
43	450100711494908	中国石油天然气股份有限公司广西销售分公司	45	12431
44	450100198223719	中房集团南宁房地产开发公司	45	12339
45	451421729776620	广西东门南华糖业有限责任公司	45	12070
46	450202198614605	广西建工集团第五建筑工程有限责任公司	45	11533
47	450821753728303	华润水泥（平南）有限公司	45	11467
48	450704756530407	国投钦州发电有限公司	45	11404
49	450800745137255	华润水泥（贵港）有限公司	45	11004
50	451229715159402	广西桂冠电力股份有限公司大化水力发电厂	45	10944
51	450100898229310	中国光大银行南宁分行	45	10653
52	450721796843299	灵山供电有限公司	45	10458
53	451200200898812	广西成源矿冶有限公司	45	10348
54	450991200422830	广西壮族自治区烟草公司玉林市公司	45	10179
55	450891198227509	广西贵糖（集团）股份有限公司	45	9740
56	450200735141808	柳州五菱汽车联合发展有限公司	45	9604
57	450300198874423	广西电网公司桂林供电局	45	9549
58	451221198230791	广西高峰矿业有限责任公司	45	9298
59	451221751239581	南丹县南方有色冶炼有限责任公司	45	9125
60	451423729744426	龙州南华糖业有限责任公司	45	9053
61	450202198229176	广西壮族自治区烟草公司柳州市公司	45	8839
62	451022200660775	中油广西田东石油化工总厂有限公司	45	8769
63	450300982686936	中国工商银行桂林分行	45	8666
64	450205723064200	柳州化工股份有限公司	45	8361
65	450800747964887	广西贵港钢铁集团有限公司	45	8189
66	451025796831773	广西信发铝电有限公司	45	8115
67	450222735157172	广西凤糖生化股份有限公司	45	8113
68	45080076308234X	广西电网公司贵港供电局	45	7901
69	451302708678511	广西华锡集团股份有限公司来宾冶炼厂	45	7875
70	450991900442242	广西电网公司玉林供电局	45	7844
71	450100198376184	广西北部湾银行股份有限公司	45	7827

续表

序号	企业代码	企业名称	地区	实纳税额
72	450100779146731	上海浦东发展银行股份有限公司南宁分行	45	7822
73	450100708731343	南宁化工股份有限公司	45	7821
74	45103177595781X	广西平班水电开发有限公司隆林分公司	45	7636
75	451421619523032	广西扶南东亚糖业有限公司	45	7576
76	450300198230636	桂林三花股份有限公司	45	7566
77	451302199881203	广西来宾东糖迁江有限公司	45	7427
78	450800200451711	广西壮族自治区烟草公司贵港市公司	45	7380
79	451281619302053	广西博庆食品有限公司	45	7296
80	450991768941051	燕京啤酒（玉林）有限公司	45	7200
81	45010077599109X	广西永凯糖业有限责任公司	45	7099
82	451024759788489	广西华银铝业有限公司	45	7088
83	451025727650864	广西斯达特锰材料有限公司	45	7070
84	451102200340069	广西壮族自治区烟草公司贺州市公司	45	6950
85	450800675029186	贵港市祥云贸易有限公司	45	6929
86	451200708717437	广西电网公司河池供电局	45	6901
87	450100739954566	广西嘉和置业集团有限公司	45	6834
88	450400765810179	梧州神冠蛋白肠衣有限公司	45	6818
89	45060075122294X	广西盛隆冶金有限公司	45	6734
90	450100718881425	中石化股份有限公司广西南宁石油分公司	45	6720
91	451421773883482	扶绥新宁海螺水泥有限责任公司	45	6702
92	451400619528079	广西崇左东亚糖业有限公司	45	6688
93	45020270875596X	广西金嗓子有限责任公司	45	6654
94	450400199121458	广西壮族自治区烟草公司梧州市公司	45	6621
95	451002779109797	广西右江水利开发有限责任公司百色分公司	45	6535
96	451029718861977	广西劲达兴纸业有限公司	45	6521
97	451400619528044	广西驮卢东亚糖业有限公司	45	6474
98	450325779114043	兴安海螺水泥有限责任公司	45	6469
99	450800753742391	中国华电集团贵港发电有限公司	45	6432
100	451221900971849	广西华锡集团股份有限公司铜坑矿	45	6402

海南省企业纳税百强排行榜

单位：万元

序号	企业代码	企业名称	地区	实纳税额
1	469040754358922	中国石化海南炼油化工有限公司	46	110391
2	469026665111397	海南矿业联合有限公司	46	61022
3	469040620050666	海南金海浆纸业有限公司	46	56424
4	460100735841214	海南红塔卷烟有限责任公司	46	49277
5	460201201350496	三亚亚龙湾开发股份有限公司	46	42482
6	460100760375980	一汽海马汽车有限公司	46	32752
7	460100710920952	中国移动通信集团海南有限公司	46	27345
8	469007754363393	中海石油建滔化工有限公司	46	22433
9	469003774259016	儋州永航不锈钢有限公司	46	21766
10	469007721234704	中海石油化学股份有限公司	46	21035
11	460100901253195	国家开发银行海南分行	46	19108
12	460100201242022	中国烟草总公司海南省公司	46	18676
13	460108620025161	海南航空股份有限公司	46	18576
14	46902372129781X	海南福山油田勘探开发有限责任公司	46	16343
15	469023793114699	华能海南发电股份有限公司海口电厂	46	12483
16	469023708838618	海南中海油气有限公司	46	11524
17	469007730086213	海洋石油富岛有限公司	46	11200
18	469040293807683	先锋医药股份有限公司	46	10884
19	460100708853578	椰树集团海南椰汁饮料有限公司	46	10815
20	460100201245514	海南电网海口供应公司	46	10410
21	460000747752876	海南鸿洲置业集团股份有限公司	46	10291
22	46010062000810X	海南亚洲太平洋酿酒有限公司	46	9932
23	460100284013566	中信医药实业有限公司	46	9657
24	460100713864511	中国石油化工股份有限公司海南石油分公司	46	9010
25	460201620110673	三亚鹿回头旅游区开发有限公司	46	8600
26	469040620015983	海南洋浦发展有限公司	46	8105
27	460200786618733	三亚安国海岸建设投资有限公司	46	7955
28	469040721285763	海南四环医药有限公司	46	7925
29	460000747783517	三亚国光投资置业有限公司	46	7918
30	460031735804448	昌江中稷大地矿业有限公司	46	7852
31	460100754396339	海南盛之业高新技术有限公司	46	7814
32	460100721225584	海南中通化工进出口有限公司	46	7770
33	460100201357380	先声药业有限公司	46	7504
34	469040721281869	中海海南发电有限公司	46	7387

续表

序号	企业代码	企业名称	地区	实纳税额
35	460100713806039	海南电网公司	46	7018
36	469005708854191	海南白马广告媒体投资有限公司	46	7015
37	460100201295861	海南省烟草公司海口公司	46	6655
38	46904079872498X	神威药业（海南）有限公司	46	6460
39	46010071381539X	海南养生堂保健品有限公司	46	6301
40	460100767460977	海南华巍医药有限公司	46	6250
41	469028786644843	海南雅居乐房地产开发有限公司	46	6237
42	469040742563275	洋浦南华糖业销售有限公司	46	6233
43	460100747776106	海口市城市建设投资有限公司	46	5804
44	460100793119924	中国电信股份有限公司海口分公司	46	5565
45	460100901242509	中国建设银行股份有限公司海南省分行	46	5382
46	460031294123400	国投海南水泥有限责任公司	46	5365
47	460100767471932	海南康联药业有限公司	46	5079
48	460100284077535	中海（海南）海盛船务股份有限公司	46	5066
49	46010062000933X	海南惠普森医药生物技术有限公司	46	4932
50	460100201290016	椰树集团海口罐头厂有限公司	46	4463
51	460200742554539	海南南山文化旅游开发有限公司	46	4460
52	46902376745477X	澄迈华盛天涯水泥有限公司	46	4378
53	469040713802337	海南洋浦森茂石化进出口有限公司	46	4345
54	460100767457225	海南一汽海马汽车销售有限公司	46	4299
55	460100742589256	海南海峡航运股份有限公司	46	4219
56	460108201266454	中国南方航空股份有限公司海南分公司	46	4180
57	460100294122950	粤海铁路有限责任公司	46	3965
58	46010090125258X	中国银行股份有限公司海南省分行	46	3922
59	460100293732896	海南美亚实业有限公司	46	3772
60	460027754388662	澄迈赞华货运有限公司	46	3742
61	460100201246306	海南省第二建筑工程公司	46	3685
62	469040774286524	海南金红叶纸业有限公司	46	3670
63	46010062006446X	海南金盘电气有限公司	46	3637
64	469040665121106	海南省洋浦开发建设控股有限公司	46	3537
65	460100767488603	海南凯健医药有限公司	46	3535
66	469040747753051	海南亚洲太平洋酿酒有限公司洋浦分公司	46	3508
67	460100742550597	金元证券股份有限公司	46	3451
68	460200754399353	三亚东锣岛地产有限公司	46	3396
69	460100620006083	海南海宇锡板工业有限公司	46	3383
70	460000620110710	三亚天域实业有限公司	46	3354
71	460200754371334	三亚（首都机场）投资开发有限公司	46	3353

续表

序号	企业代码	企业名称	地区	实纳税额
72	460100284077383	海南椰岛（集团）股份有限公司	46	3233
73	460201735825273	海南瑞泽新型建材股份有限公司	46	3204
74	469026201244001	海南钢铁公司	46	3185
75	460040713800761	国投远东航运有限公司	46	3140
76	460100620312099	海南养生堂药业有限公司	46	3128
77	46900720164497X	国电海南大广坝发电有限公司	46	3105
78	469026754398027	昌江华盛天涯水泥有限公司	46	3089
79	460100786600912	海口老虎高尔夫用品有限公司	46	3061
80	46010074776472X	海南建桥置业有限公司	46	2931
81	460100730051264	海南通用三洋药业有限公司	46	2926
82	460100742560664	海南快克药业有限公司	46	2842
83	460100665146725	海南海控燃料化学股份有限公司	46	2842
84	469040760384633	洋浦浙海海运股份有限公司	46	2792
85	46904073006847X	海南洋浦海悦药业有限公司	46	2767
86	460200901341822	中国建设银行有限公司三亚分行	46	2741
87	469005793118884	海南三佳润业贸易有限公司	46	2729
88	460100201246891	海南省第一建筑工程公司	46	2707
89	460100620013400	海南优美内衣有限公司	46	2668
90	460100201244781	海南省第五建筑工程公司	46	2665
91	460100284031692	海南碧凯药业有限公司	46	2639
92	46020177426531X	中国南方航空股份有限公司三亚分公司	46	2559
93	460201742596018	三亚海韵实业发展有限公司	46	2559
94	460006767462956	海南金溪物业服务有限公司万宁分公司	46	2512
95	460100708873536	海南康芝药业有限公司	46	2460
96	460100730059864	中国联合网络通信有限公司海南省分公司	46	2423
97	460108735835535	海南英大房地产开发有限公司	46	2420
98	46010029412581X	海南椰树制罐工业有限公司	46	2395
99	460108201306436	海口海甸岛房地产开发总公司	46	2335
100	460100735835092	海南瑞利工业有限公司	46	2328

重庆市企业纳税百强排行榜

单位：万元

序号	企业代码	企业名称	地区	实纳税额
1	500904709375109	长安福特马自达汽车有限公司	50	393980
2	500107902846275	重庆市电力公司杨家坪供电局	50	212981
3	500102711619686	重庆烟草工业有限责任公司涪陵卷烟厂	50	117360
4	500114711640768	重庆烟草工业有限责任公司黔江分厂	50	109707
5	500108203155686	重庆烟草工业有限责任公司重庆卷烟厂	50	101502
6	500902202856659	重庆市电力公司	50	98758
7	500904902887456001	中国工商银行重庆市分行	50	97055
8	500104202852965	重庆钢铁股份有限公司	50	88797
9	500902621900167	重庆长安铃木汽车有限公司	50	75423
10	5009053736550152	中国移动通信集团重庆有限公司	50	62996
11	500904902887456	中国工商银行股份有限公司重庆市分行	50	57439
12	500902202831558	重庆高速公路发展有限公司	50	50134
13	50010520286320X	重庆长安汽车股份有限公司	50	49032
14	500105202804090	中国烟草总公司重庆市公司	50	40845
15	500102742895659	重庆新涪食品有限公司	50	33290
16	500103902819736	中国建设银行股份有限公司重庆市分行	50	32589
17	500115202803768	中国石化集团四川维尼纶厂	50	28254
18	500103902855550	中国农业银行重庆市分行	50	26838
19	500103902800832	中国石油天然气股份有限公司重庆销售分公司	50	26168
20	500107621917575	重庆 ABB 变压器有限公司	50	23021
21	500902621909196	庆铃汽车股份有限公司	50	22357
22	500902X21900091	华能重庆珞璜发电有限责任公司	50	21725
23	500902621910672	重庆康明斯发动机有限公司	50	21660
24	500103902820921	国家开发银行重庆市分行	50	20958
25	500905202823566	重庆啤酒股份有限公司	50	20366
26	500112202806301	重庆鲁能开发（集团）有限公司	50	17382
27	500103202805720000	重庆国际信托有限公司	50	17234
28	500115621912213	扬子江乙酰化工有限公司	50	16571
29	500243753067066	重庆大唐国际彭水水电开发有限公司	50	15383
30	500105795882579	重庆海尔家电销售有限公司	50	14689
31	500903709410891	格力电器（重庆）有限公司	50	14282
32	500383709321338	重庆紫光化工股份有限公司	50	14259
33	500903203115190	重庆华宇物业（集团）有限公司	50	13844
34	500103747472233	中冶赛迪工程技术股份有限公司	50	13698

续表

序号	企业代码	企业名称	地区	实纳税额
35	500110756210702	重庆南桐矿业有限责任公司	50	13438
36	500105784203710	重庆富力城房地产开发有限公司	50	12994
37	50090479352898X	保利（重庆）投资实业有限公司高尔夫花园分公司	50	12985
38	500905774893738	重庆兴龙湖置地发展有限公司	50	12814
39	500103902879755	中国银行股份有限公司重庆市分行	50	12773
40	500105902856078	中国烟草总公司重庆市公司销售分公司	50	12572
41	500104621900765	重庆国际复合材料有限公司	50	12297
42	500222747473375	重庆松藻煤电有限责任公司	50	12204
43	500111745344545	上汽依维柯红岩商用车有限公司	50	11587
44	500112202833449	重庆龙湖地产发展有限公司	50	11427
45	500904621911253	重庆顶益食品有限公司	50	10944
46	500902621900263	重庆建设·雅马哈摩托车有限公司	50	10626
47	500102208500610	太极集团重庆涪陵制药厂有限公司	50	9619
48	500105203296729	重庆市中基进出口有限公司	50	9564
49	50010420280308X	重庆长征重工有限责任公司	50	9558
50	500105709386748	兴业银行股份有限公司重庆分行	50	9133
51	500101711693974	重庆三峡银行股份有限公司	50	9062
52	500103774879442	华夏银行股份有限公司重庆大坪支行	50	9016
53	500904747497473	重庆奥林匹克花园置业有限公司	50	9001
54	50038462125509X	重庆市博赛矿业（集团）股份有限公司	50	8814
55	500902203290298	重庆成渝高速公路有限公司	50	8736
56	500103902819752	中国建设银行重庆市分行营业部	50	8502
57	500103500902203291	西南证券股份有限公司	50	8195
58	500102711656065	中化重庆涪陵化工有限公司	50	7739
59	500230793542319	重庆紫光天然气化工有限公司	50	7737
60	500103709375352	中国联合网络通信有限公司重庆市分公司	50	7628
61	500230908750709	中国人寿保险有限公司丰都县支公司	50	7603
62	500112753087972	中国国际航空股份有限公司重庆分公司	50	7579
63	500234621193896	重庆白鹤电力有限责任公司	50	7316
64	50011370943915X	重庆大江信达车辆股份有限公司	50	7041
65	500105203049808	重庆智飞生物制品有限公司	50	7003
66	500229668914080	重庆泰正矿产资源开发有限公司	50	6972
67	500902621908775	重庆海德世拉索系统（集团）有限公司	50	6970
68	500902795878318	川渝中烟工业公司重庆卷烟营销分部	50	6950
69	500107203134500	国网能源开发有限公司重庆发电厂	50	6922
70	50011375006381X	重庆宗申发动机制造有限公司	50	6894
71	500102203296251	重庆建峰工业集团有限公司	50	6885

续表

序号	企业代码	企业名称	地区	实纳税额
72	500105745331031	金融街重庆置业有限公司	50	6741
73	500108750072249	重庆拉法基水泥有限公司	50	6602
74	500103202800743	重庆市公路运输（集团）公司	50	6528
75	500107736554903	重庆市佳乐九龙房地产开发有限公司	50	6521
76	50010390285585X	华夏银行股份有限公司重庆分行	50	6475
77	500107202802925	西南铝业（集团）有限责任公司	50	6434
78	500106765904087	重庆畅达交通基础设施发展有限公司	50	6407
79	500384742891535	重庆市南川区先锋氧化铝有限公司	50	6386
80	500103902869178－10	中国农业银行重庆市渝中支行	50	6279
81	500112756209971	重庆机场集团有限公司	50	6244
82	500108903162406	中国工商银行股份有限公司重庆南岸支行	50	6218
83	500103450395679	重庆市城市建设投资公司	50	6198
84	500115781577477	重庆国际复合材料有限公司长寿分公司	50	6093
85	500108903192998	中国农业银行重庆市南岸支行	50	6082
86	500115762697238	建滔天然气化工（重庆）有限公司	50	6052
87	500106202809772	西南药业股份有限公司	50	6050
88	50090320288617X	重庆渝高科技产业（集团）股份有限公司	50	6037
89	500112902856916	重庆市电力公司江北供电局	50	6011
90	500113739821587	重庆航天巴山摩托车制造有限公司	50	5989
91	500105621979944	重庆市金科实业（集团）有限公司	50	5959
92	500109745323074	重庆海宇置业（集团）有限公司	50	5924
93	500107202815072	广厦重庆第一建筑（集团）有限公司	50	5909
94	500905202884326	重庆华邦制药股份有限公司	50	5906
95	500106902846347	重庆市电力公司沙坪坝供电局	50	5883
96	500101793519258	重庆宜化化工有限公司	50	5882
97	500114781599019	重庆乌江电力有限公司	50	5842
98	500106450402728	煤炭科学研究总院重庆研究院	50	5797
99	500381750095061	潍柴动力股份有限公司重庆分公司	50	5774
100	50090290290739X	中国农业发展银行重庆市分行	50	5723

四川省企业纳税百强排行榜

单位：万元

序号	企业代码	企业名称	地区	实纳税额
1	510112793957784	四川烟草工业有限责任公司	51	532347
2	510108713006509	四川一汽丰田汽车有限公司	51	358864
3	510104621601108	四川省电力公司	51	257094
4	510122772989760	中国国际航空股份有限公司西南分公司	51	255773
5	511502208852472	四川省宜宾五粮液供销有限公司	51	126644
6	510198735866286	中国移动通信集团四川有限公司	51	113148
7	510402204360956	攀枝花新钢钒股份有限公司	51	108954
8	510108675795796	中国石油集团川庆钻探工程有限公司	51	84692
9	510105201911513	四川省烟草公司成都市公司	51	80454
10	511502744682825	四川省宜宾五粮液酒厂有限公司	51	74169
11	510104901861983	中国人寿保险股份有限公司四川省分公司	51	67895
12	510108711890652	中国石油股份有限公司西南油气田分公司	51	62322
13	510700205412308	四川长虹电器股份有限公司	51	61905
14	510105711890927	中国石油天然气股份有限公司四川销售分公司	51	59993
15	51040272322100X	攀枝花钢铁有限责任公司	51	53877
16	510500904713417	泸州老窖股份有限公司销售公司	51	51570
17	510112752323857	川渝中烟工业公司	51	49196
18	510402201808348	二滩水电开发有限责任公司	51	45350
19	510198755974671	成都世纪城新国际会展中心有限公司	51	44259
20	510105990720292	国家开发银行股份有限公司四川省分行	51	42169
21	511102720850126	四川新光硅业科技有限责任公司	51	37886
22	51150270916714X	四川省宜宾五粮液集团进出口有限公司	51	37689
23	510402204359621	攀钢集团矿业有限公司	51	36463
24	510500204755181	泸州老窖酿酒有限责任公司	51	34168
25	511024727447487	威远钢铁有限公司	51	31129
26	510105633142770	成都银行股份有限公司	51	30474
27	513401213000370	四川省烟草公司凉山分公司	51	30398
28	510109742262413	四川航空股份有限公司	51	30325
29	510302620729185	东方锅炉（集团）股份有限公司	51	28410
30	510198720350287	中海兴业（成都）发展有限公司	51	25900
31	510104621704027	成都神钢建设机械有限公司	51	25516
32	510198762277030	成都人居置业有限公司	51	25075
33	511502709066285	四川省宜宾普什集团有限公司	51	24628
34	51170021015119X	达州电业局	51	23541

续表

序号	企业代码	企业名称	地区	实纳税额
35	510115202456540	成都印钞公司	51	22929
36	51150220885067X	宜宾天原集团股份有限公司	51	22878
37	510108765397812	四川石油管理局川西钻探公司	51	22426
38	510403204354847	攀枝花煤业（集团）有限责任公司	51	22274
39	511600289562433	四川广安发电有限责任公司	51	22103
40	510124765364121	成都聚锦商贸有限公司	51	22080
41	510105201811328	华西证券有限责任公司	51	21871
42	513423213150192	四川省盐源县平川铁矿	51	21712
43	510601735892505	二重集团（德阳）重型装备股份有限公司	51	21412
44	510104740325097	华润置地（成都）有限公司	51	19474
45	510601671415848	东方电气集团东方电机有限公司	51	18815
46	51010770928264X	四川蓝光和骏实业股份有限公司	51	18276
47	510500754707221	中海沥青（四川）有限公司	51	17409
48	510112749729549	成都神钢工程机械（集团）有限公司	51	17240
49	510198737710541	成都高新置业有限公司	51	16753
50	519000901804241	中国建设银行股份有限公司成都新华支行	51	16615
51	510304744678172	四川汇维仕化纤有限公司	51	16284
52	519000765055994	中国移动通信集团四川有限公司成都分公司	51	16188
53	511111206953042	国电大渡河流域水电开发有限公司龚嘴水力发电总厂	51	15931
54	511301714426775	中国石油西南油气田分公司南充炼油化工总厂	51	15779
55	511790210253460	四川省达州钢铁集团有限责任公司	51	15773
56	511700210150744	四川达竹煤电（集团）有限责任公司	51	15467
57	510500204709783	四川省烟草公司泸州市公司	51	15284
58	510500204706718	泸州老窖股份有限公司	51	15224
59	510122672154010	中国电信股份有限公司双流分公司	51	15119
60	511181207451765	四川峨胜水泥股份有限公司	51	15078
61	510402793968264	中冶实久建设有限公司	51	14681
62	513425733390640	凉山矿业股份有限公司	51	14559
63	519000711886821	四川蜀渝石油建筑安装工程有限责任公司	51	14449
64	510198901995412	成都电业局高新供电局	51	14247
65	519000901843478	中国农业发展银行四川省分行	51	14188
66	511111207106953	四川德胜集团钢铁有限公司	51	14173
67	510402204352390	攀钢集团钢城企业总公司	51	13981
68	519000X21601534	中国建设银行股份有限公司成都岷江支行	51	13946
69	510683205258558	四川绵竹剑南春酒厂有限公司	51	13723
70	513426213300787	四川省烟草公司凉山州公司会东营销部	51	13675
71	510683205250521	东方电气集团东方汽轮机有限公司	51	13634

续表

序号	企业代码	企业名称	地区	实纳税额
72	510700205400956	四川省烟草公司绵阳市分公司	51	13439
73	51010720189926X	四川成渝高速公路股份有限公司	51	13284
74	513401729807108	攀钢集团西昌新钢业有限公司	51	12800
75	510106201821446	攀钢集团国际经济贸易有限公司	51	12770
76	510107762322348	中国航空集团建设开发有限公司西南分公司	51	12747
77	510104X21607362	中信银行股份有限公司成都分行	51	12447
78	51010672341539X	四川水井坊股份有限公司	51	12414
79	510121782660010	国电成都金堂发电有限公司	51	12337
80	510105201961940	国金证券股份有限公司	51	12084
81	510602205119929	四川省烟草公司德阳市公司	51	12044
82	510121723425766	成都野生世界有限公司	51	11982
83	511600709134794	广安电业局	51	11887
84	51180021090215X	四川华能宝兴河电力股份有限公司	51	11825
85	510802205817698	华电四川发电有限公司宝珠寺水力发电厂	51	11759
86	513401213001015	重庆钢铁集团矿业有限公司太和铁矿	51	11596
87	519000709151842	中国光大银行股份有限公司成都分行	51	11556
88	510113202285163	川化股份有限公司	51	11536
89	510106730207126	中铁二院工程集团有限责任公司	51	11446
90	510104201930562	成都王府井百货有限公司	51	11173
91	510500746920743	四川泸天化绿源醇业有限责任公司	51	11145
92	51011420260067X	四川科伦药业股份有限公司	51	11056
93	510107784700688	四川新辰实业有限公司	51	10982
94	510402204367525	攀枝花市商业银行股份有限公司	51	10951
95	510107201937211	成都城市燃气有限责任公司	51	10920
96	513324720857088	四川里伍铜业股份有限公司	51	10829
97	51130120945007X	四川省烟草公司南充市公司	51	10438
98	51179076505975X	四川达兴能源股份有限公司	51	10427
99	510411752326927	攀枝花市恒鼎煤焦化有限公司	51	10338
100	510115620854656	四川维奥制药有限公司	51	10198

贵州省企业纳税百强排行榜

单位：万元

序号	企业代码	企业名称	地区	实纳税额
1	520100214412588	贵州中烟工业有限责任公司	52	907971
2	520382755389528	贵州茅台酒销售有限公司	52	240776
3	52038271430580X	贵州茅台酒股份有限公司	52	107924
4	520103750174528	瓮福国际贸易股份有限公司	52	92697
5	520302214760830	贵州省烟草公司遵义市公司	52	66138
6	522401215471045	贵州省烟草公司毕节地区公司	52	62248
7	520100214406188	贵州乌江水电开发有限责任公司	52	53053
8	520101761388505	中国移动通信集团贵州有限公司	52	41677
9	520113736615163	中国铝业股份有限公司贵州分公司	52	34824
10	520100709611191	贵州省烟草公司贵阳市公司	52	27611
11	522330009600299	贵州省烟草公司黔西南州公司	52	27542
12	52010121449398X	贵阳市商业银行	52	26163
13	520100722102973	贵州西电电力股份有限公司	52	25116
14	522330215280564	中国南方电网有限责任公司调峰调频发电公司天生桥水力发电总厂	52	23770
15	520202662952035	贵州松河新成煤业复采有限责任公司	52	22431
16	522701216252186	贵州省烟草公司黔南州公司	52	21569
17	520100214402515	贵州电网公司	52	21565
18	522201215051390	贵州省烟草公司铜仁地区公司	52	21559
19	520202745718447	贵州粤黔电力有限责任公司	52	20320
20	520201214651669	贵州省烟草公司六盘水市公司	52	16274
21	522423750195142	贵州黔西中水发电有限公司	52	16219
22	520103214433290	贵州益佰制药股份有限公司	52	15999
23	522330730960791	天生桥一级水电开发有限责任公司水力发电厂	52	15466
24	520122750193745	贵阳中化开磷化肥有限公司	52	15455
25	520100766061456	贵州开磷化肥有限责任公司	52	15189
26	520101795274186	贵阳世纪金源房地产开发有限公司	52	13047
27	522702214419966	瓮福（集团）有限责任公司	52	12482
28	520102622230513	贵阳南明老干妈风味食品有限责任公司	52	12256
29	520202736611728	盘县天能焦化有限公司	52	12202
30	520202622211451	贵州黔桂发电有限责任公司	52	12005
31	522422750183651	贵州大方发电有限公司	52	11297
32	520321770563563	贵州鸭溪发电有限公司	52	11116
33	520402215650158	贵州省烟草公司安顺市公司	52	11070
34	520100714307389	中国石油化工股份有限公司贵州石油分公司	52	11070

续表

序号	企业代码	企业名称	地区	实纳税额
35	522628766092105	贵州清水江水电有限公司	52	9981
36	520302214763476	遵义供电局	52	9568
37	522601214402531	贵州凯里供电局	52	9172
38	520100766084623	永贵能源开发有限责任公司	52	8967
39	522601709568576	贵州省烟草公司黔东南州公司	52	8819
40	522297755364662	贵州华电大龙发电有限公司	52	8557
41	520202750176419	贵州盘南煤炭开发有限责任公司	52	8546
42	520422215652284	国电安顺发电有限公司	52	7482
43	520402214402515	安顺市供电局	52	7361
44	520181755364566	贵州华能焦华制气股份有限公司	52	7155
45	520102714302561	贵州宏立城房地产开发有限公司	52	7088
46	52010121441265X	贵州省桥梁工程总公司	52	7009
47	520330215030207	贵州省习水县习酒销售公司	52	6931
48	520303214852153	贵州海尔电器有限公司	52	6860
49	522325730977278	贵州紫金矿业股份有限公司	52	6843
50	520497215650676	贵州百灵企业集团制药股份有限公司	52	6806
51	520101214466447	中天城投集团股份有限公司	52	6481
52	520114775310290	贵州同济堂制药有限公司	52	6414
53	520101214415201	贵州省公路工程集团总公司	52	6354
54	520101730989690	中国移动通信集团贵州有限公司贵阳分公司	52	6318
55	520301722143732	遵义市商业银行股份有限公司	52	6212
56	520201761398754	贵州水矿西洋焦化有限公司	52	6196
57	520101214481647	中国工商银行股份有限公司贵阳南明支行	52	6059
58	520181214402590	贵州华电清镇发电有限公司	52	6026
59	520100741116035	贵州中电电力有限责任公司	52	5999
60	522427722197845	威宁县二塘福利铁业有限公司	52	5980
61	520100761353863	贵州北盘江电力股份有限公司	52	5878
62	520330215032800	贵州茅台酒厂（集团）习酒有限责任公司	52	5718
63	522330215281110	兴义供电局	52	5717
64	520202750194713	六盘水市盘县淤泥乡湾田煤矿	52	5485
65	520301214780129	中建四局第三建筑工程有限公司	52	5471
66	52030273095894X	遵义钛业股份有限公司	52	5464
67	520101914452505	中国建设银行股份有限公司贵阳河滨支行	52	5427
68	520100722105429	中石油天然气股份有限公司贵州销售分公司	52	5397
69	522601215900380	中国国电集团公司凯里发电厂	52	5381
70	520103214435085	贵州永吉印务股份有限公司	52	5247
71	522322662964052	兴仁县下山镇远程煤矿	52	5160

续表

序号	企业代码	企业名称	地区	实纳税额
72	520121789776825	贵州开磷集团矿肥有限责任公司	52	5154
73	520302214789203	贵州钢绳股份有限公司	52	5006
74	520101770590342	贵州金元发电运营有限公司	52	4733
75	520100770561779	贵州前进轮胎销售有限公司	52	4698
76	520103662955703	贵阳云岩华星电器有限责任公司	52	4628
77	520113214411665	中国铝业公司贵州铝厂	52	4612
78	520424780183652	贵州永诚铁合金冶炼有限公司	52	4391
79	520302666991867	遵义氯碱股份有限公司	52	4366
80	520221775337143	大唐贵州发耳发电有限公司	52	4330
81	520121722102025	贵州黔能天和磷业有限公司	52	4282
82	520101914401695	中国银行股份有限公司贵州省分行	52	4271
83	520302214402603	贵州华电遵义发电有限公司	52	4263
84	520100914400748	中国国电集团公司贵阳发电厂	52	4257
85	520423714303759	贵州红星发展股份有限公司	52	4209
86	520101709675355	中国农业银行贵阳市新华支行	52	4058
87	520100214493242	贵阳海信电子有限公司	52	3974
88	520101709667064	贵州航空有限公司	52	3973
89	522730709595865	贵州亚冶铁合金有限责任公司	52	3896
90	52038170960790X	贵州赤天化股份有限公司	52	3881
91	52270275538003X	邦泰（贵州）铁合金有限公司	52	3851
92	520303714342598	中国移动通信集团贵州有限公司遵义分公司	52	3850
93	520202722193596	盘县红果镇红果煤矿	52	3819
94	522325736637485	贵州锦丰矿业有限公司	52	3800
95	520100214400501	贵州化肥工业公司	52	3747
96	522301215280484	中国建设银行股份有限公司黔西南州分行	52	3733
97	52038121440027X	贵州赤天化集团有限责任公司	52	3605
98	520321755350172	老干妈风味食品有限责任公司遵义分公司	52	3558
99	520101761364669	中国电信股份有限公司贵阳分公司	52	3547
100	520181214402662	中国国电集团公司红枫水力发电厂	52	3539

云南省企业纳税百强排行榜

单位：万元

序号	企业代码	企业名称	地区	实纳税额
1	53040121766326X	红塔烟草（集团）有限责任公司	53	2040335
2	530102781651462	红云烟草（集团）有限责任公司	53	1891234
3	532526217870138	红河烟草（集团）有限责任公司	53	564970
4	530601216970591	红河烟草（集团）有限责任公司昭通卷烟厂	53	244189
5	530103713405825	云南电网公司	53	152829
6	530301217222042	云南省烟草公司曲靖市公司	53	139269
7	530111760417482	中国移动通信集团云南有限公司	53	126533
8	53011221655183X	云南云天化国际化工股份有限公司	53	123624
9	530103216593597	云南省烟草公司昆明市公司	53	96338
10	530111291981370	云南省卷烟烤烟交易市场	53	92379
11	532301217430343	云南省烟草公司楚雄州公司	53	82626
12	530401217660501	云南省烟草公司玉溪市公司	53	79990
13	532901218651543	云南省烟草公司大理州公司	53	75423
14	532526218032822	云南省烟草公司红河州公司	53	67564
15	530103216568762	云南铜业（集团）有限公司	53	63276
16	530181757160292	武钢集团昆明钢铁股份有限公司	53	57932
17	530112709705745	云南铜业股份有限公司	53	46400
18	530103622600772	中国农业银行云南省分行	53	45843
19	530301713464526	云南驰宏锌锗股份有限公司	53	45235
20	530601216970583	云南省烟草公司昭通市公司	53	40484
21	530103734296728	云南南磷集团进出口有限公司	53	39389
22	530103719449490	华能澜沧江水电有限公司	53	39303
23	532621218170205	云南省烟草公司文山州公司	53	38816
24	530502218920651	云南省烟草公司保山市公司	53	38624
25	530103719408277	中国石油化工股份有限公司云南石油分公司	53	37893
26	53010391652092X	云南电网公司昆明供电局	53	37748
27	530181719479411	云南昆钢国际贸易有限公司	53	33616
28	530102622600270	中国工商银行股份有限公司云南省分行	53	33299
29	530111216586610	昆明中铁大型养路机械集团有限公司	53	30603
30	53012121658149X	云南铝业股份有限公司	53	30205
31	530102216558329	国投云南大朝山水电有限公司	53	29484
32	53011121653292X	云南省烟草烟叶公司	53	28311
33	530421709812276	云南江磷集团股份有限公司	53	28086
34	53010271348608X	国家开发银行股份有限公司云南省分行	53	26703

续表

序号	企业代码	企业名称	地区	实纳税额
35	532331738073484	云南德胜钢铁有限公司	53	25753
36	53010221652214X	云南白药集团股份有限公司	53	25606
37	530112745278904	云南明晨进出口有限公司	53	25502
38	530427757184315	玉溪大红山矿业有限公司	53	24992
39	533325713401912	云南金鼎锌业有限公司	53	24787
40	530325748281375	云南滇东能源有限责任公司	53	24746
41	530103734309760	红塔证券股份有限公司	53	24591
42	532501917903260	云南锡业股份有限公司冶炼分公司	53	24006
43	53011162260081X	昆明铁路局	53	22360
44	53010321654957X	云南兴化经贸有限责任公司	53	22077
45	530381738062005	国电宣威发电有限责任公司	53	22042
46	530328781658066	云南大为制焦有限公司	53	19650
47	530122216524401	云南磷化集团有限公司	53	18995
48	532522217954016	蒙自矿冶有限责任公司	53	18668
49	53080221835117X	云南省烟草公司普洱市公司	53	18645
50	530381797240748	曲靖市烟草公司宣威分公司	53	18615
51	53230171949315X	云南楚雄矿冶股份有限公司	53	18020
52	530922219540992	华能漫湾水电厂	53	16488
53	530112216529085	昆明城建房地产开发股份有限公司	53	16241
54	530113772668027	昆明金水铜冶炼有限公司	53	15567
55	530181753552053	昆明万辉房地产开发有限公司	53	15301
56	530301217220565	云南电网公司曲靖供电局	53	14494
57	530111292109664	富滇银行股份有限公司	53	14347
58	530902753581559	临沧南华晶莹糖业有限公司	53	14005
59	53040275718303X	玉溪新兴钢铁有限公司	53	13898
60	530630291993726	云南云天化股份有限公司	53	13828
61	530427217790744	玉溪矿业有限公司	53	13746
62	532823750684544	勐腊县新山矿业开发有限责任公司	53	13154
63	530402217660202	云南电网公司玉溪供电局	53	13089
64	530103216529149	云南中烟物资（集团）有限责任公司	53	12986
65	532502917940440	云南省小龙潭矿务局布沼坝露天矿	53	12961
66	532522917888419	云南电网公司红河供电局	53	12772
67	530111778579826	中国东方航空股份有限公司云南分公司	53	12756
68	530181719402000	昆明钢铁集团有限责任公司	53	12482
69	532621709829203	云南文山电力股份有限公司	53	12140
70	530111622603252	昆明酸醋纤维有限公司	53	12050
71	530181741452231	安宁市永昌钢铁有限公司	53	11831

续表

序号	企业代码	企业名称	地区	实纳税额
72	530112734302489	昆明伟建彩印有限公司	53	11059
73	530102709711504	云南国际信托有限公司	53	10873
74	530502713406801	云南保山电力股份有限公司	53	10830
75	532625218270644	云南华联锌股份有限公司	53	10820
76	532522757180699	红河钢铁有限公司	53	10682
77	530112741474211	昆明万达房地产有限公司	53	10568
78	530111622602196	沈机集团昆明机床股份有限公司	53	10491
79	530103731230416	招商银行昆明分行	53	10327
80	530101719406626	中国移动通信集团云南有限公司昆明分公司	53	10286
81	530328767086188	曲靖大为焦化制供气有限公司	53	10231
82	530902219480037	云南省烟草公司临沧市公司	53	10001
83	530112753568995	云南东源煤业集团有限公司	53	9966
84	533102750696414	云南德宏英茂糖业有限公司	53	9903
85	532923709844016	云南祥云飞龙有色金属股份有限公司	53	9608
86	530103916530378	中国银行股份有限公司云南省分行	53	9263
87	532526218030069	红河州烟草公司弥勒分公司	53	9092
88	532901770477235	中国移动通信集团云南有限公司大理分公司	53	8985
89	530102727294134	中信银行股份有限公司昆明分行	53	8976
90	530111916567074	昆明焦化制气厂	53	8847
91	532331767066259	楚雄德胜煤化工有限公司	53	8796
92	530125216875172	国电阳宗海发电有限公司	53	8720
93	530181763885871	云南天宁矿业有限公司	53	8572
94	530328753553128	国投曲靖发电有限公司	53	8431
95	530301748289238	云南曲靖华福钢铁有限公司	53	8384
96	53250273431106X	云南解化集团有限公司	53	8349
97	53080278168458X	云南思茅山水铜业有限公司	53	8344
98	532326772658734	云南楚雄矿冶股份有限公司六苴经营部	53	8326
99	530103431363209	昆明市建筑设计研究院有限责任公司	53	8296
100	53230170980273X	云南电网公司楚雄供电局	53	8286

陕西省企业纳税百强排行榜

单位：万元

序号	企业代码	企业名称	地区	实纳税额
1	619000713594558	中国石油天然气股份有限公司长庆油田分公司	61	935801
2	610690220568570	陕西延长石油（集团）有限责任公司	61	594977
3	610198220562750	陕西中烟工业公司	61	469906
4	610890770043971	中国神华能源有限责任公司神东煤炭分公司	61	305862
5	610802016082725	中国农业银行榆林分行	61	210332
6	610521664102114	金堆城钼业股份有限公司矿冶分公司	61	140341
7	619000710072607	陕西省电力公司	61	124044
8	610824783669017	延长石油（集团）榆林核算部	61	122073
9	610690783684735	延长油田股份有限公司	61	115775
10	610190735354889	中国移动通信集团陕西有限公司	61	103414
11	610190623100825	西安杨森制药有限公司	61	77140
12	610626223720646	延长油田股份有限公司吴起采油厂	61	69772
13	610498727375006	中石油天然气公司长庆石化分公司	61	58101
14	610625223690125	延长油田股份有限公司永宁采油厂	61	57155
15	61900071009796X	长庆石油勘探局	61	50406
16	610104709902132	金堆城钼业股份有限公司销售分公司	61	49679
17	610103220522345	中铁一局集团有限公司	61	47531
18	610632296129953	黄陵矿业集团有限责任公司	61	40984
19	610190220600163	陕西省烟草公司西安市公司	61	37840
20	610825224120933	陕西延长油田股份有限公司定边采油厂	61	37719
21	619000755219369	西北电网有限公司	61	35447
22	610602223531132	延长油田股份有限公司南泥湾采油厂	61	34391
23	61009092052005X	中国工商银行股份有限公司陕西省分行	61	33172
24	610190294204008	比亚迪汽车有限公司	61	32463
25	610090294468046	西安市商业银行股份有限公司	61	32199
26	610198713595630	中国石油天然气股份有限公司陕西销售分公司	61	31614
27	610190100023824	永安财产保险股份有限公司	61	29816
28	610427222010829	彬县煤炭有限责任公司	61	28334
29	610624223660380	延长油田股份有限公司杏子川钻采公司	61	27846
30	610103920523699	中国建设银行股份有限公司陕西省分行	61	27749
31	610581661193700	陕西龙门钢铁有限责任公司	61	27572
32	610115628001738	西安陕鼓动力股份有限公司	61	26864
33	619000220526151	陕西地方电力（集团）公司	61	26363
34	610824748626505	延长油田股份有限公司靖边采油厂	61	25736

续表

序号	企业代码	企业名称	地区	实纳税额
35	610821755247976	陕西国华锦界能源有限责任公司	61	25642
36	610090920520148	国家开发银行陕西省分行	61	25042
37	610103920524878	中国农业银行陕西省分行	61	24228
38	610490623747768	陕西渭河发电有限公司	61	24018
39	610104726284858	西安西开高压电气股份有限公司	61	23486
40	610821223959550	神东天隆集团有限责任公司煤炭运销分公司	61	21090
41	610104730431187	陕西法士特齿轮有限责任公司	61	20848
42	610521220532244	金堆城钼业集团有限公司	61	19840
43	610112294463050	青岛啤酒西安汉斯集团有限公司	61	19241
44	610322220592466	陕西宝鸡第二发电有限责任公司	61	19213
45	610190220530206	西安印钞厂	61	18943
46	610090712576923	中国光大银行西安分行	61	18932
47	610581222160683	陕西韩城矿务局	61	18906
48	61020292114093X	铜川矿务局煤炭运输销售公司	61	18037
49	610632770040586	陕西黄陵二号煤矿有限公司	61	17991
50	619000742815049	中国石油集团测井有限公司	61	17626
51	610090719782242	西部证券股份有限公司	61	17580
52	610198220611778	西安西电国际工程有限责任公司	61	17562
53	610104220601553	西安西电变压器有限责任公司	61	17479
54	610428741280695	陕西长武亭南煤业有限责任公司	61	16454
55	610103623110601	西安铁路局	61	16303
56	610891770025546	中国神华能源股份有限公司神朔铁路分公司	61	16232
57	610802223937204	陕西榆林天然气化工有限责任公司	61	15764
58	610821671527778	陕西煤化工集团孙家岔龙华矿业有限公司	61	15428
59	610623223630755	延长油田股份有限公司瓦窑堡采油厂	61	15344
60	610526222160878	陕西省蒲白矿务局	61	15258
61	619000741280740	中国石化销售有限公司西北分公司	61	15201
62	610304732645971	宝鸡法士特齿轮有限责任公司	61	14688
63	610197220594875	陕西省天然气股份有限公司	61	14326
64	610112220602871	中国石油化工股份有限公司西安石化分公司	61	14298
65	610498221703834	陕西省烟草公司咸阳市公司	61	14077
66	610627223750490	延长油矿股份有限公司下寺湾采油厂	61	13861
67	610526294207807	陕西华电蒲城发电有限责任公司	61	13732
68	610902222910202	陕西省烟草公司安康市公司	61	13638
69	610103920520236	中国银行股份有限公司陕西省分行	61	13418
70	610890671529239	榆林神华能源有限责任公司	61	13418
71	610103742801536	西安开元商城有限公司	61	13360

续表

序号	企业代码	企业名称	地区	实纳税额
72	610390221308949	陕西省烟草公司宝鸡市公司	61	13307
73	610725727334028	陕西汉中钢铁集团有限公司	61	13121
74	610104100005183	中国东方航空股份有限公司西北分公司	61	13067
75	610398719757362	宝鸡石油钢管有限责任公司	61	12919
76	610581794142536	陕西黄河矿业（集团）有限责任公司	61	12800
77	61009092055556X	招商银行股份有限公司西安分行	61	12792
78	610581294206660	大唐韩城第二发电有限责任公司	61	12729
79	610398727357545	中铁宝桥集团有限公司	61	12631
80	610090920607171	交通银行股份有限公司陕西省分行	61	12501
81	610322794115730	陕西东岭冶炼有限公司	61	12343
82	610427661156301	陕西彬长大佛寺矿业有限公司	61	12325
83	610581735356729	陕西海燕焦化（集团）有限责任公司	61	12280
84	61042976630960X	陕西省旬邑县旬东煤业有限责任公司	61	12257
85	610427755244003	陕西火石咀煤矿有限责任公司	61	12248
86	610897223930184	陕西省烟草公司榆林市公司	61	12186
87	610197741272070	陕西重型汽车有限公司	61	11968
88	61082171005277X	陕西省陕北矿业管理局韩家湾煤矿	61	11792
89	610621223570297	延长油田股份有限公司王家川采油厂	61	11743
90	610702295446631	陕西省烟草公司汉中市公司	61	11397
91	610590222161301	陕西省烟草公司渭南市公司	61	11339
92	610104220601000	西安西电电力整流器有限责任公司	61	11268
93	61010271019417X	西安爱家商贸有限公司	61	11017
94	610481294207364	陕西兴化化学股份有限公司	61	10990
95	610582709974718	华能陕西秦岭发电有限公司	61	10921
96	610191775941850	中海兴业（西安）有限公司	61	10880
97	610303741294552	宝鸡石油机械有限责任公司	61	10697
98	610322713576579	陕西西凤酒集团股份有限公司	61	10573
99	610090920527091	中国人民财产保险股份有限公司陕西省分公司	61	10486
100	610490623231518	咸阳步长制药有限公司	61	10346

甘肃省企业纳税百强排行榜

单位：万元

序号	企业代码	企业名称	地区	实纳税额
1	620301224690952	金川集团有限公司	62	504677
2	620101224434895	甘肃烟草工业有限责任公司	62	292052
3	620200224641202	酒泉钢铁（集团）有限责任公司	62	140013
4	620101224335387	甘肃省电力公司	62	129932
5	620200710375659	甘肃酒钢集团宏兴钢铁股份有限公司	62	81785
6	622725739632348	甘肃华亭煤电股份有限公司	62	37629
7	622101712722124	中国石油玉门油田分公司	62	37075
8	620403224761810	靖远煤业集团有限责任公司	62	36153
9	620200739646707	嘉峪关宏晟电热有限责任公司	62	22937
10	620403624172476	靖远第二发电有限公司	62	22295
11	620101660036287	中国铝业股份有限公司兰州分公司	62	21010
12	620102712757642	中国石油天然气股份有限公司甘肃分公司	62	20648
13	620102712780981	中国移动通信集团甘肃有限公司兰州分公司	62	20120
14	620123745891055	酒钢集团榆中钢铁有限责任公司	62	19274
15	620102224332944	甘肃省烟草公司兰州市公司	62	19083
16	622624925730961	白银有色集团股份有限公司厂坝铅锌矿	62	18922
17	622821224371097	中国石油庆阳石化分公司	62	18410
18	620121681502232	中国铝业股份有限公司连城分公司	62	17018
19	622725225872264	华亭煤业集团有限责任公司	62	16473
20	622701224369878	华能平凉发电有限责任公司	62	16453
21	620402660043444	白银有色集团股份有限公司	62	16249
22	620101773428201	中国石油兰州石油化工公司	62	15647
23	620101712757386	国家开发银行股份有限公司甘肃省分行	62	14867
24	62040222476160X	甘肃省电力公司白银供电公司	62	14411
25	620111224552058	窑街煤电集团有限公司	62	13262
26	620111710375560	方大炭素新材料科技股份有限公司	62	11044
27	620502224892730	甘肃省电力公司天水供电公司	62	11020
28	620101224348348	兰州生物制品研究所	62	10348
29	622201745886635	甘肃电投张掖发电有限责任公司	62	9481
30	620402224788917	国投甘肃小三峡发电有限公司大峡水电站	62	9460
31	620101712797011	兰州西固热电有限责任公司	62	9224
32	620403710375413	国电靖远发电有限公司	62	9187
33	620102924384016	中国工商银行股份有限公司兰州金城支行	62	9118
34	620103924330763	中国建设银行股份有限公司兰州电力支行	62	8842

续表

序号	企业代码	企业名称	地区	实纳税额
35	622923226320592	中国工商银行股份有限公司永靖支行	62	8832
36	620402789615925	甘肃华鹭铝业有限公司	62	8790
37	620101719034551	中国石油天然气股份有限公司西北销售兰州分公司	62	8612
38	620403224344785	甘肃靖远煤电股份有限公司	62	8216
39	620103762398326	兰州黄河嘉酿啤酒有限公司	62	8024
40	622101719037517	中石油有限公司西北销售玉门分公司	62	7919
41	620503739643151	天水星火机床有限责任公司	62	7243
42	622821710301270	甘肃长庆长建建设工程有限公司	62	7050
43	62262122567011X	甘肃省烟草公司陇南分公司	62	6996
44	620121720274835	甘肃大唐国际连城发电有限责任公司	62	6962
45	620104720270893	中国石油管道涩宁兰销售分公司	62	6897
46	620502224891228	甘肃省烟草公司天水市公司	62	6893
47	620302224740665	甘肃省电力公司金昌供电公司	62	6816
48	622801226040726	甘肃省烟草公司庆阳市公司	62	6528
49	62030172024664X	金川集团工程建设有限公司	62	6286
50	620301296790522	镍都实业公司	62	6257
51	622624710284140	甘肃小厂坝铅锌开发有限责任公司	62	6125
52	622724745868939	华亭煤业集团新柏煤矿有限责任公司	62	5801
53	620121750914434	腾达西北铁合金有限责任公司	62	5661
54	620502756558610	天水华天科技股份有限公司	62	5597
55	620302739622350	八冶建设集团有限公司	62	5356
56	620122762391730	国投甘肃小三峡发电有限公司小峡水电站	62	5312
57	623025710327542	甘肃玛曲格萨尔黄金实业股份有限公司	62	5277
58	620524750909985	天水祁连山水泥有限公司	62	5210
59	620102719069244	兰州强生医药有限责任公司	62	5190
60	620421750915111	甘肃稀土新材料股份有限公司	62	4943
61	620200756567509	甘肃省中宇国际贸易有限公司	62	4938
62	620200767726691	甘肃新精诚实业发展有限公司	62	4938
63	62032122474077X	金昌铁业（集团）有限责任公司	62	4891
64	620123767715028	兰州金川金属材料技术有限公司	62	4850
65	620105784000788	甘肃国美物流有限公司	62	4840
66	620102778885380	兰州顶津食品有限公司	62	4765
67	620502712740680	中国移动通信集团甘肃有限公司天水分公司	62	4746
68	622923226320250	甘肃省电力公司刘家峡水电厂	62	4681
69	622301225400179	甘肃省电力公司武威供电公司	62	4681
70	622724225964556	华亭煤业集团新窑煤矿有限责任公司	62	4594
71	62010574586169X	兰州黄河永通房地产开发有限公司	62	4590

续表

序号	企业代码	企业名称	地区	实纳税额
72	620702225250473	甘肃省电力公司张掖供电公司	62	4458
73	622625720251588	甘肃独一味生物制药股份有限公司	62	4420
74	620104720254041	中国石油西北润滑油销售分公司	62	4369
75	620402762380521	甘肃银光化学工业集团有限公司	62	4357
76	620102224421541	兰州燃气化工集团有限公司	62	4334
77	62040222476195X	甘肃省烟草公司白银市公司	62	4261
78	622421225570688	甘肃省烟草公司定西市公司	62	4259
79	620523225000554	大唐甘谷发电厂	62	4232
80	620101720257525	兰州兰石机械设备有限责任公司	62	4184
81	62040277340885X	白银有色金属（集团）有限责任公司	62	4143
82	620321710228851	金昌水泥（集团）有限责任公司	62	3981
83	620121720211551	中国航空西北地区空中交通管理局甘肃分局	62	3977
84	622923226321034	中国农业银行永靖县支行	62	3930
85	622701225870525	甘肃省烟草公司平凉市公司	62	3815
86	622923226320349	黄河上游水电开发有限责任公司陇电分公司	62	3698
87	620801767715095	中国移动通信集团甘肃有限公司平凉分公司	62	3627
88	622124767718392	肃北县鱼儿红乡牧工商有限公司	62	3618
89	620102224333402	甘肃省信托有限责任公司	62	3598
90	620402712736403	白银鑫源铁合金有限责任公司	62	3544
91	62010462417392X	兰州路博润兰炼添加剂有限公司	62	3529
92	620401712736518	中国移动通信集团甘肃有限公司白银分公司	62	3496
93	620402762364417	甘肃银达化工有限公司	62	3427
94	620101224439397	国电兰州热电有限责任公司	62	3416
95	622624710284634	甘肃省成县天成工贸有限责任公司	62	3382
96	620200720294035	嘉峪关华峰建筑安装工程有限公司	62	3365
97	622301225401294	甘肃省烟草公司武威市公司	62	3323
98	62020077886597X	嘉峪关汇丰工业制品有限责任公司	62	3319
99	622626225771076	大唐碧口水力发电厂	62	3261
100	620105224529093	甘肃蓝科石化高新装备股份有限公司	62	3259

青海省企业纳税百强排行榜

单位：万元

序号	企业代码	企业名称	地区	实纳税额
1	632820710925462	中油天然气股份有限公司青海油田分公司	63	188523
2	63280171055952X	青海盐湖发展有限公司	63	67346
3	630104226581557	青海省电力公司	63	52857
4	630121710495888	青海桥头铝电有限公司	63	50537
5	632823710539334	青海庆华矿冶煤化集团有限公司	63	37262
6	632873710449283	西部矿业股份有限公司	63	30465
7	630121710494041	中国铝业股份有限公司青海分公司	63	24056
8	630105661936228	青海黄河上游水电开发有限责任公司	63	23774
9	630105226593945	西宁特殊钢股份有限公司	63	18175
10	630104226580888	中国烟草总公司青海省公司	63	17167
11	632823710541223	义马煤业集团青海省义海能源有限责任公司	63	17159
12	630105226631876	西宁供电公司	63	16490
13	632802710543421	青海碱业有限公司	63	15203
14	630104710412982	中石油天然气股份有限公司青海销售分公司	63	12525
15	630104710557161	国家开发银行股份有限公司青海省分行	63	11943
16	630103710561689	中国移动通信集团青海有限公司	63	10975
17	632801757449686	青海盐湖元通钾肥有限公司	63	10882
18	632801710529777	青海中信国安科技发展有限公司	63	10308
19	63280171059531X	格尔木藏格钾肥有限公司	63	9809
20	632224710542912912	青海省奥凯煤业集团有限责任公司	63	8099
21	630121710545857	青海华电大通发电有限公司	63	7641
22	632621710525653	青海威斯特铜业有限责任公司	63	7281
23	630105757401789	青海矿冶科技有限责任公司	63	6852
24	630102710401554	青海银行股份有限公司	63	6414
25	630105713577934	黄河上游水电开发有限责任公司	63	6111
26	632801226593742	青海盐湖钾肥股份有限公司	63	5491
27	63320122659012X	青海物通（集团）实业有限公司	63	5435
28	632871710531914	青海省茫崖康泰钾肥开发有限责任公司	63	5336
29	63282178140236X	青海庆华煤化有限责任公司	63	5210
30	630104926581048	中国工商银行股份有限公司青海省分行	63	5066
31	63287371040064X	青海大柴旦矿业有限公司	63	4583
32	632801226589938	青海盐湖工业集团股份有限公司	63	4431
33	630104926582171	中国农业银行青海省分行	63	4364
34	630104781416884	西宁国美电器有限公司	63	4223

续表

序号	企业代码	企业名称	地区	实纳税额
35	632821710405600	青海省盐业股份有限公司	63	3706
36	632801226592723	青海盐湖三元钾肥股份有限公司	63	3615
37	632801661908411	青海柴达木盐湖化工有限公司	63	3561
38	630121226580757	青海煤业集团有限责任公司	63	3550
39	632871710584565	茫崖兴元钾肥有限责任公司	63	3491
40	63010471040697X	西宁中油燃气有限责任公司	63	3455
41	630103226597081	中国农业发展银行青海省分行	63	3441
42	632224710542912	青海省奥凯煤业发展集团有限责任公司	63	3405
43	632126757421245	青海互助青稞酒有限公司	63	3274
44	632801757426871	地矿集团格尔木盐湖资源开发有限公司	63	3021
45	633201661900014	青海黄河水电铝业经贸有限公司	63	2992
46	632223781415662	海晏瑞丰铁合金有限责任公司	63	2959
47	630103926580870	中国建设银行青海省分行营业部	63	2952
48	633201710522452	青海桥铝物贸有限责任公司	63	2948
49	630104710492820	青海路桥建设股份有限公司	63	2927
50	632224710538008	青海省西海煤炭开发有限责任公司	63	2883
51	632801227595790	青海东方优质氯化钾工业实验厂	63	2857
52	632823710564732	青海江仓能源发展有限公司	63	2824
53	632822710446015	青海西旺矿业开发有限公司	63	2806
54	632801227580097	青海瀚海集团有限公司	63	2800
55	633201226884195	青海西部矿业百河铝业有限责任公司	63	2795
56	633201781434898	青海珠峰锌业有限公司	63	2748
57	633201757409342	青海黄河嘉酿啤酒有限公司	63	2716
58	630123710547318	青海华新冶炼有限责任公司	63	2609
59	632801227595344	青海盐湖科技开发有限公司	63	2592
60	630105226580626	青海制药厂有限公司	63	2572
61	632121226800035	海东供电公司	63	2548
62	633201710542971	西宁伟业房地产开发有限公司	63	2540
63	632801710575730	中国移动通信集团青海有限公司格尔木分公司	63	2515
64	632823781432841	青海兴青集团天峻能源有限公司	63	2509
65	630121710411891	青海华鼎重型机床有限责任公司	63	2395
66	632322781407523	青海西部水电有限公司康扬分公司	63	2384
67	632801710402995	青海晶达科技股份有限公司	63	2371
68	630121710404560	青海水泥股份有限公司	63	2353
69	63010422658191X	青海送变电工程公司	63	2342
70	630104926593786	中石油天然气股份公司青海西宁销售分公司	63	2289
71	630102710417417	青海省烟草公司西宁市公司	63	2261

续表

序号	企业代码	企业名称	地区	实纳税额
72	632523757419858	青海省贵强碳化硅集团有限责任公司	63	2214
73	632322710938829	青海大唐国际直岗拉卡水电开发有限公司	63	2200
74	632801781419559	青海柴达木地矿化工有限公司	63	2156
75	630102710511489	中铁二十一局集团第四工程有限公司	63	2114
76	632524710536547	青海赛什塘铜业有限责任公司	63	2069
77	632801781425350	格尔木川蓝钾肥有限公司	63	2064
78	630102710593322	青海省中房银川房地产开发有限责任公司	63	2049
79	630102926580715	中国银行股份有限公司青海省分行	63	2033
80	632801710593517	海西供电公司	63	1956
81	633201781421229	青海百通高纯材料开发有限公司	63	1941
82	632801927582384	中国银行股份有限公司格尔木分行	63	1896
83	633201757420533	黄河电力检修工程有限公司	63	1895
84	630104781446135	中国工商银行西宁中心广场支行	63	1791
85	630104926585217	青海第三路桥建设有限公司	63	1770
86	632322624860017	黄化供电公司	63	1765
87	632127710500333	化隆县先奇铝业有限公司	63	1636
88	630105226743552	青海洁神装备制造集团有限公司	63	1620
89	632822227640328	都兰县多金属矿业有限责任公司	63	1593
90	633201710503913	青海互助青稞酒销售有限公司	63	1556
91	632873927577307	中冶集团华冶资源开发有限公司锡铁山二矿	63	1528
92	63320171056701X	西部矿业股份有限公司锌业分公司	63	1508
93	632873710541223	义海能源有限责任公司大煤沟矿	63	1437
94	633201710552205	中铝青海西部国际贸易有限公司	63	1386
95	630105757419620	黄河电力测试科技工程有限公司	63	1337
96	633201710564460	中国电信股份有限公司青海分公司	63	1313
97	633201757443110	青海宝龙祥煤炭经销有限公司	63	1303
98	632873227577090	青海省格尔木马海农工商有限公司	63	1296
99	63320178141781X	青海维德铜业有限公司	63	1281
100	630103781439787	中国银河证券股份有限公司西宁湟光营业部	63	1261

宁夏回族自治区企业纳税百强排行榜

单位：万元

序号	企业代码	企业名称	地区	实纳税额
1	649602735972927	神华宁夏煤业集团有限责任公司	64	114640
2	640104227680151	宁夏电力公司	64	32592
3	640105227682712	中石油股份公司宁夏炼化公司	64	26542
4	640205710627078	国电宁夏石嘴山发电有限责任公司	64	21358
5	640104227695521	宁夏银行股份有限公司	64	17985
6	640181774928697	华电宁夏灵武发电有限公司	64	17658
7	64038171509328X	青铜峡铝业股份有限公司	64	17283
8	640205750802109	宁夏西部聚氯乙烯有限公司	64	15812
9	640381227693892	宁夏大坝发电有限责任公司	64	15695
10	640104710665816	中国石油天然气股份有限公司宁夏分公司	64	14557
11	649702715050837	银川佳通长城轮胎有限公司	64	13132
12	640302228281814	湖南中烟工业有限责任工业公司吴忠卷烟厂	64	12176
13	649602763215181	宁夏宁鲁煤电有限责任公司	64	11616
14	640381750840439	宁夏加宁铝业有限公司	64	11028
15	640106710610559	宁夏回族自治区烟草公司银川市公司	64	10259
16	640381928313696	青铜峡市供电局	64	10194
17	649602763203586	宁夏发电集团有限责公司马莲台发电厂	64	9525
18	640205788223911	国电石嘴山第一发电有限公司	64	9445
19	640106715099497	国家开发银行股份有限公司宁夏分行	64	9303
20	649702710605290	宁夏小巨人机床有限公司	64	9294
21	649702715050829	银川佳通轮胎有限公司	64	8949
22	640202710682798	宁夏天地奔牛实业集团有限公司	64	8449
23	640381228314719	宁夏金昱元化工集团有限公司	64	8018
24	640521735970542	宁夏中宁发电有限责任公司	64	8013
25	649702715051821	恩德（银川）风电设备制造有限公司	64	7978
26	640502227695003	宁夏美利纸业股份有限公司	64	7703
27	640104227693286	银川新华百货商店股份有限公司	64	7342
28	64020571063346X	宁夏惠冶镁业集团有限公司	64	7248
29	640205927993618	惠农区供电局	64	7116
30	640202227993289	中国国电集团公司大武口发电厂	64	6782
31	649702715076412	宁夏明迈特科工贸有限公司	64	6574
32	640205227693163	宁夏英力特化工股份有限公司	64	6017
33	640205774928275	宁夏电投钢铁有限公司	64	5971
34	640221928161442	石嘴山供电局平罗县供电局	64	5787

续表

序号	企业代码	企业名称	地区	实纳税额
35	640106227681832	宁夏电力公司银川供电局	64	5264
36	640502763207173	宁夏电力公司中卫供电局	64	5264
37	640121750810280	宁夏伊品生物工程股份有限公司	64	4902
38	640302228280643	宁夏回族自治区烟草公司吴忠市公司	64	4754
39	640381715099833	宁夏青铜峡水泥股份有限公司	64	4658
40	640104927846060	中国建设银行股份有限公司银川西城支行	64	4626
41	64020271502310X	宁夏红梁煤业有限责任公司	64	4502
42	649702227689420	宁夏有色金属进出口有限公司	64	4499
43	640104454001235	宁夏路桥工程股份有限公司	64	4443
44	640121710656629	宁夏紫荆花纸业有限公司	64	4398
45	640105227700642	西北轴承股份有限公司	64	4332
46	64970273597229X	银川市长陇石化实业有限公司	64	4201
47	640122715051952	宁夏西夏嘉酿啤酒有限公司	64	4150
48	640425227682333	宁夏王洼煤业有限公司	64	4071
49	640106715050749	拉普斯置业有限公司	64	4018
50	640104227700001	中房集团银川房地产开发有限责任公司	64	3951
51	640205227693649	宁夏金旌矿冶有限公司	64	3860
52	640121774913356	宁夏伊品味精有限公司	64	3769
53	640205750813561	宁夏金盛炼铁有限公司	64	3544
54	640106927682262	中国工商银行宁夏回族自治区分行	64	3403
55	640205735962024	宁夏英力特河滨冶金有限公司	64	3296
56	640181774916987	宁夏石沟驿煤业有限责任公司	64	3275
57	640381X25085223	中国建设银行股份有限公司青铜峡支行	64	3210
58	640381710638850	青铜峡市青鑫炭素有限责任公司	64	3187
59	649702715013278	宁夏英力特房地产开发有限公司	64	3121
60	640202227991371	宁夏回族自治区烟草公司石嘴山市公司	64	2980
61	640221735975204	宁夏大地冶金化工有限公司	64	2932
62	640181228381276	中国建设银行股份有限公司灵武支行	64	2908
63	640104715083794	宁夏亘元房地产开发有限公司	64	2902
64	640104227762050	银川新华百货老大楼有限公司	64	2855
65	640202228070689	石嘴山银行有限公司	64	2812
66	640205774902446	石嘴山市天地泰工贸有限公司	64	2764
67	640205227993254	中国国电集团石嘴山发电厂	64	2723
68	640221228168950	宁夏兴平精细化工股份有限公司	64	2686
69	640302228281734	宁夏银星能源股份有限公司	64	2575
70	64022173595215X	宁夏晟晏煤制品有限公司	64	2573
71	640502227686131	宁夏沙坡头水利枢纽有限责任公司	64	2535

续表

序号	企业代码	企业名称	地区	实纳税额
72	640104227795629	宁夏宝塔石化集团有限公司	64	2485
73	640323750838208	宁夏宁鲁石化有限公司	64	2462
74	640104927682887	中国银行股份有限公司宁夏分行	64	2441
75	649702710604239	宁夏民生房地产开发有限公司	64	2435
76	640501239654706	中国移动通信集团宁夏有限公司中卫分公司	64	2411
77	640106227794300	银川市白云房地产开发有限公司	64	2404
78	640502750828632	宁夏明巨电石有限公司	64	2400
79	640205715091241	宁夏日盛实业有限公司	64	2360
80	649702799927543	宁夏东煌经贸有限公司	64	2325
81	640205227694836	宁夏恒力钢丝绳股份有限公司	64	2313
82	640104227681234	宁夏荣恒房地产集团有限责任公司	64	2241
83	640104227776380	银川新华百货购物中心有限公司	64	2212
84	640104710659985	中国移动通信集团宁夏有限公司银川分公司	64	2209
85	640104227763141	银川众一集团房地产开发有限公司	64	2143
86	640302228283035	宁夏电力公司吴忠供电局	64	2132
87	640205710683870	宁夏博宇特钢集团有限公司	64	2130
88	640104227692152	宁夏商业对外贸易有限公司	64	2125
89	64970271505052X	舍弗勒（宁夏）有限公司	64	2063
90	640104927691935	中国农业发展银行宁夏回族自治区分行	64	2040
91	640106227695054	宁夏正丰房地产开发有限公司	64	2039
92	640106227694166	宁夏回族自治区银川热电有限责任公司	64	2027
93	640323X25125109	宁夏旭源煤炭公司冯记沟煤矿分公司	64	1981
94	64050222834239X	宁夏回族自治区烟草公司中卫市公司	64	1978
95	640202927992818	石嘴山供电局大武口区供电局	64	1964
96	64020222799189X	宁夏三一西北骏马电机制造股份有限公司	64	1948
97	640202927992869	宁夏金贺兰煤业有限责任公司	64	1946
98	640181750808877	西安长庆钻宇实业集团有限公司钻前分公司	64	1943
99	640521763202372	宁夏中宁赛马水泥有限公司	64	1877
100	640521710681170	中央储备粮中宁直属库	64	1877

新疆维吾尔自治区企业纳税百强排行榜

单位：万元

序号	企业代码	企业名称	地区	实纳税额
1	650200715597998	中国石油天然气股份有限公司新疆油田分公司	65	1188673
2	65280071554911X	中国石油天然气股份有限公司塔里木油田分公司	65	1015703
3	650104228931952	新疆西北中石油国际事业有限公司	65	532788
4	652800742248144	中国石油化工股份有限公司西北油田分公司	65	467371
5	652100718901908	中国石油天然气股份有限公司吐哈油田分公司	65	225534
6	650203726984969	中国石油天然气股份有限公司克拉玛依石化分公司	65	102369
7	654003230490439	红云红河烟草集团有限责任公司新疆卷烟厂	65	81108
8	650109718902097	中国石油天然气股份有限公司乌石化分公司	65	78165
9	650106228601101	宝钢集团新疆八一钢铁有限公司	65	65426
10	650104712965011	中国石油天然气股份有限公司西北销售新疆分公司	65	60420
11	650202712998841	中国石油天然气股份有限公司独山子石化分公司	65	56586
12	650102228601208	新疆电力公司	65	53884
13	650106722318862	新疆八一钢铁股份有限公司	65	53231
14	650200228900005	新疆维吾尔自治区石油管理局	65	45012
15	6501042285770X7	乌鲁木齐铁路局	65	40485
16	654023710851117	霍尔果斯中石油国际事业有限公司	65	39833
17	650104299937622	新疆金风科技股份有限公司	65	38842
18	652701787637477	阿拉山口中石油国际事业有限公司	65	38796
19	650103228581569	新疆维吾尔自治区烟草公司	65	38572
20	650203X2600187X	HAFNIUM 有限公司	65	36394
21	650102928598388	中国农业发展银行新疆维吾尔自治区分行	65	35412
22	650200676327257	中国石油集团西部钻探工程有限公司	65	32604
23	654025710858538	新疆伊犁钢铁有限责任公司	65	32008
24	65010271890202X	中国石油天然气股份有限公司新疆销售分公司	65	27314
25	650104228660427	新疆电力公司乌鲁木齐电业局	65	26454
26	654322710872604	富蕴蒙库铁矿有限责任公司	65	21280
27	65432471296908X	新疆阿舍勒铜业股份有限公司	65	19319
28	650102718901684	国家开发银行股份有限公司新疆分行	65	18385
29	650104766815094	中国石油集团西部管道有限责任公司	65	18275
30	654322745206919	新疆金宝矿业有限责任公司	65	17200
31	652100228599064	吐哈石油勘探开发指挥部	65	16944
32	652701742210760	新疆阿拉山口口岸工贸股份有限公司	65	16862
33	652923229751611	中国石油化工股份有限公司塔河分公司	65	16398
34	650102228593068	宏源证券股份有限公司	65	15873

续表

序号	企业代码	企业名称	地区	实纳税额
35	650200722354900	新疆石油工程建设有限责任公司	65	15396
36	652800929478337	塔里木石油勘探开发指挥部第二勘探公司	65	14779
37	650102228728567	新疆华电红雁池发电有限责任公司	65	14149
38	650109228860955	神华新疆能源有限责任公司	65	13866
39	652324229282202	新疆天山电力股份有限公司玛电分公司	65	13713
40	650200928904664	新疆独山子石油化工总厂	65	12751
41	650102625554732	新疆广汇房地产开发有限公司	65	12715
42	650107298980370	新疆焦煤（集团）有限责任公司	65	12556
43	650109757660799	新疆华泰重化工有限责任公司	65	12302
44	652827754585658	新疆金特钢铁股份有限公司	65	11889
45	652701715541310	阿拉山口欣克有限责任公司	65	11779
46	650102928585392	建行股份有限公司新疆分行营业部	65	11701
47	650103731836311	新疆中泰化学股份有限公司	65	10710
48	652122734457616	新疆宝地矿业有限责任公司鄯善分公司	65	10456
49	650102745204008	新疆农垦宏业棉花有限责任公司	65	10286
50	652200299190100	潞安新疆煤化工（集团）有限公司	65	10118
51	654025710892189	新疆伊力特实业股份有限公司	65	9576
52	654322710872049	新疆新鑫矿业股份有限公司喀拉通克铜镍矿	65	9442
53	652926751673660	新疆国际煤焦化有限责任公司	65	9400
54	652801712989339	新疆巴州电力有限责任公司	65	8868
55	659001660622390	石河子开发区天业化工有限责任公司	65	8792
56	652301715530865	中国移动通信集团新疆有限公司昌吉分公司	65	8710
57	650109228601304	中国石油乌鲁木齐石油化工总厂	65	8518
58	652800929471020	塔里木石油勘探开发指挥部第四勘探公司	65	8431
59	65010477605353X	南方航空股份有限公司新疆分公司	65	8312
60	652800929470079	塔里木石油勘探开发指挥部运输公司	65	8296
61	659001770391220	石河子开发区天业热电有限责任公司	65	8167
62	659001798177840	天辰化工有限公司	65	8039
63	650104228601291	新疆众和股份有限公司	65	7906
64	652302929326720	新疆石油管理局准东勘探开发公司	65	7726
65	650102928723492	交通银行股份有限公司新疆区分行	65	7715
66	652302784662597	新疆大黄山鸿基焦化有限责任公司阜康焦化分公司	65	7571
67	652801718901860	新疆博湖苇业股份有限公司	65	7400
68	650200228957036	新疆油田黑油山有限责任公司	65	7358
69	652201726950988	新疆华电哈密发电有限责任公司	65	7199
70	659001718900147	新疆天富热电股份有限公司	65	7051
71	650103228584428	新疆友好（集团）股份有限公司	65	6839

续表

序号	企业代码	企业名称	地区	实纳税额
72	650102228736014	乌鲁木齐市商业银行股份有限公司	65	6750
73	650102228601080	国电新疆红雁池发电有限公司	65	6580
74	653124729185548	中国石油天然气股份公司塔里木油田公司塔西南勘探开发公司	65	6533
75	652800929470175	塔里木石油勘探开发指挥部第一勘探公司	65	6505
76	650202712998630	新疆独山子天利高新技术股份有限公司	65	6426
77	652122754592022	新疆广汇液化天然气鄯善分公司	65	6258
78	652201229134365	新疆大明矿业集团股份有限公司	65	5677
79	653101230001041	新疆疆南电力有限责任公司喀什供电分公司	65	5607
80	654322230962475	富蕴县宏泰选冶有限责任公司	65	5532
81	650103228734617	新疆华源实业（集团）有限公司	65	5523
82	650104228665922	中铁二十一局集团第一工程有限公司	65	5483
83	650104745229766	新疆南方航空进出口贸易有限责任公司	65	5470
84	650105228597579	新疆城建（集团）股份有限公司	65	5448
85	650109722394320	新疆青松水泥有限责任公司	65	5410
86	650104722378224	新疆乌苏啤酒有限责任公司	65	5358
87	650104722324023	新疆亚中物流商务网络有限责任公司	65	5347
88	652800663616789	中国石化集团石油工程西南有限公司巴州分公司	65	5342
89	650104745243699	新疆广汇液化天然气发展有限责任公司	65	5306
90	654028778990471	国电新疆吉林台水电开发有限公司吉林台一级水电站分公司	65	5297
91	652302229321734	新疆大黄山豫新煤业有限责任公司	65	5222
92	650105761141545	中国电信股份有限公司乌鲁木齐分公司	65	5203
93	652201710767345	新疆钢铁雅满苏矿业有限责任公司	65	5200
94	650203228970337	新疆金塔投资（集团）有限公司	65	5168
95	650102228666685	新疆维吾尔自治区烟草公司乌鲁木齐市公司	65	5057
96	652801722329078	国投新疆罗布泊钾盐有限责任公司	65	5006
97	65015274524208X	新疆亚中物流商务网络有限责任公司广汇美居物流园	65	4980
98	650102928594459	中国银行股份有限公司新疆分行	65	4944
99	650203710890730	永升建设集团有限公司	65	4725
100	652301998974860	特变电工股份有限公司新疆变压器厂	65	4707

西藏自治区企业纳税百强排行榜

单位：万元

序号	企业代码	企业名称	地区	实纳税额
1	540100219673218	西藏自治区烟草公司	54	10210
2	540100710909227	中国石油天然气股份有限公司西藏销售公司	54	6431
3	542200710911722	西藏山南江南矿业有限责任公司	54	5622
4	540100219673330	西藏电力有限公司	54	4774
5	542600710910578	西藏奇正藏药股份有限公司	54	3490
6	540100919673446	中国建设银行股份有限公司西藏自治区分行	54	3479
7	542900783508205	西藏继善中和矿业有限公司	54	3454
8	542200741928586	西藏康欣药业有限公司	54	3413
9	540100710916128	西藏高争建材股份有限公司	54	3368
10	542200919674115	西藏矿业发展股份有限公司山南分公司	54	3093
11	542900783504853	拉萨爱施德通信有限公司	54	2922
12	542224741911020	华新水泥（西藏）有限公司	54	2712
13	540100741911266	西藏拉萨啤酒有限公司	54	2604
14	542328783504116	西藏日喀则地区泰盛矿业有限责任公司	54	2506
15	542328783517355	西藏宝翔矿业开发有限公司日喀则分公司	54	2387
16	540100219672637	西藏矿业发展股份有限公司	54	2117
17	540127724901357	西藏中凯矿业股份有限公司	54	1805
18	540100219666974	西藏自治区电力建设总公司	54	1763
19	540100219672901	西藏奇正藏药营销有限公司	54	1731
20	54010071091267X	中国移动通信集团西藏有限公司	54	1718
21	542200710911212	西藏诺迪康医药有限公司	54	1699
22	540100710908435	西藏自治区拉萨电业局	54	1675
23	542200783509785	山南地区鹏程科贸有限公司	54	1615
24	540100710905111	西藏天路股份有限公司	54	1600
25	542422783508483483	西藏中凯矿业股份有限公司那曲嘉黎县分公司	54	1524
26	542621710902877	西藏林芝地区更岗森工联合总厂	54	1385
27	540100219667467	中国石油天然气股份有限公司西藏拉萨销售分公司	54	1379
28	542100741919153	西藏昌都惠恒发展有限公司	54	1293
29	540100219670519	西藏拉萨汽车运输总公司	54	1235
30	540122741934986	西藏冰川矿泉水有限公司	54	1225
31	542300219672354	西藏电力有限公司日喀则公司	54	1136
32	542900783516344	西藏神威药业有限公司	54	1118
33	54010091966526X	中国银行股份有限公司西藏自治区分行	54	1024
34	542129783512044	西藏芒康宏达发展有限责任公司	54	1017

续表

序号	企业代码	企业名称	地区	实纳税额
35	542100741918329	华润雪花啤酒（西藏）有限公司	54	1015
36	54260021966432X	林芝地区东久林场	54	983
37	540100710919783	西藏藏药集团股份有限公司	54	967
38	540127710913381	西藏宝明工贸有限公司	54	905
39	540100219661815	西藏自治区信托投资公司	54	882
40	542300219666261	西藏日喀则地区雪莲工业贸易公司	54	851
41	542625919672064	西藏林芝地区林工商联合公司扎木林厂	54	845
42	540100724904611	中国电信集团公司拉萨分公司	54	838
43	542600219670957	西藏林芝地区林工商联合公司	54	834
44	540100710902885	西藏自治区藏药厂	54	825
45	54220071090731X	西藏电力有限公司山南分公司	54	782
46	540100710907037	中国电信集团公司西藏分公司	54	770
47	54210073554376X	西藏电力有限公司昌都公司	54	734
48	542900219661866	西藏梅邦虫草制品有限公司	54	733
49	54240071091232X	那曲地区烟草公司	54	719
50	542900741927479	西藏泰达厚生经贸有限公司	54	681
51	540100735543057	西藏天昶建设工程有限责任公司	54	681
52	540100919672144	中国人民财产保险股份有限公司西藏自治区分公司	54	677
53	540125919661357	西藏堆龙德庆县东嘎水泥厂	54	666
54	540100741903442	西藏天顺路桥工程有限公司	54	641
55	540100710904653	西藏自治区地质矿产勘查开发局第二地质大队	54	635
56	542400219662930	中国石油天然气股份有限公司西藏那曲销售分公司	54	624
57	542300219666350	中国石油天然气股份有限公司西藏日喀则销售分公司	54	623
58	542231741900655	西藏华钰矿业开发有限公司山南分公司	54	612
59	540127735546856	西藏桑海矿业开发有限公司	54	608
60	542500710904952	西藏阿里地区对外贸易总公司	54	604
61	540100219668646	西藏拉百商贸有限公司	54	597
62	542100710907870	西藏高争集团昌都地区水泥有限责任公司	54	596
63	542600710904645	西藏电力有限公司林芝公司	54	588
64	540124741909588	西藏宝翔矿业有限公司	54	584
65	540100919672937	中国农业银行拉萨市康昂东路支行	54	548
66	540125600064075	大道堂养生制品有限公司	54	524
67	542500710902244	西藏阿里电力公司	54	509
68	542900783501054	西藏川大华西医药科技有限公司	54	503
69	542200710906683	西藏诺迪康药业股份有限公司	54	469
70	542500710905701	西藏阿里华峰矿业公司	54	466
71	542100741924163	西藏玉龙铜业股份有限公司	54	457

续表

序号	企业代码	企业名称	地区	实纳税额
72	540124219672573	西藏金哈达信通水泥有限责任公司	54	453
73	542900783533988	拉萨诚信实业有限公司	54	449
74	54012571091443X	拉萨远大建材有限责任公司	54	447
75	542621710914368	西藏自治区烟草公司林芝地区公司	54	442
76	542300710903642	日喀则地区烟草公司	54	424
77	542900783513901	西藏嘉信景天药业有限公司	54	421
78	54220021966782X	中国石油天然气股份有限公司西藏山南分公司	54	419
79	542300741913069	日喀则地区天龙矿工贸有限公司	54	406
80	542200710900169	西藏山南地区烟草分公司	54	398
81	542200741912146	西藏山南江南科工贸有限责任公司	54	395
82	542900741926994	西藏信得药业有限公司	54	389
83	542900783508360	西藏西玛医药科技有限公司	54	387
84	54220071091160X	西藏金珠雅砻藏药有限责任公司	54	386
85	542600219670869	林芝县林场	54	382
86	54012378352562X	尼木县铜业开发有限责任公司	54	382
87	540100741914803	中国国际航空股份有限公司西藏分公司	54	378
88	542625741911012	西藏林芝地区波密县林厂	54	364
89	542525741904402	西藏阿里聂尔错硼业开发有限公司	54	357
90	540100219667547	拉萨市自来水公司	54	348
91	540125783500473	拉萨市鑫泰工贸有限公司	54	338
92	542600219671052	中国石油天然气股份有限公司西藏林芝销售分公司	54	324
93	540100710915715	西藏天润工程建筑有限公司	54	317
94	542525710918182	阿里金萨矿业开发有限责任公司	54	314
95	540100741921675	华润雪花啤酒（中国）有限公司西藏销售分公司	54	312
96	540100710917796	中国联合网络通信有限公司西藏自治区分公司	54	311
97	542221710912530	西藏山南雅砻水泥有限责任公司	54	306
98	540100219667221	西藏自治区电力物资公司	54	300
99	542621735544404	西藏移动通信有限责任公司林芝分公司	54	298
100	542422741912920920	西藏华夏矿业有限公司	54	297

六、2008年度分行业企业纳税百强排行榜

全国医药制造业纳税百强排行榜

单位：万元

序号	企业代码	企业名称	地区	实纳税额
1	110192600035733	拜耳医药保健有限公司	11	80202
2	610190623100825	西安杨森制药有限公司	61	77140
3	321200728698763	扬子江药业集团有限公司	32	61398
4	330195609136127	杭州赛诺菲安万特民生制药有限公司	33	60818
5	120115600537733	诺和诺德（中国）制药有限公司	12	60293
6	210213604814718	辉瑞制药有限公司	21	46694
7	310115607297170	上海罗氏制药有限公司	31	44808
8	32070570404786X	江苏恒瑞医药股份有限公司	32	43574
9	310112607220034	中美上海施贵宝制药有限公司	31	42339
10	11011460001684X	北京诺华制药有限公司	11	41641
11	330195609132097	杭州默沙东制药有限公司	33	39136
12	12011060055017X	中美天津史克制药有限公司	12	33101
13	320681138835764	东盛科技启东盖天力制药股份有限公司	32	29239
14	320200607912321	华瑞制药有限公司	32	26733
15	53010221652214X	云南白药集团股份有限公司	53	25606
16	320704608395928	江苏豪森药业股份有限公司	32	24122
17	230103828027713	哈药集团制药总厂	23	23461
18	12011323944464X	天津天士力制药股份有限公司	12	23307
19	350205791277160	锐珂（厦门）医疗器材有限公司	35	23189
20	320200607915071	阿斯利康制药有限公司	32	22294
21	230198128173269	哈药集团三精制药股份有限公司	23	21094
22	230198127044967	哈药集团制药六厂	23	20755
23	371302756399007	鲁南贝特制药有限公司	37	20506
24	130102601000356	河北维尔康制药有限公司	13	18552
25	370112614073351	齐鲁制药有限公司	37	18014
26	320500608287425	惠氏制药有限公司	32	17969
27	330195609120774	杭州中美华东制药有限公司	33	17860
28	440301618914306	深圳赛诺菲巴斯德生物制品有限公司	44	17845
29	321700608207421	葛兰素史克制药（苏州）有限公司	32	17794

续表

序号	企业代码	企业名称	地区	实纳税额
30	110192600031468	北京泰德制药有限公司	11	17159
31	450300198888809	桂林三金药业股份有限公司	45	17049
32	210114604613895	安斯泰来制药（中国）有限公司	21	17024
33	321700608205450	卫材（中国）药业有限公司	32	16486
34	330195609120766	正大青春宝药业有限公司	33	16424
35	520103214433290	贵州益佰制药股份有限公司	52	15999
36	320705608398264	江苏正大天晴药业股份有限公司	32	15347
37	110105633796475	北京双鹤药业股份有限公司	11	15245
38	310115607337208	上海葛兰素史克生物制品有限公司	31	15127
39	440301710924590	三九医药股份有限公司	44	14935
40	210114117977093	东北制药总厂	21	14926
41	440111190479760	广州王老吉药业股份有限公司	44	14278
42	110105600056278	北京费森尤斯卡比医药有限公司	11	14228
43	32170060823522X	礼来苏州制药有限公司	32	13976
44	372525168130028	山东东阿阿胶股份有限公司	37	13304
45	320705138997640	江苏康缘药业股份有限公司	32	13264
46	13011123565800X	石家庄以岭药业股份有限公司	13	13002
47	120115600538920	诺维信（中国）生物技术有限公司	12	12724
48	372901734725174	菏泽步长制药有限公司	37	12191
49	321200703973749	扬子江药业集团江苏制药股份有限公司	32	12024
50	330191143068555	杭州民生药业集团有限公司	33	11645
51	120111103069502	天津力生制药股份有限公司	12	11359
52	442000618120303	曼秀雷敦（中国）药业有公司	44	11144
53	51011420260067X	四川科伦药业股份有限公司	51	11056
54	331002704676287	浙江海正药业股份有限公司	33	11004
55	310228607336328	上海百特医疗用品有限公司	31	10997
56	130211601054717	太阳石（唐山）药业有限公司	13	10953
57	120115722982747	施维雅（天津）制药有限公司	12	10705
58	321283141179315	江苏济川制药有限公司	32	10573
59	620101224348348	兰州生物制品研究所	62	10348
60	610490623231518	咸阳步长制药有限公司	61	10346
61	510115620854656	四川维奥制药有限公司	51	10198
62	440111714253245	广州白云山制药股份有限公司广州白云山制药总厂	44	10099
63	370212163567984	青岛黄海制药有限责任公司	37	9947
64	120115600891249	葛兰素史克（天津）有限公司	12	9941
65	120111600550022	中国大冢制药有限公司	12	9934
66	130124757518418	神威药业有限公司	13	9781

续表

序号	企业代码	企业名称	地区	实纳税额
67	500102208500610	太极集团重庆涪陵制药厂有限公司	50	9619
68	320400608126461	常州四药制药有限公司	32	9473
69	310112607337064	上海强生制药有限公司	31	9418
70	371311265870503	山东罗欣药业股份有限公司	37	9334
71	440103190459794	广州中一药业有限公司	44	9035
72	440111773303038	广州白云山和记黄埔中药有限公司	44	8980
73	310107607283043	上海先灵葆雅制药有限公司	31	8898
74	420115755124060	武汉生物制品研究所黄金桥分所	42	8688
75	430202184298947	株洲千金药业股份有限公司	43	8676
76	321700608205645	苏州百特医疗用品有限公司	32	8672
77	371002726685299	山东威高集团医用高分子制品股份有限公司	37	8634
78	110105101771031	爱尔康（中国）眼科产品有限公司	11	8615
79	430105712191079	九芝堂股份有限公司	43	8485
80	130111601002132	石药集团维生药业（石家庄）有限公司	13	8460
81	222403732565090	吉林敖东延边药业股份有限公司	22	8323
82	110192722600841	北京同仁堂科技发展股份有限公司	11	8308
83	220502244585084	修正药业集团股份有限公司	22	8302
84	110106801100028	北京同仁堂科技发展股份有限公司制药厂	11	8209
85	445281231131526	康美药业股份有限公司	44	8151
86	131082757518688	河北神威药业有限公司	13	8078
87	340222149747030	安徽双鹤药业有限责任公司	34	8008
88	610190710172659	西安利君制药有限责任公司	61	7962
89	110222600048921	北京韩美药品有限公司	11	7934
90	220105735930540	吉林省吴太感康药业有限公司	22	7863
91	210114242656694	东北制药集团公司沈阳第一制药厂	21	7803
92	370112614070556	山东博士伦福瑞达制药有限公司	37	7752
93	130811700684693	承德颈复康药业集团有限公司	13	7735
94	371082613772986	山东达因海洋生物制药股份有限公司	37	7715
95	320102249794475	金陵药业股份有限公司	32	7678
96	460100201357380	先声药业有限公司	46	7504
97	310226631291406	上海雷允上药业有限公司	31	7378
98	440101618419364	广州百特医疗用品有限公司	44	7325
99	11010671092358X	中牧实业股份有限公司	11	7213
100	320300136384672	江苏恩华药业股份有限公司	32	7095

全国银行业纳税百强排行榜

单位：万元

序号	企业代码	企业名称	地区	实纳税额
1	110102100003962	中国工商银行股份有限公司	11	4229629
2	110108100005474	中国农业银行	11	2853104
3	110102100001342	中国银行股份有限公司	11	2209954
4	110102000018454	国家开发银行	11	1661641
5	44030110001686X	招商银行股份有限公司	44	972803
6	350100158142711	兴业银行股份有限公司	35	459351
7	110102100004447	中国建设银行股份有限公司	11	450200
8	31004313221158X	上海浦东发展银行股份有限公司	31	404583
9	110101100018988	中国民生银行股份有限公司	11	396622
10	110104101174712	北京银行股份有限公司	11	266673
11	440301192185379	深圳发展银行	44	237558
12	610802016082725	中国农业银行榆林分行	61	210332
13	440300455744938	中国工商银行股份有限公司深圳市分行	44	200265
14	310043132257510	上海银行股份有限公司	31	193978
15	350102858144646	中国农业银行福建省分行	35	150970
16	110102801380971000	国家开发银行北京市分行	11	145820
17	11010210112001X	华夏银行股份有限公司	11	118400
18	110102101135684	交通银行股份有限公司北京市分行	11	103505
19	110108801977962	中国民生银行股份有限公司总行营业部	11	100636
20	310043132204400	中国建设银行股份有限公司上海市分行	31	97740
21	500904902887456001	中国工商银行重庆市分行	50	97056
22	440101190336428	广东省发展银行股份有限公司	44	94190
23	430102883761611	中国工商银行股份有限公司湖南省分行	43	93331
24	110108100016448	中国进出口银行	11	92780
25	340103148974661	徽商银行股份有限公司	34	92286
26	310043132202528	中国农业银行上海市分行	31	88419
27	420106877596808	国家开发银行湖北省分行	42	86284
28	11010271093465X	中国邮政储蓄银行有限责任公司	11	85276
29	110102100017045	中国农业发展银行	11	84291
30	370102863047816	国家开发银行山东省分行	37	75713
31	140106810015183	中国建设银行股份有限公司山西省分行	14	73306
32	31004313220454X	中国银行股份有限公司上海市分行	31	72939
33	110102801124011	中信银行股份有限公司总行营业部	11	72321
34	440300192365580	平安银行股份有限公司（平安银行）	44	65723

续表

序号	企业代码	企业名称	地区	实纳税额
35	440301455766379	中国建设银行股份有限公司深圳市分行	44	60085
36	310043832211775	招商银行股份有限公司上海分行	31	60081
37	440300445769023	中国银行股份有限公司深圳市分行	44	60076
38	440100890328787	中国银行股份有限公司广东省分行	44	58891
39	500904902887456	中国工商银行股份有限公司重庆市分行	50	57439
40	141002113126734	临汾市尧都区屯里农村信用合作社	14	56433
41	310043798961993	渣打银行（中国）有限公司	31	55907
42	330194253924826	杭州银行股份有限公司	33	55259
43	450100711428783	国家开发银行广西壮族自治区分行	45	55126
44	420103877715264	中国工商银行股份有限公司湖北分行营业部	42	54243
45	340103848942433	中国银行股份有限公司安徽省分行	34	49825
46	320103249682756	南京银行股份有限公司	32	49694
47	310043664339541	三菱东京日联银行（中国）有限公司	31	49621
48	440300455769852	交通银行股份有限公司深圳分行	44	47536
49	350590856105555	中国建设银行股份有限公司泉州分行	35	47055
50	150102701466583	国家开发银行股份有限公司内蒙古分行	15	46302
51	110103101506051	中国农业银行股份有限公司北京市分行	11	46152
52	310043X07204428	汇丰银行（中国）有限公司上海分行	31	45942
53	530103622600772	中国农业银行云南省分行	53	45843
54	310043132207804	交通银行股份有限公司上海市分行	31	44501
55	230102127592111	哈尔滨银行股份有限公司	23	44386
56	110102801124847	北京农村商业银行股份有限公司	11	44136
57	110102801107430	中国工商银行股份有限公司北京长安支行	11	43949
58	410105869971268	中国农业发展银行河南省分行	41	43777
59	510105990720292	国家开发银行股份有限公司四川省分行	51	42169
60	440300192227030	深圳农村商业银行股份有限公司（深圳农村商业银行）	44	42082
61	420106931251983	中国农业银行湖北省分行	42	41761
62	410104971859950	交通银行股份有限公司河南省分行	41	41753
63	420103714672941	中国建设银行股份有限公司湖北省分行	42	41495
64	350102705101397	国家开发银行股份有限公司福建省分行	35	41479
65	420103877585797	招商银行股份有限公司武汉分行	42	40677
66	320006834791179	招商银行股份有限公司南京分行	32	38603
67	11010280137896X	中国工商银行股份有限公司北京新街口支行	11	38350
68	440300892351059	中国民生银行股份有限公司深圳分行	44	37735
69	110102801120096	中国农业发展银行总行营业部	11	37323
70	110102733466748	华夏银行股份有限公司北京分行	11	37223
71	310043798981134	花旗银行（中国）有限公司	31	35972

续表

序号	企业代码	企业名称	地区	实纳税额
72	650102928598388	中国农业发展银行新疆维吾尔自治区分行	65	35412
73	110102801949566	中国建设银行股份有限公司总行营业部	11	35408
74	140106810015810	中国工商银行股份有限公司山西省分行	14	34498
75	440300G34777439	中国农业银行股份有限公司深圳市分行	44	34064
76	320105834753463	中信银行股份有限公司南京分行	32	33799
77	330000842910094	中国银行股份有限公司浙江省分行	33	33550
78	530102622600270	中国工商银行股份有限公司云南省分行	53	33299
79	44030078278219X	招商银行股份有限公司深圳分行	44	33193
80	61009092052005X	中国工商银行股份有限公司陕西省分行	61	33172
81	310043798980801	汇丰银行（中国）有限公司	31	33009
82	310043832220719	兴业银行股份有限公司上海分行	31	32827
83	500103902819736	中国建设银行股份有限公司重庆市分行	50	32589
84	610090294468046	西安市商业银行股份有限公司	61	32199
85	430102883842091	中国工商银行股份有限公司省分行营业部	43	32165
86	310043832246986	中国民生银行上海分行	31	32153
87	310043607216756	法国巴黎银行（中国）有限公司	31	31907
88	350590856105440	中国工商银行股份有限公司泉州分行	35	31803
89	210102817561582	中国建设银行股份有限公司辽宁省分行	21	31275
90	441900782985974	东莞市农村信用合作联社	44	31247
91	310043798999780	东亚银行（中国）有限公司	31	30916
92	441900707688371	东莞银行股份有限公司	44	30897
93	310043779347314	上海农村商业银行股份有限公司	31	30836
94	510105633142770	成都银行股份有限公司	51	30474
95	320582842111495	中国农业银行张家港市支行	32	30242
96	120114803060859	国家开发银行天津市分行	12	30172
97	441302456660517	中国建设银行股份有限公司惠州市分行	44	29865
98	150102814110524	中国建设银行股份有限公司内蒙古分行	15	29433
99	110102801105478	招商银行股份有限公司北京分行	11	28935
100	15010362640500X	中国工商银行股份有限公司内蒙古分行	15	28577

全国卷烟制造业纳税百强排行榜

单位：万元

序号	企业代码	企业名称	地区	实纳税额
1	430102740640740	湖南中烟工业有限责任公司	43	2533453
2	310043132200434	上海烟草（集团）公司	31	2069451
3	53040121766326X	红塔烟草（集团）有限责任公司	53	2040335
4	530102781651462	红云烟草（集团）有限责任公司	53	1891234
5	330194142916794	浙江中烟工业有限责任公司	33	1445180
6	420104757009410	湖北中烟工业有限责任公司	42	1312584
7	41010575714492X	河南中烟工业公司	41	1115979
8	340104148944251	安徽中烟工业公司	34	925712
9	520100214412588	贵州中烟工业有限责任公司	52	907971
10	370112759162101	山东中烟工业公司	37	840090
11	440103190329746	广东中烟工业有限责任公司	44	662894
12	320102134876825	江苏中烟工业公司南京卷烟厂	32	646814
13	320300136388104	江苏中烟工业公司徐州卷烟厂	32	630149
14	532526217870138	红河烟草（集团）有限责任公司	53	564970
15	510112793957784	四川烟草工业有限责任公司	51	532347
16	350802157821405	龙岩烟草工业有限责任公司	35	469912
17	610198220562750	陕西中烟工业公司	61	469906
18	450100198222644	广西中烟工业有限责任公司	45	461420
19	360101767016649	江西中烟工业公司	36	420332
20	320800139434583	江苏中烟工业公司淮阴卷烟厂	32	370766
21	350204155016357	厦门烟草工业有限责任公司	35	352922
22	441401196271995	广东中烟工业有限责任公司梅州卷烟厂	44	337185
23	370212794031617	山东中烟工业公司青岛卷烟厂	37	326551
24	222401795219048	吉林烟草工业有限责任公司	22	318203
25	620101224434895	甘肃烟草工业有限责任公司	62	292052
26	530601216970591	红河烟草（集团）有限责任公司昭通卷烟厂	53	244189
27	130702106158578	张家口卷烟厂有限责任公司	13	225938
28	230103127050339	黑龙江烟草工业有限责任公司	23	222906
29	440203191526821	广东中烟工业有限责任公司韶关卷烟厂	44	177814
30	150104114155211	内蒙古昆明卷烟有限责任公司	15	169406
31	110112101100772	北京卷烟厂	11	163395
32	130104784057215	河北白沙烟草有限责任公司	13	162096
33	440301192199332	深圳烟草工业有限责任公司	44	154683
34	320102134764540	江苏中烟工业公司	32	146924

续表

序号	企业代码	企业名称	地区	实纳税额
35	370781795333617	山东中烟工业公司青州卷烟厂	37	133968
36	210802121122004	红塔辽宁烟草有限责任公司营口卷烟厂	21	128271
37	500102711619686	重庆烟草工业有限责任公司涪陵卷烟厂	50	117361
38	500114711640768	重庆烟草工业有限责任公司黔江分厂	50	109707
39	14011611007158X	山西昆明烟草有限责任公司	14	106341
40	500108203155686	重庆烟草工业有限责任公司重庆卷烟厂	50	101503
41	120110767648013	上海烟草（集团）公司天津卷烟厂	12	92043
42	654003230490439	红云红河烟草（集团）有限责任公司新疆卷烟厂	65	81108
43	210102755522149	红塔辽宁烟草有限责任公司沈阳卷烟厂	21	79194
44	130604105947209	石家庄卷烟厂保定卷烟分厂	13	72494
45	440801770180773	广东中烟工业有限责任公司湛江卷烟厂	44	65501
46	370481169896877	山东中烟工业公司滕州卷烟厂	37	62706
47	152201115611784	红云红河烟草（集团）有限责任公司乌兰浩特卷烟厂	15	54204
48	460100735841214	海南红塔卷烟有限责任公司	46	49277
49	361122796959291	江西中烟工业公司广丰卷烟厂	36	34261
50	220303753632424	湖南中烟工业有限责任公司四平卷烟厂	22	34100
51	640302228281814	湖南中烟工业有限责任公司吴忠卷烟厂	64	12176
52	210102755786419	红塔辽宁烟草有限责任公司	21	234

注：根据财政部、国家税务总局2008年度全国企业税收调查资料，全国卷烟制造业纳税排行仅至52位。

全国石油及制品批发业纳税百强排行榜

单位：万元

序号	企业代码	企业名称	地区	实纳税额
1	650104228931952	新疆西北中石油国际事业有限公司	65	532788
2	440401105377277	中油燃料油股份有限公司	44	385074
3	440100795524886	中国石化销售有限公司华南分公司	44	342437
4	310043744912184	中国石化销售有限公司华东分公司	31	340867
5	370211747204554	青岛益佳海业贸易有限公司	37	166690
6	420103744618954	中国石化销售有限公司华中分公司	42	137095
7	110102100003102	中国石化销售有限公司	11	136502
8	120114749125091	中国石化销售有限公司华北分公司	12	121941
9	210105716408175	中油辽宁销售分公司	21	116276
10	330000720083254	中国石油化工股份有限公司浙江石油分公司	33	114578
11	350100717868448	中石化森美（福建）石油有限公司	35	94247
12	15210276105971X	满洲里中石油国际事业有限公司	15	92107
13	440682738591185	广东省石油企业集团南方石油化工有限公司	44	85837
14	440103722457168	中国石油化工股份有限公司广东石油分公司	44	80664
15	150102701467412	中国石油天然气股份有限公司内蒙古销售分公司	15	66582
16	32010672057933X	中国石油化工股份有限公司江苏石油分公司	32	66340
17	370522771049849	山东国能石化进出口有限公司	37	65039
18	650104712965011	中国石油天然气股份有限公司西北销售新疆分公司	65	60420
19	310228132206027	中国金山联合贸易有限责任公司	31	59569
20	440106762916947	中国石油天然气股份有限公司华南销售分公司	44	58737
21	110102100012666	中国联合石油有限责任公司	11	57618
22	110105100000905	中国船舶燃料有限责任公司	11	56210
23	110105710934860	中国石化集团石油商业储备有限公司	11	54765
24	440102231228758	广州市华泰兴石油化工有限公司	44	53998
25	440101617405702	广东南华石油有限公司	44	53577
26	31004683221508X	中国航空油料有限责任公司上海分公司	31	48536
27	230102702852099	中国石油天然气股份有限公司黑龙江销售分公司	23	44666
28	654023710851117	霍尔果斯中石油国际事业有限公司	65	39833
29	440301708596778	中国石油化工股份有限公司深圳石油分公司	44	39659
30	652701787637477	阿拉山口中石油国际事业有限公司	65	38796
31	420104722002083	中国石油化工股份有限公司湖北石油分公司	42	38331
32	530103719408277	中国石油化工股份有限公司云南石油分公司	53	37893
33	210202716951354	中国石油天然气股份有限公司大连销售分公司	21	34353
34	340111711777123	中国石油化工股份有限公司安徽石油分公司	34	33757

续表

序号	企业代码	企业名称	地区	实纳税额
35	110102801388295	中国石油天然气股份有限公司华北天然气销售分公司	11	32950
36	610198713595630	中国石油天然气股份有限公司陕西销售分公司	61	31614
37	110102710929404	中国石油国际事业有限公司	11	28939
38	11010510169286X	中国石油化工集团公司	11	28302
39	440101617425586	华南蓝天航空油料有限公司	44	28183
40	130106723388547	中国石油化工股份有限公司河北石油分公司	13	27609
41	65010271890202X	中国石油天然气股份有限公司新疆销售分公司	65	27314
42	140116715997051	中国石油化工股份有限公司山西石油分公司	14	27127
43	42011174460435X	中国石油天然气股份有限公司湖北销售分公司	42	26198
44	500103902800832	中国石油天然气股份有限公司重庆销售分公司	50	26169
45	361101705558047	中国石油化工股份有限公司江西上饶石油分公司	36	25648
46	420111760686164	中国石油天然气股份有限公司华中销售分公司	42	25468
47	110102100000411	中国中化集团公司	11	24343
48	110105625911998	壳牌（中国）有限公司	11	23706
49	220104702333395	中国石油天然气股份有限公司吉林销售分公司	22	21612
50	620102712757642	中国石油天然气股份有限公司甘肃销售分公司	62	20648
51	440301715248173	深圳市中油通达石油有限公司	44	20008
52	37010272328617X	中国石油化工股份有限公司山东石油分公司	37	19041
53	410105719178475	中国石油化工股份有限公司河南石油分公司	41	18677
54	330322704346771	浙江中油华电能源有限公司	33	17923
55	430105717050312	中国石油化工股份有限公司湖南石油分公司	43	17802
56	360101705516816	中国石油化工股份有限公司江西石油分公司	36	17689
57	120118101765977	中海油气开发利用公司	12	17683
58	210103715742139	中国石油东北销售分公司	21	16723
59	370102267143959	山东蓝天化工贸易有限公司	37	15361
60	619000741280740	中国石化销售有限公司西北分公司	61	15201
61	640104710665816	中国石油天然气股份有限公司宁夏分公司	64	14557
62	210302725501216	中国石油辽宁鞍山销售分公司	21	13409
63	310115607375538	埃克森美孚化工商务（上海）有限公司	31	13178
64	370284756943797	山东石大科技有限公司青岛分公司	37	12722
65	630104710412982	中国石油天然气股份有限公司青海销售分公司	63	12525
66	450100711494908	中国石油天然气股份有限公司广西销售分公司	45	12431
67	410102719174482	中国石油天然气股份有限公司河南销售分公司	41	12415
68	310104607357460	埃克森美孚（中国）投资有限公司	31	12329
69	420102100024632	中石化长江燃料有限公司	42	12125
70	440701766562381	中油碧辟石油有限公司	44	11749
71	370322167251696	胜利油田高青石油开发有限责任公司	37	11662

续表

序号	企业代码	企业名称	地区	实纳税额
72	430105743171505	中国石油天然气股份有限公司湖南销售分公司	43	11188
73	520100714307389	中国石油化工股份有限公司贵州石油分公司	52	11070
74	210103001603903	中国石油天然气股份有限公司辽宁沈阳销售分公司	21	10803
75	310115703292257	上海南光石化有限公司	31	10687
76	210213792032229	大连保税区海悦国际贸易有限公司	21	10639
77	440601724779144	中国石油化工股份有限公司广东佛山石油分公司	44	10440
78	440106736158804	广东振戎能源有限公司	44	10425
79	310115834577308	中国石油天然气股份有限公司华东化工销售分公司	31	9929
80	23019874441664X	中油黑龙江农垦石油有限公司	23	9527
81	350502662837379	中石化森美（福建）石油有限公司泉州分公司	35	9301
82	460100713864511	中国石油化工股份有限公司海南石油分公司	46	9010
83	620101719034551	中国石油天然气股份有限公司西北销售兰州分公司	62	8612
84	610104920523517	中国航空油料有限责任公司西安分公司	61	8566
85	330000722781742	中国石油化工股份有限公司浙江杭州石油分公司	33	8401
86	441900737553398	中石化广东东莞石油分公司	44	8150
87	440101712401814	中石化中海船舶燃料供应有限公司	44	8086
88	350102717324950	中国石油化工股份有限公司福建石油分公司	35	8069
89	622101719037517	中石油有限公司西北销售玉门分公司	62	7919
90	310043765998968	中国石油化工股份有限公司上海沥青销售分公司	31	7870
91	220204724872285	中国石油有限公司东北销售吉林分公司	22	7863
92	230403129101347	中国石油天然气股份有限公司鹤岗销售分公司	23	7832
93	460100721225584	海南中通化工进出口有限公司	46	7770
94	360701705714329	中国石油化工股份有限公司江西赣州石油分公司	36	7662
95	210411725504361	中国石油天然气股份有限公司东北销售抚顺分公司	21	7132
96	411000721835278	中石化股份有限公司河南许昌石油分公司	41	7079
97	230603725318091	中国石油天然气股份有限公司东北销售大庆分公司	23	7034
98	620104720270893	中国石油管道涩宁兰销售分公司	62	6897
99	330201720469691	中石化股份有限公司浙江宁波石油分公司	33	6745
100	370203724001244	中国石化股份有限公司山东青岛石油分公司	37	6672

全国石油和天然气开采业纳税百强排行榜

单位：万元

序号	企业代码	企业名称	地区	实纳税额
1	230690716675409	大庆油田有限责任公司	23	4229138
2	370502723856718	中国石油化工股份有限公司胜利油田分公司	37	2691386
3	120118712824649	中海石油（中国）有限公司	12	1728116
4	650200715597998	中国石油天然气股份有限公司新疆油田分公司	65	1188673
5	65280071554911X	中国石油天然气股份有限公司塔里木油田分公司	65	1015703
6	619000713594558	中国石油天然气股份有限公司长庆油田分公司	61	935801
7	22079171717338X	中国石油天然气股份有限公司吉林油田分公司	22	546973
8	652800742248144	中国石油化工股份有限公司西北油田分公司	65	467371
9	130982721634003	中国石油天然气股份有限公司华北油田分公司	13	417748
10	211103716484362	中国石油辽河油田分公司	21	340174
11	120114718258908	中国石油股份有限公司大港油田分公司	12	330139
12	120118718249438	中海石油（中国）有限公司天津分公司	12	314442
13	410902719176285	中国石油化工股份有限公司中原油田分公司	41	232501
14	652100718901908	中国石油天然气股份有限公司吐哈油田分公司	65	225534
15	632820710925462	中国石油天然气股份有限公司青海油田分公司	63	188523
16	440301708594625	中海石油（中国）有限公司深圳分公司	44	177714
17	32100172059808X	中国石油化工股份有限公司江苏油田分公司	32	157184
18	230690129310130	大庆石油管理局	23	150193
19	370502164721269	中国石化集团胜利石油管理局	37	144246
20	411300719176832	中国石油化工股份有限公司河南油田分公司	41	139582
21	610690783684735	延长油田股份有限公司	61	115775
22	130203721614029	中国石油天然气股份有限公司冀东油田分公司	13	111629
23	440801707913938	中海石油（中国）有限公司湛江分公司	44	98397
24	429005735209235	中国石油化工股份有限公司江汉油田公司	42	88771
25	410902169954862	中国石化集团中原石油勘探局（中原油田）	41	86975
26	510108675795796	中国石油集团川庆钻探工程有限公司	51	84692
27	211103122565835	辽河石油勘探局	21	78445
28	610626223720646	延长油田股份有限公司吴起采油厂	61	69772
29	610625223690125	延长油田股份有限公司永宁采油厂	61	57155
30	230621733649747	大庆模范屯油田有限责任公司	23	50825
31	61900071009796X	长庆石油勘探局	61	50406
32	152502701479077	中国石油华北油田公司二连分公司	15	47694
33	152101701354995	大庆油田有限责任公司呼伦贝尔分公司	15	45627
34	230622126976818	大庆头台油田开发有限责任公司	23	45313

续表

序号	企业代码	企业名称	地区	实纳税额
35	650200228900005	新疆维吾尔自治区石油管理局	65	45012
36	152528664091478	镶黄旗鑫垠能源技术开发有限公司	15	44838
37	372523873954006	中石化中原油田分公司采油三厂	37	42893
38	12011871092921X	中海油田服务股份有限公司	12	42724
39	130681710926983	中国石油集团东方地球物理勘探有限责任公司	13	41647
40	440300X26002020	丹文能源中国有限公司	44	40692
41	231282126979349349	大庆榆树林油田开发有限责任公司	23	38989
42	610825224120933	陕西延长油田股份有限公司定边采油厂	61	37719
43	622101712722124	中国石油玉门油田分公司	62	37075
44	650203X2600187X	HAFNIUM 有限公司	65	36394
45	211103X26002418	BECKBURY 国际有限公司	21	35928
46	440801X26002370	哈斯基石油中国有限公司	44	35506
47	231281702811174	安达市庆新油田开发有限责任公司	23	35370
48	610602223531132	延长油田股份有限公司南泥湾采油厂	61	34391
49	110105678200786	中国石油集团长城钻探工程有限公司	11	32607
50	650200676327257	中国石油集团西部钻探工程有限公司	65	32604
51	220791710932072	MI 能源公司	22	31015
52	130982104322397	华北石油管理局	13	30817
53	310046132215329	上海石油天然气有限公司	31	29133
54	610624223660380	延长油田股份有限公司杏子川钻采公司	61	27846
55	231281739693087	大庆油田有限责任公司安达分公司	23	26106
56	230624726898390	大庆杜尔伯特龙虎泡油田有限责任公司	23	25920
57	610824748626505	延长油田股份有限公司靖边采油厂	61	25736
58	220791244433152	吉林石油集团有限责任公司	22	25664
59	370521164735433	胜利油田鲁胜石油开发有限责任公司	37	25278
60	120118722950227	海洋石油工程股份有限公司	12	24564
61	120118100023285	中国石油天然气勘探开发公司	12	23710
62	321001134753374	中国石化集团江苏石油勘探局	32	22655
63	510108765397812	四川石油管理局川西钻探公司	51	22426
64	120114103060065	大港油田集团有限责任公司	12	21116
65	440801618905012	BP（中国）勘探及生产公司	44	18725
66	652100228599064	吐哈石油勘探开发指挥部	65	16944
67	372324726717289	东胜精攻无棣石油开发有限责任公司	37	16401
68	46902372129781X	海南福山油田勘探开发有限责任公司	46	16343
69	650200722354900	新疆石油工程建设有限责任公司	65	15396
70	610623223630755	延长油田股份有限公司瓦窑堡采油厂	61	15344
71	220702123980600	吉林石油天然气开发有限责任公司	22	15120

续表

序号	企业代码	企业名称	地区	实纳税额
72	652800929478337	塔里木石油勘探开发指挥部第二勘探公司	65	14779
73	610627223750490	延长油矿股份有限公司下寺湾采油厂	61	13861
74	411300169951928	中国石化集团河南石油勘探局	41	13801
75	11019271093297X	中国石油集团海洋工程有限公司	11	13493
76	650200928904664	新疆独山子石油化工总厂	65	12751
77	370523763674812	胜利石油管理局石油开发中心胜科管理区	37	12683
78	610621223570297	延长油田股份有限公司王家川采油厂	61	11743
79	370502748975203	中国石化集团胜利石油管理局石油开发中心	37	10548
80	130982740186824	河北华北石油工程建设有限公司	13	10485
81	372930719176285	中国石化公司中原油田分公司	37	10000
82	231282766046352	大庆油田有限责任公司肇东分公司	23	8994
83	370502864731134	中国石油化工股份有限公司胜利油田分公司油气集输总厂	37	8941
84	220104123998499	中国石油天然气股份有限公司吉林长春销售分公司	22	8711
85	652800929471020	塔里木石油勘探开发指挥部第四勘探公司	65	8431
86	652800929470079	塔里木石油勘探开发指挥部运输公司	65	8296
87	230621710931950	中亚石油有限公司	23	8117
88	230621710925462	大庆油田公司州十三合作区块管理部	23	7901
89	372301166902282	滨南石油开发有限公司	37	7780
90	652302929326720	新疆石油管理局准东勘探开发公司	65	7726
91	650200228957036	新疆油田黑油山有限责任公司	65	7358
92	230622725347802	大庆肇源新肇油田有限责任公司	23	7211
93	370502164740195	胜利油田牛庄石油开发有限责任公司	37	6913
94	619000726264056	西安长庆科技工程有限公司	61	6878
95	610624709915902	陕西省长乐石化有限公司	61	6775
96	320111134766132	华扬石油天然气勘探开发总公司	32	6577
97	653124729185548	中国石油天然气股份公司塔里木油田公司塔西南勘探开发公司	65	6533
98	652800929470175	塔里木石油勘探开发指挥部第一勘探公司	65	6505
99	372325167113015	胜利油田东胜精攻沾化石油开发有限公司	37	6484
100	230622739655865	肇源县兴源油田开发有限责任公司	23	6475

全国石油加工炼焦及核燃料加工业纳税百强排行榜

单位：万元

序号	企业代码	企业名称	地区	实纳税额
1	330201793017426	中国石油化工股份有限公司镇海炼化分公司	33	1679786
2	440901722484553	中国石油化工股份有限公司茂名分公司	44	1197013
3	210211716947734	中国石油天然气股份有限公司大连石化分公司	21	934397
4	610690220568570	陕西延长石油（集团）有限责任公司	61	594977
5	210213604821942	大连西太平洋石油化工有限公司	21	503123
6	310043834486537	中国石油化工股份有限公司上海高桥分公司	31	486187
7	310043132212291	中国石化上海石油化工股份有限公司	31	444097
8	440801617797099	中国石化湛江东兴石油化工有限公司	44	387494
9	120114722958405	中国石油化工股份有限公司天津分公司	12	366373
10	372301706208970	中海沥青股份有限公司	37	159999
11	430603661699146	中国石化集团资产经营管理有限公司巴陵石化分公司	43	156534
12	110191802763501	中国石油化工股份有限公司北京燕山分公司	11	154952
13	130182670310403	中国石化石家庄炼油化工股份有限公司	13	153222
14	320102721730177	中国石油化工股份有限公司金陵分公司	32	142866
15	330206734245293	中海石油宁波大榭石化有限公司	33	134526
16	210702716459108	中国石油天然气股份有限公司锦州石化分公司	21	128981
17	610824783669017	延长石油（集团）榆林核算部	61	122073
18	21040271960098X	中国石油天然气股份有限公司抚顺石化分公司	21	121815
19	440112721928327	中国石油化工股份有限公司广州分公司	44	121548
20	469040754358922	中国石化海南炼油化工有限公司	46	110391
21	211401716427237	中国石油天然气股份有限公司锦西石化分公司	21	108022
22	650203726984969	中国石油天然气股份有限公司克拉玛依石化分公司	65	102369
23	370305723267788	中国石油化工股份有限公司齐鲁分公司	37	98301
24	220203717174219	中国石油天然气股份有限公司吉林市石化分公司	22	88598
25	120114724495870	中国石油天然气股份有限公司大港石化分公司	12	82915
26	230690X06584158	中国石油天然气股份有限公司大庆炼化分公司	23	81165
27	320111797106047	中国石化扬子石油化工有限公司	32	79730
28	340803713982868	中国石油化工股份公司安庆分公司	34	79568
29	650109718902097	中国石油天然气股份有限公司乌石化分公司	65	78165
30	142302741096548	山西大土河焦化有限责任公司	14	75337
31	130982804322363	中国石油天然气股份有限公司华北石化分公司	13	74597
32	230603716676129	中国石油天然气股份有限公司大庆石化分公司	23	72559
33	321201726639030	中海沥青（泰州）有限公司	32	69921
34	370211753752987	青岛丽东化工有限公司	37	68802

续表

序号	企业代码	企业名称	地区	实纳税额
35	211103729061625	中国石油天然气股份有限公司辽河石化公司	21	62166
36	360401716522330	中国石油化工股份有限公司九江分公司	36	61775
37	420801714644238	中国石油化工股份有限公司荆门分公司	42	61519
38	142703113873561	山西阳光焦化集团股份有限公司	14	60761
39	430603717052342	中国石油化工股份有限公司长岭分公司	43	58714
40	610498727375006	中国石油天然气股份有限公司长庆石化分公司	61	58101
41	410306721836588	中国石油化工股份有限公司洛阳分公司	41	57050
42	650202712998841	中国石油天然气股份有限公司独山子石化分公司	65	56586
43	370102706312970	中国石油化工股份有限公司济南分公司	37	56251
44	321200746841914	中海油气（泰州）石化有限公司	32	55168
45	370211766720175	中国石化青岛炼油化工有限责任公司	37	53158
46	130913723359121	中海石油中捷石化有限公司	13	51094
47	420107717996183	中国石油化工股份有限公司武汉分公司	42	48163
48	450704739966997	广西东油沥青有限公司	45	47506
49	23010471844994X	中国石油天然气股份有限公司哈尔滨石化分公司	23	44230
50	211004701696207	中国石油股份有限公司辽阳石化分公司	21	44225
51	420107711961422	武汉平煤武钢联合焦化有限责任公司	42	43178
52	330191143042160	杭州石化有限责任公司	33	42986
53	440801728778317	中海石油湛江燃料油有限公司	44	41402
54	140121715902382	山西美锦煤炭气化股份有限公司	14	41045
55	140121701026537	太原市梗阳实业集团有限公司	14	39473
56	350505717868421	福建联合石油化工有限公司	35	39189
57	130283752420382	迁安中化煤化工有限责任公司	13	38610
58	14232376248251X	山西亚太焦化冶镁有限公司	14	38131
59	130902721677572	中国石油化工股份有限公司沧州分公司	13	37805
60	142323812404692	山西华鑫煤焦化实业有限公司	14	37467
61	370206163576944	中国石化集团青岛石油化工有限责任公司	37	36261
62	330422609457182	浙江壳牌化工石油有限公司	33	36053
63	120107600540000	壳牌（天津）石油化工有限公司	12	33927
64	120107600538170	埃克森美孚（天津）石油有限公司	12	33536
65	211103122433701	盘锦北方沥青股份有限公司	21	33311
66	320800139450989	淮安清江石油化工有限责任公司	32	33125
67	372308167154095	山东京博石油化工有限公司	37	31925
68	450502199305695	中国石油化工股份有限公司北海分公司	45	30808
69	230921766048008	亿达信煤焦化能源有限公司	23	30561
70	140181739322980	山西金业煤焦化集团古交有限公司	14	28656
71	142623751530248	临汾万鑫达焦化有限责任公司	14	28355

续表

序号	企业代码	企业名称	地区	实纳税额
72	142625113273064	山西焦化股份有限公司	14	27641
73	210811670477983	营口嘉晨燃化有限公司	21	27625
74	640105227682712	中石油股份公司宁夏炼化公司	64	26542
75	142623719828247	山西光大焦化气源有限公司	14	26359
76	142703739336477	山西曙光煤焦集团有限公司	14	26266
77	210402119215009	中国石油抚顺石油化工公司	21	25670
78	142303743524059	山西东辉煤化工股份有限公司	14	24838
79	410881750738573	济源市金马焦化有限公司	41	24306
80	371311769712592	临沂烨华焦化有限公司	37	23459
81	220702717170197	中国石油前郭石化分公司	22	23401
82	150105814190106	中国石油天然气股份有限公司呼和浩特石化分公司	15	23391
83	130203104792823	唐山钢铁集团有限责任公司	13	22565
84	140114701138010	太原煤气化股份有限公司	14	21954
85	142301725904621	山西楼东俊安煤气化有限公司	14	21561
86	370725165770118	山东潍焦集团有限公司	37	21264
87	372930763696472	东明中油燃料石化有限公司	37	21187
88	370321757482363	山东金诚重油化工有限公司	37	20969
89	37078672073757X	山东昌邑石化有限公司	37	20671
90	372330751769814	山东铁雄能源煤化有限公司	37	20608
91	370112761866298	济南信赢煤焦化有限公司	37	20408
92	140121783266939	山西美锦焦化有限公司	14	20322
93	370783165442384	山东海化集团有限公司	37	19883
94	44090166334762X	中国石化集团资产经营管理有限公司茂名石化分公司	44	19790
95	530328781658066	云南大为制焦有限公司	53	19650
96	371311751774058	山东沂州能源股份有限公司	37	19523
97	142402757279429	山西宏安焦化科技有限公司	14	19469
98	230902749673100	七台河宝泰隆煤化工股份有限公司	23	19125
99	370305664437395	中国石化集团资产经营管理有限公司齐鲁石化分公司	37	18921
100	622821224371097	中国石油庆阳石化分公司	62	18410

全国造纸及纸制品业纳税百强排行榜

单位：万元

序号	企业代码	企业名称	地区	实纳税额
1	321101608835858	金东纸业（江苏）股份有限公司	32	86349
2	110192742602094	利乐包装（北京）有限公司	11	71557
3	370783613588986	山东晨鸣纸业集团股份有限公司	37	60217
4	469040620050666	海南金海浆纸业有限公司	46	56424
5	320585739426077	玖龙纸业（太仓）有限公司	32	53519
6	320583608279441	利乐包装（昆山）有限公司	32	51451
7	32058173784235X	江苏理文造纸有限公司	32	50352
8	320581608248696	芬欧汇川（常熟）纸业有限公司	32	46638
9	321700608243801	金华盛纸业（苏州工业园区）有限公司	32	29076
10	440601617621448	利乐华新（佛山）包装有限公司	44	27417
11	130602105945019	保定钞票纸厂	13	26518
12	440105618413376	广州造纸股份有限公司	44	24890
13	370882725421072	兖州天章纸业有限公司	37	24650
14	441900618332373	东莞理文造纸厂有限公司	44	24550
15	370321706397513	山东博汇纸业股份有限公司	37	24265
16	320508738299440	琳得科（苏州）科技有限公司	32	23926
17	441900752885796	广东理文造纸有限公司	44	22403
18	330227610253873	宁波中华纸业有限公司	33	22097
19	360107744264607	江西晨鸣纸业有限责任公司	36	20850
20	430602722587712	岳阳纸业股份有限公司	43	20446
21	321700738299360	康美包（苏州）有限公司	32	19331
22	370523164960403	山东华泰纸业股份有限公司	37	18866
23	330401710959275	民丰特种纸股份有限公司	33	18447
24	371102613803877	山东亚太森博浆纸有限公司	37	18096
25	37088279249110X	万国纸业太阳白卡纸有限公司	37	17731
26	372502167965920	中冶纸业银河有限公司	37	16975
27	320583608276873	艾利（中国）有限公司	32	14480
28	33020674218972X	宁波亚洲浆纸业有限公司	33	14035
29	340502150523317	安徽山鹰纸业股份有限公司	34	13701
30	320508608199820	苏州紫兴纸业有限公司	32	13669
31	372527168210327	山东泉林纸业有限责任公司	37	13438
32	420101271892354	武汉晨鸣汉阳纸业股份有限公司	42	13074
33	37072572622314X	昌乐世纪阳光纸业有限公司	37	12956
34	310225742128011	上海中隆纸业有限公司	31	12706

续表

序号	企业代码	企业名称	地区	实纳税额
35	320583749413501	鸿运纸业（昆山）有限公司	32	12277
36	130133754016535	诺斯克（河北）纸业有限公司	13	12262
37	440401617502107	珠海经济特区红塔仁恒纸业有限公司	44	12139
38	44190073755127X	东莞海龙纸业有限公司	44	10535
39	350582766195286	恒安（中国）纸业有限公司	35	10355
40	350427158157497	福建省青山纸业股份有限公司	35	10248
41	350582633904448	恒安（晋江）妇女用品有限公司	35	10100
42	411100170001516	河南银鸽实业投资股份有限公司	41	10089
43	231090130233769	牡丹江恒丰纸业股份有限公司	23	9831
44	441900617688669	东莞玖龙纸业有限公司	44	9829
45	320583711500415	昆山钞票纸厂	32	9785
46	321700608243799	金红叶纸业（苏州工业园区）有限公司	32	9618
47	440194671817564	广州造纸股份有限公司南沙分公司	44	9373
48	410721173174009	新乡新亚纸业集团股份有限公司	41	9175
49	32058573782811X	海龙纸业（太仓）有限公司	32	8634
50	370523267190595	东营华泰纸业有限公司	37	8513
51	370882706094280	山东太阳纸业股份有限公司	37	8456
52	22020277872435X	吉林晨鸣纸业有限责任公司	22	7874
53	640502227695003	宁夏美利纸业股份有限公司	64	7703
54	320583718671938	艾利（昆山）有限公司	32	7429
55	370882788489664	兖州中天纸业有限公司	37	7402
56	652801718901860	新疆博湖苇业股份有限公司	65	7400
57	532524622813102	云南红塔蓝鹰纸业有限公司	53	7130
58	320200628287430	无锡荣成纸业有限公司	32	7100
59	431103188322289	永州湘江纸业有限责任公司	43	7024
60	370704757484000	山东恒安纸业有限公司	37	6865
61	430981722573011	沅江纸业有限责任公司	43	6757
62	370284264627202	青岛海王纸业股份有限公司	37	6676
63	451029718861977	广西劲达兴纸业有限公司	45	6521
64	350582782154134	恒安（中国）卫生用品有限公司	35	6432
65	372527734697337	山东泉林包装有限公司	37	6395
66	32100176586058X	永丰余造纸（扬州）有限公司	32	6283
67	330482146684900	浙江景兴纸业股份有限公司	33	6254
68	441223724757551	广东鼎丰纸业有限公司	44	6234
69	310113607342250	上海诺斯克潜力纸业有限公司	31	6199
70	321201608735451	泰州魏德曼高压绝缘有限公司	32	6197
71	440301723000100	深圳市美盈森环保科技股份有限公司	44	6172

续表

序号	企业代码	企业名称	地区	实纳税额
72	321700608205936	苏州工业园区亚太纸品加工有限公司	32	6148
73	430702616661050	湖南恒安纸业有限公司	43	6122
74	330482799626986	浙江景兴板纸有限公司	33	6045
75	421281722039353	赤壁晨鸣纸业有限公司	42	5968
76	440183714224292	广州万利达纸制品有限公司	44	5908
77	360702767001754	赣州华劲纸业有限公司	36	5765
78	442000618130923	中山联合鸿兴造纸有限公司	44	5393
79	500383787487413	重庆理文造纸有限公司	50	5372
80	450100708605697	南宁糖业股份有限公司蒲庙造纸厂	45	5350
81	370705726238114	中天纸业股份有限公司	37	5346
82	310115607310072	唯绿包装（上海）有限公司	31	5064
83	310229607336256	上海尤妮佳有限公司	31	5012
84	31022760729595X	全日美实业（上海）有限公司	31	4912
85	500381795888241	玖龙纸业（重庆）有限公司	50	4685
86	410823755177410	焦作瑞丰纸业有限公司	41	4591
87	321101608832649	镇江大东纸业有限公司	32	4546
88	42090275700840X	维达纸业（孝感）有限公司	42	4405
89	640121710656629	宁夏紫荆花纸业有限公司	64	4398
90	440705617743605	维达纸业（广东）有限公司	44	4366
91	441223745529486	广宁县江南纸业有限公司	44	4362
92	310227607417400	巨圆纸业（上海）有限公司	31	4349
93	370831706345473	山东华金集团有限公司	37	4340
94	450100619315217	广西南宁凤凰纸业有限公司	45	4151
95	210114604603777	沈阳东联日用品有限公司	21	4079
96	410902750700049	濮阳龙丰纸业有限公司	41	4025
97	320300728730516	徐州红杉树纸业有限公司	32	3833
98	370612727579922	烟台市大展纸业有限公司	37	3780
99	310228747642554	上海东冠纸业有限公司	31	3762
100	370305164326963	淄博欧木特种纸业有限公司	37	3709

全国有色金属冶炼及压延加工业纳税百强排行榜

单位：万元

序号	企业代码	企业名称	地区	实纳税额
1	620301224690952	金川集团有限公司	62	504677
2	340700148973642	铜陵有色金属集团股份有限公司	34	90646
3	370502706242888	东营方圆有色金属有限公司	37	80554
4	372524769712461	茌平信发华宇氧化铝有限公司	37	78765
5	372522769728295	阳谷祥光铜业有限公司	37	77549
6	340700151105774	铜陵有色金属集团控股有限公司	34	75399
7	37233074568737X	山东魏桥铝电有限公司	37	70783
8	411221753877093	东方希望（三门峡）铝业有限公司	41	68141
9	340700610436303	金隆铜业有限公司	34	60769
10	451023737615325	中国铝业股份有限公司广西分公司	45	58743
11	430211616777117	株洲冶炼集团股份有限公司	43	57917
12	630121710495888	青海桥头铝电有限公司	63	50537
13	530112709705745	云南铜业股份有限公司	53	46400
14	530301713464526	云南驰宏锌锗股份有限公司	53	45235
15	320300784997610	江苏中能硅业科技发展有限公司	32	44374
16	210213782460801	淡水河谷英可新型镍材料（大连）有限公司	21	42648
17	142703736335903	中国铝业股份有限公司山西分公司	14	42607
18	142202746040199	山西鲁能晋北铝业有限责任公司	14	41429
19	410106737441935	中国铝业股份有限公司河南分公司	41	40777
20	411200750704816	开曼铝业（三门峡）有限公司	41	40502
21	420203770785545	大冶有色金属有限公司	42	38429
22	511102720850126	四川新光硅业科技有限责任公司	51	37886
23	410804737427535	中国铝业股份有限公司中州分公司	41	37537
24	41088171917196X	河南豫光金铅股份有限公司	41	37093
25	152302743874331	内蒙古鸿骏铝电有限责任公司	15	36452
26	520113736615163	中国铝业股份有限公司贵州分公司	52	34824
27	41032317147426X	河南万基铝业股份有限公司	41	34682
28	150240740146937	东方希望包头稀土铝业有限公司	15	34179
29	21140112076702X	葫芦岛锌业股份有限公司	21	33951
30	37030373817367X	中国铝业股份有限公司山东分公司	37	33826
31	330205144229592	宁波金田铜业（集团）股份有限公司	33	32815
32	53012121658149X	云南铝业股份有限公司	53	30205
33	410800173525171	焦作万方铝业股份有限公司	41	28700
34	630121710494041	中国铝业股份有限公司青海分公司	63	24056

续表

序号	企业代码	企业名称	地区	实纳税额
35	532501917903260	云南锡业股份有限公司冶炼分公司	53	24006
36	410181170002324	河南中孚实业股份有限公司	41	23176
37	620101660036287	中国铝业股份有限公司兰州分公司	62	21010
38	330205720401806	宁波金田冶炼有限公司	33	20717
39	350105611447389	福建中日达金属有限公司	35	20651
40	44020472242362X	深圳市中金岭南有色金属股份有限公司韶关冶炼厂	44	19847
41	370681757467200	龙口东海氧化铝有限公司	37	18869
42	532522217954016	蒙自矿冶有限责任公司	53	18668
43	142733746008674	北方铜业股份有限公司	14	18013
44	430725730538873	湖南创元铝业有限公司	43	17959
45	35020661200343X	厦门厦顺铝箔有限公司	35	17502
46	372524791511519	茌平信源铝业有限公司	37	17301
47	64038171509328X	青铜峡铝业股份有限公司	64	17283
48	620121681502232	中国铝业股份有限公司连城分公司	62	17018
49	372524734700321	山东信发华信铝业有限公司	37	16885
50	620402660043444	白银有色集团股份有限公司	62	16249
51	411481789181717	河南神火铝业股份有限公司	41	16226
52	451200718852210	河池市南方有色冶炼有限责任公司	45	16125
53	430482185440001	水口山有色金属有限责任公司	43	15846
54	142702785802192	山西华圣铝业有限公司	14	15621
55	530113772668027	昆明金水铜冶炼有限公司	53	15567
56	22028472673322X	吉林吉恩镍业股份有限公司	22	15479
57	410881752283795	济源市金利冶炼有限责任公司	41	15471
58	350206155013367	厦门钨业股份有限公司	35	15334
59	330781736863466	兰溪自立铜业有限公司	33	15275
60	360702723944371	赣州逸豪优美科实业有限公司	36	15031
61	411282742545894	灵宝黄金股份有限公司	41	14475
62	330183143661746	杭州富春江冶炼有限公司	33	14444
63	410329757127564	洛阳豫港龙泉铝业有限公司	41	14307
64	410329731334063	河南豫港龙泉铝业有限公司	41	13748
65	320400251167665	江苏沙钢集团鑫瑞特钢有限公司	32	13531
66	210423119615379	中国有色集团抚顺红透山矿业有限公司	21	13316
67	360605799468017	江西金田铜业有限公司	36	13066
68	330211256009914	宁波市金龙铜业有限公司	33	12756
69	410881733846548	济源市万洋冶炼（集团）有限公司	41	12608
70	360824796951812	江西金龙铜业有限公司	36	11962
71	410882742507484	沁阳沁澳铝业有限公司	41	11957

续表

序号	企业代码	企业名称	地区	实纳税额
72	372524744549127	山东信发希望铝业有限公司	37	11856
73	330382145584633	乐清市泰隆铜业有限公司	33	11694
74	310113133497065	上海宝冶工业技术服务有限公司	31	11404
75	410881758377389	河南豫光锌业有限公司	41	11382
76	15024075258087X	包头华鼎铜业发展有限公司	15	11362
77	410329796787557	伊川豫港龙泉铝业有限公司	41	11313
78	210781749779175	锦州新华龙钼业股份有限公司	21	11241
79	15020762644034X	包头华美稀土高科有限公司	15	11038
80	640381750840439	宁夏加宁铝业有限公司	64	11028
81	37131179037900X	山东华宇铝电有限公司	37	11020
82	37068526714066X	山东国大黄金股份有限公司	37	10818
83	152826767866440	巴彦淖尔紫金有色金属有限公司	15	10816
84	360723772369617	大余华润铜材厂	36	10655
85	110106750106496	中博世金科贸有限责任公司	11	10632
86	360725160482766	崇义章源钨业股份有限公司	36	10435
87	451200200898812	广西成源矿冶有限公司	45	10348
88	370681705830311	山东南山铝业股份有限公司	37	10040
89	532923709844016	云南祥云飞龙有色金属股份有限公司	53	9608
90	330205144249577	宁波市江北大创铜线有限公司	33	9456
91	320400608123519	常州金源铜业有限公司	32	9225
92	320282250429512	江苏三木集团金属材料有限公司	32	9191
93	451221751239581	南丹县南方有色冶炼有限责任公司	45	9125
94	410305783426891	中铝洛阳铜业有限公司	41	9071
95	430211738979657	株洲钻石切削刀具股份有限公司	43	8886
96	620402789615925	甘肃华鹭铝业有限公司	62	8790
97	610725719739041	汉中八一锌业有限公司	61	8630
98	370681743354803	烟台南山铝业新材料有限公司	37	8605
99	330227610266658	宁波香豪莱宝金属工业有限公司	33	8550
100	220490726751460	吉林麦达斯铝业有限公司	22	8394

全国专用设备制造业纳税百强排行榜

单位：万元

序号	企业代码	企业名称	地区	实纳税额
1	370602613422169	斗山工程机械（中国）有限公司	37	105092
2	340104610308512	日立建机（中国）有限公司	34	100628
3	430104712194405	长沙中联重工科技发展股份有限公司	43	79607
4	320300608002178	卡特彼勒（徐州）有限公司	32	76335
5	370802613590592	小松山推工程机械有限公司	37	67117
6	310115669401543	沪东重机有限公司	31	49912
7	110108600010704	北京发那科机电有限公司	11	46559
8	220105605917786	大陆汽车电子（长春）有限公司	22	43286
9	32040075324574X	现代（江苏）工程机械有限公司	32	34629
10	320400608125290	小松（常州）工程机械有限公司	32	33859
11	430121616800612	三一重工股份有限公司	43	27371
12	510104621704027	成都神钢建设机械有限公司	51	25516
13	370802165936413	山推工程机械股份有限公司	37	22801
14	440301708467837	深圳迈瑞生物医疗电子股份有限公司	44	21872
15	140114701013306	太原重工股份有限公司	14	21442
16	510601735892505	二重集团（德阳）重型装备股份有限公司	51	21412
17	370281718016255	青岛现代机械有限公司	37	20835
18	42010175817731X	中冶南方工程技术有限公司	42	20168
19	310115736227531	沃尔沃建筑设备（中国）有限公司	31	18873
20	320583608278537	鸿准精密模具（昆山）有限公司	32	18687
21	440101741899375	海瑞克（广州）隧道设备有限公司	44	17571
22	371002613752272	豪顿华工程有限公司	37	16913
23	429005177564194	中国石化集团江汉石油管理局	42	16887
24	310113133401086	中冶宝钢技术服务有限公司	31	16809
25	110102710924910	中国兵器工业集团公司	11	16800
26	310115600045608	多米诺标识科技有限公司	31	16580
27	410102170033534	郑州煤矿机械集团股份有限公司	41	16492
28	130503105780461	中钢集团邢台机械轧辊有限公司	13	15534
29	150102752587860	上海三菱电梯有限公司内蒙古分公司	15	15306
30	130922601644717	渤海能克钻杆有限公司	13	14814
31	440301618839457	理光（深圳）工业发展有限公司	44	13749
32	370211740386033	青岛东碧机械有限公司	37	13650
33	210211732769552	大连重工·起重集团有限公司	21	13438
34	450221785204483	柳州柳工挖掘机有限公司	45	13299

续表

序号	企业代码	企业名称	地区	实纳税额
35	321700608208459	久保田农业机械（苏州）有限公司	32	13248
36	210211728854885	中国第一重型机械集团大连加氢反应器制造有限公司	21	13173
37	320121249800425	南京南瑞继保电气有限公司	32	12847
38	310043132324373	上海烟草机械有限责任公司	31	12585
39	321284608724509	格兰特（江苏）钻具有限公司	32	12417
40	21021311866817X	大连冰山集团金州重型机器有限公司	21	12367
41	330165757218052	杭州神钢建设机械有限公司	33	12177
42	130611601218216	中航惠腾风电设备股份有限公司	13	12060
43	430702186481585	常德烟草机械有限责任公司	43	11919
44	340506713957793	安徽星马汽车股份有限公司	34	11888
45	110192600028998	颇尔过滤器（北京）有限公司	11	11867
46	320300718531986	卡特彼勒路面机械（徐州）有限公司	32	11718
47	330191143085793	杭州制氧机集团有限公司	33	11269
48	310114766905508	山特维克矿山工程机械（中国）有限公司	31	11098
49	350204155052227	厦门工程机械股份有限公司	35	11030
50	110192700228364	北京源德生物医学工程有限公司	11	10952
51	120110722964936	天津赛瑞机器设备有限公司	12	10744
52	610303741294552	宝鸡石油机械有限责任公司	61	10697
53	110108101929281	北京石油机械厂	11	10684
54	130702601230186	中煤张家口煤矿机械有限责任公司	13	10570
55	320281607982979	阿法拉伐（江阴）设备制造有限公司	32	10362
56	440194749937313	广州海瑞克隧道机械有限公司	44	10216
57	510107720312707	成都市利君实业有限责任公司	51	10183
58	131011755456671	维特根（中国）机械有限公司	13	9743
59	210304241503266	鞍钢重型机械有限责任公司	21	9661
60	330195609167003	液化空气（杭州）有限公司	33	9220
61	310227607293049	上海永大电梯设备有限公司	31	9186
62	120111744023379	申克（天津）工业技术有限公司	12	9186
63	310110607234882	上海柴油机股份有限公司	31	9140
64	310225607204288	上海西门子医疗器械有限公司	31	9104
65	320281628349216	贝卡尔特（中国）技术研发有限公司	32	9026
66	640202710682798	宁夏天地奔牛实业集团有限公司	64	8449
67	510132725526042	成都市新筑路桥机械股份有限公司	51	8194
68	140197792208394	煤炭科学研究总院山西煤机装备有限公司	14	7921
69	11011475773417X	北京市三一重机有限公司	11	7679
70	120115780349878	奥的斯电梯（中国）有限公司	12	7506
71	320200703501733	美卓造纸机械（中国）有限公司	32	7380

续表

序号	企业代码	企业名称	地区	实纳税额
72	120117600905698	洛伊热工工程（天津）有限公司	12	7229
73	210106738693683	沈阳重型机器有限责任公司	21	7104
74	43012176071660X	湖南三一路面机械有限公司	43	7101
75	370296718055537	青岛高校软控股份有限公司	37	7077
76	321700758957869	欧瑞康（中国）科技有限公司	32	7054
77	230890741822837	佳木斯煤矿机械有限公司	23	6946
78	110108788600297	北京国电龙源环保工程有限公司	11	6924
79	510112732360482	四川成都成工工程机械股份有限公司	51	6789
80	43012175802337X	中联重科工程起重机分公司	43	6554
81	411000174275039	许昌烟草机械有限责任公司	41	6530
82	110108754150320	同方环境股份有限公司	11	6269
83	320508761504908	苏州普美驾驶室有限公司	32	6261
84	31022760736170X	蒂森克虏伯电梯（上海）有限公司	31	6241
85	110111102722186	中煤北京煤矿机械有限责任公司	11	6216
86	450922715156498	广西玉柴重工有限公司	45	6192
87	120222718211771	戴纳派克（中国）压实摊铺设备有限公司	12	6190
88	320281748729125	江阴德玛斯特钻具有限公司	32	6175
89	370103163047954	山东电力设备厂	37	6143
90	44018161870283X	广东日立工机有限公司	44	6120
91	210106731037296	中国有色（沈阳）冶金机械有限公司	21	6016
92	310229763041783	苛氯工程设备技术（上海）有限公司	31	5953
93	310227765592415	龙工（上海）机械制造有限公司	31	5826
94	350802764066798	龙工（福建）机械有限公司	35	5820
95	510601793958322	二重集团德阳锻造厂有限责任公司	51	5799
96	500106450402728	煤炭科学研究总院重庆研究院	50	5797
97	210132702087542	沈阳东软医疗系统有限公司	21	5725
98	372527168212752	山东时风（集团）有限责任公司	37	5664
99	110104101619638	中国烟草机械集团有限责任公司	11	5629
100	130982738736188	河北华北石油荣盛机械制造有限公司	13	5627

全国证券业纳税百强排行榜

单位：万元

序号	企业代码	企业名称	地区	实纳税额
1	310043132200581	上海证券交易所	31	767275
2	310106100019382	光大证券股份有限公司	31	366188
3	31010663159284X	国泰君安证券股份有限公司	31	281742
4	440300101781440	中信证券股份有限公司	44	199583
5	440401617436816	广发证券股份有限公司	44	117634
6	110102710934537	中国银河证券股份有限公司	11	109719
7	440300192278444	国信证券有限责任公司	44	93188
8	110105781703453	中信建投证券有限责任公司	11	79209
9	430102142927995	方正证券有限责任公司	43	68807
10	31004372935636X	中国证券登记结算有限责任公司上海分公司	31	67773
11	310104132278661	申银万国证券股份有限公司	31	62038
12	440301192238549	招商证券股份有限公司	44	60408
13	320006134754246	华泰证券股份有限公司	32	55191
14	370103729246347	齐鲁证券有限公司	37	52503
15	110105625909986	中国国际金融有限公司	11	51862
16	31010313220921X	海通证券股份有限公司	31	50783
17	420103177568750	长江证券股份有限公司	42	46444
18	430103740648021	财富证券有限责任公司	43	39743
19	440300779891627	中国建银投资证券有限责任公司	44	39575
20	310101132294776	东方证券股份有限公司	31	36925
21	440301710922202	博时基金管理有限公司	44	34787
22	350100158159898	兴业证券股份有限公司	35	33975
23	310115736650364	中银国际证券有限责任公司	31	31730
24	440301279533137	南方基金管理有限公司	44	29961
25	440300792573957	安信证券股份有限公司	44	29622
26	440401727878666	易方达基金管理有限公司	44	28625
27	440301731137342	中国证券登记结算有限责任公司深圳分公司	44	27736
28	530103734309760	红塔证券股份有限公司	53	24591
29	310109132211395	上海证券有限责任公司	31	23373
30	440301710924339	大成基金管理有限公司	44	22899
31	510105201811328	华西证券有限责任公司	51	21871
32	320103134881536	南京证券有限责任公司	32	21478
33	440300100023453	平安证券有限责任公司	44	21305
34	330000142917324	财通证券经纪有限责任公司	33	18471

续表

序号	企业代码	企业名称	地区	实纳税额
35	220104664275090	东北证券股份有限公司	22	18354
36	320504137720519	东吴证券有限责任公司	32	18256
37	610090719782242	西部证券股份有限公司	61	17580
38	140116110013881	山西证券股份有限公司	14	17437
39	440300279434913	联合证券有限责任公司	44	17315
40	370212264585313	中信万通证券有限责任公司	37	17098
41	350100158143546	广发华福证券有限责任公司	35	16697
42	440300717869125	景顺长城基金管理有限公司	44	16481
43	440106890481693	招商证券股份有限公司广州天河北路证券营业部	44	16480
44	650102228593068	宏源证券股份有限公司	65	15873
45	330000738442972	浙商证券有限责任公司	33	15294
46	310115717857546	交银施罗德基金管理有限公司	31	14453
47	320400137180719	东海证券有限责任公司	32	14371
48	450100198223268	国海证券有限责任公司	45	12867
49	440301708470788	鹏华基金管理有限公司	44	12749
50	310101771813093	汇添富基金管理有限公司	31	12641
51	440300757600403	诺安基金管理有限公司	44	12348
52	330000799620736	中国银河证券股份有限公司绍兴证券营业部	33	12245
53	330300668309710	上海证券有限责任公司温州谢池商城证券营业部	33	12195
54	510105201961940	国金证券股份有限公司	51	12084
55	310101717850969	光大保德信基金管理有限公司	31	11907
56	110105801117487	招商证券有限公司北京建国路营业部	11	11884
57	440300892413301	招商证券股份有限公司深圳南山南油大道证券营业部	44	11821
58	441900281887188	东莞证券有限责任公司	44	11357
59	440300734158341	长城基金管理有限公司	44	11177
60	320200135914870	国联证券股份有限公司	32	11070
61	310101755007761	兴业全球基金管理有限公司	31	10418
62	110101717856308	工银瑞信基金管理有限公司	11	10077
63	44030072857172X	融通基金管理有限公司	44	9976
64	310115631834917	国泰基金管理有限公司	31	9630
65	110106710929690	中国民族证券有限责任公司	11	9520
66	330000736024814	中信金通证券有限责任公司	33	9313
67	420106877589958	招商证券股份有限公司武汉中北路证券营业部	42	9096
68	310115710936241	海富通基金管理有限公司	31	8987
69	44030071093625X	招商基金管理有限公司	44	8876
70	440101190660172	广州证券有限责任公司	44	8640
71	110102766756039	北京高华证券有限责任公司	11	8378

续表

序号	企业代码	企业名称	地区	实纳税额
72	440301710928356	银华基金管理有限公司	44	8216
73	500103500902203291	西南证券股份有限公司	50	8195
74	44030089222050X	招商证券股份有限公司深圳东门南路营业部	44	7642
75	440101731541281	万联证券有限责任公司	44	7450
76	440300707743879	第一创业证券有限责任公司	44	7344
77	110103792126567	招商证券股份有限公司北京光明路营业部	11	7193
78	440301734161639	国都证券有限责任公司	44	7186
79	440301710924152	长盛基金管理有限公司	44	6963
80	441402617436816	广发证券梅州营业部	44	6902
81	31011571785197X	中银基金管理有限公司	31	6720
82	110102801117866	光大证券股份有限公司北京月坛营业部	11	6309
83	310101832203425	兴业证券股份有限公司上海金陵东路证券营业部	31	6270
84	440300723048411	国泰君安证券股份有限公司深圳分公司	44	6200
85	11010217000168X	民生证券有限责任公司	11	5915
86	310107832226205	招商证券股份有限公司澳门路证券营业部	31	5770
87	430102183800843	湘财证券有限公司	43	5655
88	310103747256530	中国国际金融有限公司上海淮海中路证券营业部	31	5632
89	110102799994033	中国银河证券股份有限公司北京月坛证券营业部	11	5440
90	370303864107577	齐鲁证券有限公司淄博人民西路证券营业部	37	5286
91	44030073883903X	国投瑞银基金管理有限公司	44	5220
92	510104729832274	和兴证券经纪有限责任公司	51	5195
93	140213602164846	大同证券经纪有限责任公司	14	5088
94	110108736452958	国都证券有限责任公司中关村南大街营业部	11	5057
95	440300192431912	长城证券有限责任公司	44	4646
96	330000799623734	中国银河证券股份有限公司温州证券营业部	33	4447
97	120115103064576	渤海证券股份有限公司	12	4212
98	350100798394706	中国银河证券股份有限公司福州证券营业部	35	4015
99	310106710933446	平安资产管理有限责任公司	31	4006
100	350102854440499	国泰君安证券股份有限公司福州五四路营业部	35	3976

全国烟草制品批发业纳税百强排行榜

单位：万元

序号	企业代码	企业名称	地区	实纳税额
1	530301217222042	云南省烟草公司曲靖市公司	53	139269
2	440106729911247	广东烟草广州市有限公司	44	115880
3	530103216593597	云南省烟草公司昆明市公司	53	96338
4	530111291981370	云南省卷烟烤烟交易市场	53	92379
5	532301217430343	云南省烟草公司楚雄州公司	53	82626
6	510105201911513	四川省烟草公司成都市公司	51	80454
7	530401217660501	云南省烟草公司玉溪市公司	53	79990
8	320502137690890	江苏省烟草公司苏州市公司	32	77289
9	532901218651543	云南省烟草公司大理州公司	53	75423
10	310043132200426	上海烟草贸易中心有限公司	31	73888
11	532526218032822	云南省烟草公司红河州公司	53	67564
12	310110630473910	上海市烟草贸易中心卷烟经理部	31	66264
13	520302214760830	贵州省烟草公司遵义市公司	52	66138
14	522401215471045	贵州省烟草公司毕节地区公司	52	62248
15	420112751810979	湖北省烟草公司武汉市公司	42	57755
16	350503156100796	福建省烟草公司泉州市公司	35	57419
17	320102134923126	江苏省烟草公司南京市公司	32	51751
18	370203713700736	山东青岛烟草有限公司	37	50462
19	440301192179593	中国烟草总公司深圳市公司	44	50031
20	510112752323857	川渝中烟工业公司	51	49196
21	44190073145791X	广东烟草东莞市有限公司	44	48275
22	320200135906010	江苏省烟草公司无锡市公司	32	47262
23	320601138315283	江苏省烟草公司南通市公司	32	46810
24	430111183855596	湖南省烟草公司长沙市公司	43	46778
25	330194143058496	浙江省烟草公司杭州市公司	33	43543
26	500105202804090	中国烟草总公司重庆市公司	50	40846
27	210203118466391	中国烟草总公司大连市公司	21	40645
28	530601216970583	云南省烟草公司昭通市公司	53	40484
29	120101103065720	中国烟草总公司天津市公司	12	39586
30	230198127041096	黑龙江省烟草公司哈尔滨市公司	23	39236
31	440601714701386	广东烟草佛山市有限公司	44	39162
32	532621218170205	云南省烟草公司文山州公司	53	38816
33	530502218920651	云南省烟草公司保山市公司	53	38624
34	650103228581569	新疆维吾尔自治区烟草公司	65	38572

续表

序号	企业代码	企业名称	地区	实纳税额
35	370705723278313	山东潍坊烟草有限公司	37	38050
36	610190220600163	陕西省烟草公司西安市公司	61	37840
37	371302724990871	山东临沂烟草有限公司	37	37122
38	410102170030528	河南省烟草公司郑州市公司	41	36792
39	422801883014237	湖北省烟草公司恩施州公司	42	36675
40	350103154381352	福建省烟草公司福州市公司	35	36526
41	370602165047704	山东烟台烟草有限公司	37	35188
42	210103701935984	辽宁省烟草公司沈阳市公司	21	34624
43	441401733102469	广东烟草梅州市有限公司	44	34187
44	32040013720360X	江苏省烟草公司常州市公司	32	34087
45	321001140715905	江苏省烟草公司扬州市公司	32	33552
46	320901140132929	江苏省烟草公司盐城市公司	32	32895
47	321201141855483	江苏省烟草公司泰州市公司	32	32709
48	220105124014834	吉林省烟草公司长春市公司	22	30600
49	11011210114015X	中国烟草总公司北京市公司	11	30561
50	35040215558109X	福建省烟草公司三明分公司	35	30519
51	513401213000370	四川省烟草公司凉山分公司	51	30398
52	350602156507027	福建省烟草公司漳州市公司	35	30136
53	431103188320144	湖南省烟草公司永州市公司	43	29846
54	150104114154657	呼和浩特市烟草公司	15	29549
55	350702705273092	福建省烟草公司南平市公司	35	29137
56	130104104393865	河北省烟草公司石家庄市公司	13	28578
57	520100709611191	贵州省烟草公司贵阳市公司	52	27611
58	522330009600299	贵州省烟草公司黔西南州公司	52	27542
59	430702186482860	湖南省烟草公司常德市公司	43	27503
60	140111110120089	山西省烟草公司太原市公司	14	27407
61	320300136406616	江苏省烟草公司徐州市公司	32	27344
62	442000712311122	广东烟草中山市有限公司	44	25797
63	340104783099130	安徽省烟草公司合肥市公司	34	25359
64	370802706116873	山东济宁烟草有限公司	37	25053
65	360701160237197	江西省烟草公司赣州市公司	36	24498
66	340802151302495	安徽省烟草公司安庆市公司	34	23580
67	130603105941085	河北省烟草公司保定市公司	13	23065
68	360101158376593	江西省烟草公司南昌市公司	36	22750
69	130203104744995	河北省烟草公司唐山市公司	13	22602
70	440901719221832	广东烟草茂名市有限公司	44	21961
71	440801730463162	广东烟草湛江市有限公司	44	21796

续表

序号	企业代码	企业名称	地区	实纳税额
72	421001178968502	湖北省烟草公司荆州市公司	42	21625
73	522701216252186	贵州省烟草公司黔南州公司	52	21569
74	522201215051390	贵州省烟草公司铜仁地区公司	52	21559
75	150240114392532	内蒙古自治区烟草公司包头市公司	15	21487
76	411403175000969	河南省烟草公司商丘市公司	41	21140
77	441801732175121	广东烟草清远市有限公司	44	20607
78	411000174272612	河南省烟草公司许昌市公司	41	20557
79	430602186085953	湖南省烟草公司岳阳市公司	43	20320
80	413001176883054	河南省烟草公司信阳市公司	41	20248
81	342400152943614	安徽省烟草公司六安市公司	34	20006
82	441601707923773	广东烟草河源市有限公司	44	19761
83	36110116144311X	江西省烟草公司上饶市公司	36	19633
84	420501722096227	湖北省烟草公司宜昌市公司	42	19548
85	360403159304292	江西省烟草公司九江市公司	36	19330
86	321100141379448	江苏省烟草公司镇江市公司	32	19207
87	620102224332944	甘肃省烟草公司兰州市公司	62	19083
88	330181143565172	杭州市烟草公司萧山分公司	33	18678
89	460100201242022	中国烟草总公司海南省公司	46	18676
90	53080221835117X	云南省烟草公司普洱市公司	53	18645
91	440204731441889	广东烟草韶关市有限公司	44	18634
92	530381797240748	曲靖市烟草公司宣威分公司	53	18615
93	361001162581645	江西省烟草公司抚州市公司	36	18575
94	440701731471180	广东烟草江门市有限公司	44	18558
95	412800175860627	河南省烟草公司驻马店市公司	41	18480
96	372901725406403	山东菏泽烟草有限公司	37	18448
97	14021311040230X	山西省烟草公司大同市公司	14	18365
98	342600153581109	安徽省烟草公司巢湖市公司	34	17966
99	142701113632995	山西省烟草公司运城市公司	14	17629
100	420606179319125	湖北省烟草公司襄樊市公司	42	17559

全国新闻出版业纳税百强排行榜

单位：万元

序号	企业代码	企业名称	地区	实纳税额
1	110108H52628661	清华大学出版社	11	12937
2	440100455345160	广州日报社	44	12430
3	510104450754002	成都商报社	51	6549
4	110102H52626295	新华通讯社参考新闻编辑部	11	6139
5	110101400004182	人民教育出版社	11	5924
6	330100782378461	杭州日报报业集团有限公司	33	5598
7	110106700095354	人教教材中心	11	5269
8	110101400686259	北京日报社	11	4975
9	420106441625268	湖北日报传媒集团	42	4816
10	110108H52628258	外语教学与研究出版社	11	4662
11	110103100015808	人民卫生出版社	11	4474
12	110105400002611	中国劳动社会保障出版社	11	4380
13	320106466000600	江苏教育出版社	32	4337
14	33020314406269X	宁波日报报业集团有限公司	33	4184
15	110108718711493	人民教育电子音像出版社	11	4143
16	519000727458485	四川日报报业集团	51	3992
17	320106466004900	新华日报社	32	3971
18	110102400012043	中国证券报社	11	3746
19	370102495572798	山东大众报业（集团）有限公司	37	3543
20	330193470100014	杭州日报社	33	3473
21	410105772169105	河南日报报业（集团）有限公司	41	3387
22	420106420000883	湖北知音期刊出版实业集团有限责任公司	42	3368
23	440102455858644	广东省出版集团	44	3327
24	310046425003557	新闻报社	31	3310
25	110101400001686	中国财政经济出版社	11	3166
26	230102712077567	哈尔滨日报报业集团有限责任公司	23	3100
27	110101400002216	高等教育出版社	11	3044
28	320106466000563	江苏省出版总社	32	2950
29	110101400005409	商务印书馆	11	2910
30	150102114120676	内蒙古教育出版社	15	2907
31	500103450387708	重庆日报报业集团	50	2893
32	320103466008557	现代快报社	32	2736
33	440604770981386	佛山珠江传媒集团股份有限公司	44	2699
34	110105101765838	环球时报社	11	2682

续表

序号	企业代码	企业名称	地区	实纳税额
35	110102400685002	北京出版社	11	2621
36	450100498502365	广西日报社	45	2618
37	110101E0066575X	健康杂志社	11	2618
38	120104401200046	今晚报社	12	2591
39	440104455856948	羊城晚报社	44	2584
40	110105400010371	人民日报社	11	2524
41	31010913312340X	上海外语教育出版社有限公司	31	2467
42	310046425013413	解放日报报业集团	31	2441
43	420111177606710	湖北省出版总社	42	2413
44	370103495572747	山东省出版总社	37	2408
45	430105183761821	湖南出版投资控股集团公司湖南出版中心	43	2366
46	110108400007375	精品购物指南报社	11	2317
47	110108400003593	海洋出版社	11	2302
48	350204426603888	厦门市厦门日报社	35	2290
49	37020216357958X	青岛出版社	37	2282
50	330165470049263	浙江教育出版社有限公司	33	2232
51	330401470891450	嘉兴日报社（第二名称：嘉兴市广告策划公司）	33	2208
52	110102400005169	中国金融出版社	11	2178
53	110101400007893	科学出版社有限责任公司	11	2177
54	440100G19214304	南方都市报	44	2166
55	110101400001424	人民交通出版社	11	2083
56	370212794016468	山东大众报业（集团）半岛传媒有限公司	37	2062
57	330103757087953	钱江报系有限公司	33	2046
58	430105730512550	湖南出版投资控股集团有限公司	43	2017
59	510106201819610	四川出版集团公司	51	1974
60	110108400001942	电子工业出版社	11	1934
61	610103435200773	华商报社	61	1875
62	210103791598896	辽宁日报传媒集团有限公司	21	1860
63	110108400000421	法律出版社	11	1849
64	120103401200038	天津日报集团	12	1798
65	110108H52628207	中国人民大学出版社	11	1770
66	11010471780679X	新京报社	11	1747
67	110101400006129	人民出版社	11	1743
68	450100198221377	广西出版总社	45	1696
69	530102431202835	云南日报报业集团	53	1614
70	110101100027526	语文出版社	11	1613
71	410303416525556	洛阳市日报社	41	1588

续表

序号	企业代码	企业名称	地区	实纳税额
72	110102400009602	中央广播电视大学出版社	11	1564
73	320400467283913	江苏省常州日报社	32	1549
74	110105100011305	中国农业出版社	11	1545
75	110104101618969	中国地图出版社	11	1491
76	130105765184251	河北省出版总社	13	1489
77	310110630385718	复旦大学出版社	31	1486
78	320103751254917	南京报业集团有限责任公司	32	1473
79	110102400004553	机械工业信息研究院	11	1430
80	460100428200425	海南日报社	46	1384
81	110102400014647	中国电力出版社有限公司	11	1363
82	110104400004254	经济日报社	11	1346
83	410105761689877	中原出版传媒投资控股集团有限公司	41	1333
84	140114715923343	英语周报社	14	1317
85	130106401702513	河北日报报业集团	13	1315
86	210204118423260	大连晚报社	21	1315
87	450100198223831	接力出版社	45	1295
88	360101158261024	江西省出版总社	36	1292
89	110101400003913	人民公安报社	11	1270
90	360101491015062	江西日报社	36	1258
91	110101801215490	北京《瑞丽》杂志社	11	1252
92	350102488002949	福建日报社	35	1207
93	210103410575026	沈阳日报社	21	1201
94	230102414003359	黑龙江日报报业集团	23	1200
95	430105444877452	湖南日报社	43	1193
96	520100429254388	贵阳日报社	52	1187
97	110101400007842	中国工人日报社	11	1184
98	610103437204428	西安日报（西安晚报）	61	1170
99	11010140001345X	中国青年报社	11	1168
100	110102400003438	健康报社	11	1165

全国橡胶制品业纳税百强排行榜

单位：万元

序号	企业代码	企业名称	地区	实纳税额
1	33019560912074X	杭州中策橡胶有限公司	33	42610
2	410800712634853	风神轮胎股份有限公司	41	39989
3	350205612004387	厦门正新橡胶工业有限公司	35	36585
4	340104610306859	安徽佳通轮胎有限公司	34	27628
5	371002726700647	三角轮胎股份有限公司	37	24860
6	511502709066285	四川省宜宾普什集团有限公司	51	24628
7	210114604623495	普利司通（沈阳）轮胎有限公司	21	23678
8	320800608473885	江苏韩泰轮胎有限公司	32	23456
9	370685613418880	招远利奥橡胶制品有限公司	37	20778
10	350205612044901	厦门正新海燕轮胎有限公司	35	19951
11	410118794254765	郑州百斯特矿机有限公司	41	19437
12	370284264810373	青岛双星轮胎工业有限公司	37	19341
13	320583608278641	正新橡胶（中国）有限公司	32	19252
14	21020460485690X	大连固特异轮胎有限公司	21	16671
15	330402609457692	韩泰轮胎有限公司	33	16558
16	371082783478958	固铂成山（山东）轮胎有限公司	37	16199
17	310112607218997	双钱集团股份有限公司	31	15584
18	32011360893328X	南京锦湖轮胎有限公司	32	15253
19	370882776344767	倍耐力轮胎有限公司	37	14035
20	649702715050837	银川佳通长城轮胎有限公司	64	13132
21	120115600891804	普利司通（天津）轮胎有限公司	12	11929
22	321700608235190	盖茨优霓塔传动系统（苏州）有限公司	32	11445
23	370523726207182	山东金宇轮胎有限公司	37	11053
24	210114604621123	米其林沈阳轮胎有限公司	21	10842
25	330165734511598	杭州横滨轮胎有限公司	33	10631
26	350305611258799	福建佳通轮胎有限公司	35	10115
27	342500259222497	安徽中鼎密封件股份有限公司	34	9428
28	649702715050829	银川佳通轮胎有限公司	64	8949
29	220104605905427	长春恩福油封有限公司	22	8460
30	31004360722860X	上海高桥巴斯夫分散体有限公司	31	8225
31	330165704212714	杭州朝阳橡胶有限公司	33	8106
32	350205751621705	厦门正新实业有限公司	35	7711
33	370523706165050	山东三泰橡胶有限责任公司	37	7262
34	320583608279898	建大橡胶（中国）有限公司	32	6890

续表

序号	企业代码	企业名称	地区	实纳税额
35	320281607982055	江阴兰陵瓶塞有限公司	32	6740
36	370211743966332	赛轮股份有限公司	37	6196
37	120111600579423	天津星光橡塑有限公司	12	5802
38	371002756385422	三角（威海）华盛轮胎有限公司	37	5528
39	320682757343996	双钱集团（如皋）轮胎有限公司	32	5505
40	310112607429866	上海米其林回力轮胎股份有限公司	31	5355
41	440301715235436	日东电工材料（深圳）有限公司	44	5323
42	320200607916103	无锡恩福油封有限公司	32	5195
43	32058173941261X	住友橡胶（常熟）有限公司	32	4945
44	320200746227877	普利司通（无锡）轮胎有限公司	32	4699
45	370523753519173	兴源轮胎集团有限公司	37	4672
46	360108612412401	泰丰轮胎（江西）有限公司	36	4605
47	210323120373143	鞍山轮胎厂	21	4388
48	12011160089006X	日新（天津）塑胶有限公司	12	4136
49	31022760733578X	日东电工（上海松江）有限公司	31	4090
50	320281746246920	江阴市安基橡胶工业有限公司	32	4057
51	440181618404787	广州市华南橡胶轮胎有限公司	44	3986
52	440306618861515	建泰橡胶（深圳）有限公司	44	3978
53	320200740674465	江苏通用科技股份有限公司	32	3972
54	320582608260249	安固（张家港）橡胶工业有限公司	32	3950
55	532624790252965	麻栗坡县华源橡胶发展有限公司	53	3913
56	321600628403139	南港（张家港保税区）橡胶工业有限公司	32	3878
57	231090755330702	桦林佳通轮胎有限公司	23	3756
58	320200135893635	无锡二橡胶股份有限公司	32	3616
59	32170075799553X	玛努利液压器材（苏州）有限公司	32	3580
60	220104717866506	锦湖轮胎（长春）有限公司	22	3560
61	440101755588412	东海橡塑（广州）有限公司	44	3548
62	120109103690171	天津鹏翎胶管股份有限公司	12	3415
63	440105725604725	广州广橡企业集团有限公司	44	3409
64	131127748498902	河北省景县景渤石油机械有限公司	13	3357
65	370203706413552	青岛伦敦杜蕾斯有限公司	37	3251
66	31022660738272X	上海井上高分子制品有限公司	31	3206
67	120103600551025	天津国际联合轮胎橡胶有限公司	12	3168
68	430211712106524	株洲时代新材料科技股份有限公司	43	3156
69	310227607341960	上海大塚橡塑实业有限公司	31	3045
70	442000739890013	山下橡胶（中山）有限公司	44	3011
71	320500628394172	盛州橡塑胶（苏州）有限公司	32	3002

续表

序号	企业代码	企业名称	地区	实纳税额
72	120113600537493	天津大丰橡胶工业有限公司	12	2994
73	370206163572767	青岛橡六集团有限公司	37	2915
74	320684138772062	南通回力橡胶有限公司	32	2888
75	321201141850586	江苏海阳化纤有限公司	32	2828
76	320111608958022	东爵有机硅（南京）有限公司	32	2799
77	441900281842676	东莞市高能电气股份有限公司	44	2629
78	430602186081434	际华三五一七橡胶制品有限公司	43	2623
79	330226711169494	建新赵氏集团有限公司	33	2585
80	120112600896111	东海橡塑（天津）有限公司	12	2549
81	370882613591982	银河德普胶带有限公司	37	2528
82	511502742259468	四川省宜宾普什集团3D有限公司	51	2455
83	370882668078748	山东安能输送带橡胶有限公司	37	2450
84	32058160825026X	华丰橡胶（中国）有限公司	32	2425
85	37020671802356X	青岛黄海橡胶股份有限公司	37	2415
86	450300785201522	中国化工橡胶桂林有限公司	45	2389
87	211302744333537	朝阳浪马轮胎有限责任公司	21	2305
88	131111236298229	衡水中铁建工程橡胶有限责任公司	13	2292
89	310227733388065	上海西川密封件有限公司	31	2254
90	372527749857778	时风巨兴轮胎有限责任公司	37	2208
91	440113618701562	阿乐斯绝热材料（广州）有限公司	44	2169
92	420303770797642	双星东风轮胎有限公司	42	2144
93	330226713353383	康迪泰克捷豹传动系统有限公司	33	2095
94	210114001607728	埃迪亚（沈阳）橡胶制品有限公司	21	2080
95	131111700652480	衡水宝力工程橡胶有限公司	13	2014
96	330621745050694	浙江三力士橡胶股份有限公司	33	1932
97	37028377682527X	青岛光明轮胎有限公司	37	1921
98	342524796437231	安徽中鼎密封件股份有限公司宁国分公司	34	1911
99	512081206873448	四川轮胎橡胶（集团）股份有限公司	51	1899
100	14040570100096X	山西凤凰胶带有限公司	14	1850

全国通用设备制造业纳税百强排行榜

单位：万元

序号	企业代码	企业名称	地区	实纳税额
1	37021126462882X	青岛海信电器股份有限公司	37	127940
2	120115773646700	维斯塔斯风力技术（中国）有限公司	12	98506
3	370705745676590	潍柴动力股份有限公司	37	92837
4	310112133385370	上海锅炉厂有限公司	31	70955
5	230110127047965	哈尔滨电机厂有限责任公司	23	54518
6	320300136442270	徐州重型机械有限公司	32	52230
7	330421753019961	浙江昱辉阳光能源有限公司	33	32989
8	320107134872875	南京汽轮电机（集团）有限责任公司	32	32895
9	310115607206953	上海振华港口机械（集团）股份有限公司	31	31437
10	230110128024925	哈尔滨汽轮机厂有限责任公司	23	29815
11	510302620729185	东方锅炉（集团）股份有限公司	51	28410
12	610115628001738	西安陕鼓动力股份有限公司	61	26864
13	110192600063785	施耐德北京中压电器有限公司	11	26744
14	31011560721358X	上海日立电器有限公司	31	26625
15	430121799122817	中联重科底盘分公司	43	24669
16	330104609138624	西子奥的斯电梯有限公司	33	22784
17	330165704202620	杭州汽轮机股份有限公司	33	22136
18	310115607244183	迪堡金融设备有限公司	31	21827
19	500902621910672	重庆康明斯发动机有限公司	50	21660
20	110192600055056	博世力士乐（北京）液压有限公司	11	21626
21	310115607385947	伊顿流体动力（上海）有限公司	31	21086
22	310112607359597	贺德克液压技术（上海）有限公司	31	20518
23	11019260002492X	SMC（中国）有限公司	11	19493
24	320200748159222	一汽解放汽车有限公司无锡柴油机厂	32	19090
25	321700730135548	SEW－传动设备（苏州）有限公司	32	17725
26	120113600898141	西门子机械传动（天津）有限公司	12	17487
27	310112607211939	上海英格索兰压缩机有限公司	31	17438
28	230198127575573	哈尔滨动力设备股份有限公司	23	17232
29	310115607279693	费斯托中国有限公司	31	17036
30	310107733384785	科尼起重机设备（上海）有限公司	31	16364
31	31011560736461X	派克汉尼汾流体传动产品（上海）有限公司	31	15972
32	310115607339342	上海三菱电机·上菱空调机电器有限公司	31	15451
33	420107177685180	武汉重工铸锻有限责任公司	42	15379
34	310227607350031	上海纳博特斯克液压有限公司	31	15331

续表

序号	企业代码	企业名称	地区	实纳税额
35	32170060820727X	艾默生环境优化技术（苏州）有限公司	32	15185
36	610304732645971	宝鸡法士特齿轮有限责任公司	61	14688
37	120113600588485	天津阿尔斯通水电设备有限公司	12	14581
38	320200764180291	无锡威孚汽车柴油系统有限公司	32	13972
39	510683205250521	东方电气集团东方汽轮机有限公司	51	13634
40	110107600001939	北京巴布科克·威尔科克斯有限公司	11	13564
41	110106741551037	北京现代京城工程机械有限公司	11	13301
42	310112132200768	上海重型机器厂有限公司	31	13075
43	230206128512566	中国第一重型机械集团公司	23	12672
44	421001615405514	法雷奥汽车空调湖北有限公司	42	12290
45	440681617411379	广东美芝制冷设备有限公司	44	12262
46	320585607984640	特灵空调系统（中国）有限公司	32	11742
47	320583724173660	牧田（昆山）有限公司	32	11570
48	230206739676439	中国第一重型机械（集团）有限责任公司	23	11370
49	210211726023244	大连华锐股份有限公司	21	11302
50	130211601052156	唐山松下产业机器有限公司	13	11214
51	321001755898023	海沃机械（扬州）有限公司	32	11064
52	42011110000894X	中国长江动力公司（集团）	42	11006
53	442000618132742	蒂森电梯有限公司	44	10941
54	530111622602196	沈机集团昆明机床股份有限公司	53	10491
55	210213796905170	平山重工（大连）有限公司	21	10442
56	420106177716557	武汉重型机床集团有限公司	42	10407
57	37010426435729X	济南二机床集团有限公司	37	10322
58	230198127046743	哈尔滨空调股份有限公司	23	10290
59	210213740940452	大连机床（数控）股份有限公司	21	10220
60	110192769904535	比泽尔制冷技术（中国）有限公司	11	10108
61	120115600540887	SEW－工业减速机（天津）有限公司	12	9826
62	320400608118082	梅特勒－托利多（常州）称重设备系统有限公司	32	9363
63	310229757564393	邦飞利传动设备（上海）有限公司	31	9347
64	649702710605290	宁夏小巨人机床有限公司	64	9294
65	340104148950117	安徽合力股份有限公司	34	9157
66	370802763668551	小松液压机械有限公司	37	9022
67	321700608235422	格兰富水泵（苏州）有限公司	32	8698
68	230202711088838	齐齐哈尔二机床（集团）有限责任公司	23	8683
69	32030073529613X	徐州罗特艾德回转支承有限公司	32	8659
70	320200607913359	阿特拉斯·科普柯（无锡）压缩机有限公司	32	8345
71	110105600049430	泰科流体控制（北京）有限公司	11	8168

续表

序号	企业代码	企业名称	地区	实纳税额
72	31011570300442X	派克汉尼汾液压系统（上海）有限公司	31	8136
73	130703601231058	斯必克冷却技术（张家口）有限公司	13	8107
74	321283714092090	江苏泰隆减速机股份有限公司	32	7946
75	320323608003015	徐州美驰车桥有限公司	32	7795
76	340203796443842	安徽海螺川崎节能设备制造有限公司	34	7786
77	440307618807092	深圳麦克维尔空调有限公司	44	7622
78	370811745684443	山东彩桥驾驶室有限公司	37	7613
79	330181609166051	杭州友佳精密机械有限公司	33	7589
80	320200724184386	约克（无锡）空调冷冻科技有限公司	32	7585
81	320121751299795	南京高速齿轮制造有限公司	32	7526
82	510113734805780	成都天马铁路轴承有限公司	51	7251
83	620503739643151	天水星火机床有限责任公司	62	7243
84	370602751764087	斗山机床（烟台）有限公司	37	7229
85	320200135894240	无锡透平叶片有限公司	32	7209
86	120222600891927	丹佛斯（天津）有限公司	12	7026
87	510304762306858	华西能源工业股份有限公司	51	6999
88	210213604820712	三菱电机大连机器有限公司	21	6998
89	120115600911705	卓轮（天津）机械有限公司	12	6919
90	210281242399712	瓦房店轴承股份有限公司	21	6918
91	210114715767002	中捷机床有限公司	21	6880
92	310226607410348	上海通用电气开关有限公司	31	6818
93	410305769475283	洛阳 LYC 轴承有限公司	41	6792
94	230198749523460	哈尔滨汽轮机厂辅机工程有限公司	23	6724
95	310113607276556	东芝电梯（中国）有限公司	31	6702
96	371482167575471	山东通裕集团有限公司	37	6690
97	330165725884202	杭州杭氧股份有限公司	33	6489
98	320281607984659	江苏双良空调设备股份有限公司	32	6479
99	310227607422568	葆德电气（上海）有限公司	31	6474
100	320583608276769	昆山恩斯克有限公司	32	6435

全国通讯设备、计算机及其他电子设备制造业纳税百强排行榜

单位：万元

序号	企业代码	企业名称	地区	实纳税额
1	110108700000458	联想（北京）有限公司	11	228348
2	440301279285671	深圳市中兴康讯电子有限公司	44	167542
3	310112607417881	华硕电脑（上海）有限公司	31	142974
4	12011572574957X	天津三星通信技术有限公司	12	139371
5	120115600899320	天津三星电子显示器有限公司	12	136459
6	110192600087023	富士康精密组件（北京）有限公司	11	114464
7	440301618815578	康佳集团股份有限公司	44	111110
8	440307755675030	深圳华为通信技术有限公司	44	107455
9	310115607339756	上海索广映像有限公司	31	100093
10	320113608943998	南京夏普电子有限公司	32	78397
11	110192749353393	北京京东方光电科技有限公司	11	78025
12	310115607211699	上海贝尔股份有限公司	31	73399
13	440306738817535	深圳富泰宏精密工业有限公司	44	72825
14	510700205412308	四川长虹电器股份有限公司	51	61905
15	440306761967961	群康科技（深圳）有限公司	44	59929
16	320113608967965	南京 LG 新港显示有限公司	32	59658
17	440307715281416	艾默生网络能源有限公司	44	57186
18	350206612020483	戴尔（中国）有限公司	35	55013
19	120115600502506	摩托罗拉（中国）电子有限公司	12	54071
20	35010572793981X	日立数字映像（中国）有限公司	35	48504
21	440301710936938	深圳三星科健移动通信技术有限公司	44	38729
22	310104607220405	3M 中国有限公司	31	37603
23	31011571093983X	上海松下等离子显示器有限公司	31	37466
24	321700608238156	伟创力电子（技术）苏州有限公司	32	37370
25	321700742473202	苏州三星电子电脑有限公司	32	36813
26	310115607395993	泰科电子（上海）有限公司	31	35849
27	320508608199126	苏州冠捷科技有限公司	32	35769
28	110192600091145	威讯联合半导体（北京）有限公司	11	35688
29	440300671877970	深圳市联决电子有限公司	44	33476
30	210213604878746	大连东芝电视有限公司	21	33098
31	371002613752790	三星电子（山东）数码打印机有限公司	37	31852
32	320584718615098	中达电子（江苏）有限公司	32	29680
33	441300195971850	TCL 集团股份有限公司	44	29309
34	440301618810099	深圳创维－RGB 电子有限公司	44	29225

续表

序号	企业代码	企业名称	地区	实纳税额
35	110105600065959	冠捷科技（北京）有限公司	11	26691
36	330107754408889	杭州华三通信技术有限公司	33	25134
37	320583608278094	四海电子（昆山）有限公司	32	24913
38	441501723829525	信利半导体有限公司	44	24759
39	110108785501795	华为数字技术有限公司	11	24322
40	310104607316693	上海松下半导体有限公司	31	24006
41	330195609136821	杭州摩托罗拉移动通信设备有限公司	33	22899
42	420101616400352	长飞光纤光缆有限公司	42	22643
43	350105733614544	LG 麦可龙（福建）电子有限公司	35	22349
44	330195609138560	杭州东信移动电话有限公司	33	20588
45	110101799001011	诺基亚西门子通信技术（北京）有限公司	11	20261
46	440301618932432	记忆科技（深圳）有限公司	44	19841
47	320113745391659	乐金电子（南京）等离子有限公司	32	18997
48	321700724448871	天弘（苏州）科技有限公司	32	18646
49	441900733124385	东莞三星视界有限公司	44	17303
50	120115600901857	天津三星视界有限公司	12	17278
51	310115703099764	上海华为技术有限公司	31	17144
52	210211604856336	中国华录松下电子信息有限公司	21	16975
53	330195609167257	UT 斯达康通讯有限公司	33	16561
54	441301617893742	索尼精密部件（惠州）有限公司	44	16418
55	440301618909697	深圳三星视界有限公司	44	16326
56	440681617408620	广东北电通信设备有限公司	44	16010
57	450300619386429	桂林 NEC 无线通信有限公司	45	15937
58	350206705499032	联想移动通信科技有限公司	35	15514
59	440301279346489	深圳赛格三星股份有限公司	44	15061
60	310112717869803	上海广电 NEC 液晶显示器有限公司	31	14868
61	440307745160041	比亚迪精密制造有限公司	44	14858
62	310115736669348	惠普科技（上海）有限公司	31	14593
63	35020661201872X	厦门松下电子信息有限公司	35	14581
64	441301617881792	西门子威迪欧汽车电子（惠州）有限公司	44	14276
65	31022760742458X	达群（上海）电脑有限公司	31	13919
66	440301728588054	冲电气实业（深圳）有限公司	44	13659
67	310114729528096	伟创力电子科技（上海）有限公司	31	13284
68	320583608279388	沪士电子股份有限公司	32	13231
69	110192801148435	揖斐电电子（北京）有限公司	11	13078
70	330165719574662	宏讯电子工业（杭州）有限公司	33	12768
71	441900712213354	台达电子电源（东莞）有限公司	44	12717

续表

序号	企业代码	企业名称	地区	实纳税额
72	110108700391823	瑞斯康达科技发展股份有限公司	11	12567
73	110108100006493	中国大恒（集团）有限公司	11	12503
74	310115607282497	诺基亚西门子通信（上海）有限公司	31	12500
75	440301279351261	中国长城计算机深圳股份有限公司	44	12436
76	110192600066628	安迅（北京）金融设备系统有限公司	11	12020
77	440106716340473	广州广电运通金融电子股份有限公司	44	11930
78	330165733796106	杭州海康威视数字技术股份有限公司	33	11791
79	441900618369862	广东步步高电子工业有限公司	44	11479
80	441900618113146	东莞生益电子有限公司	44	11352
81	310115607201538	中达电通股份有限公司	31	11340
82	41051170678656X	河南安彩高科股份有限公司	41	11317
83	150105772202948	创维电子（内蒙古）有限公司	15	10833
84	310115703098702	上海联想电子有限公司	31	10780
85	310115703000357	上海惠普有限公司	31	10629
86	130528601199617	河北宁晋松宫半导体有限公司	13	10598
87	110108710924187	有研半导体材料股份有限公司	11	10581
88	320584733745659	瑞仪光电（苏州）有限公司	32	10351
89	310115607374607	上海华虹 NEC 电子有限公司	31	10194
90	13052872161271X	宁晋赛美港龙电子材料有限公司	13	10086
91	110192801149091	北京三箭和众鼎电子有限公司	11	10064
92	321700728739895	友达光电（苏州）有限公司	32	9866
93	310115798941546	上海贝尔阿尔卡特软件有限公司	31	9808
94	110108100026793	同方股份有限公司	11	9800
95	440301618869808	爱普生技术（深圳）有限公司	44	9661
96	610498766306601	彩虹集团电子股份有限公司	61	9590
97	330165727215176	浙江大华技术股份有限公司	33	9496
98	320508714118035	名硕电脑（苏州）有限公司	32	9494
99	110192795103715	富泰京精密电子（北京）有限公司	11	9373
100	441301617584413	TCL 王牌电器（惠州）有限公司	44	9368

全国水力发电业纳税百强排行榜

单位：万元

序号	企业代码	企业名称	地区	实纳税额
1	420501100015058	中国长江三峡工程开发总公司	42	271046
2	420501710930405	中国长江电力股份有限公司	42	208045
3	451222715180527	龙滩水电开发有限公司	45	68249
4	420501177591096	湖北清江水电开发有限责任公司	42	59565
5	520100214406188	贵州乌江水电开发有限责任公司	52	53053
6	510402201808348	二滩水电开发有限责任公司	51	45350
7	430103183792804	五凌电力有限公司	43	42572
8	530103719449490	华能澜沧江水电有限公司	53	39303
9	350124724218232	福建水口发电有限公司	35	34705
10	530102216558329	国投云南大朝山水电有限公司	53	29484
11	630105661936228	青海黄河上游水电开发有限责任公司	63	23774
12	522330215280564	中国南方电网有限责任公司调峰调频发电公司天生桥水力发电总厂	52	23770
13	330523710959988	华东天荒坪抽水蓄能有限责任公司	33	20535
14	530922219540992	华能漫湾水电厂	53	16488
15	451229201093549	大唐岩滩水力发电有限责任公司	45	16131
16	511111206953042	国电大渡河流域水电开发有限公司龚嘴水力发电总厂	51	15931
17	522330730960791	天生桥一级水电开发有限责任公司水力发电厂	52	15466
18	500243753067066	重庆大唐国际彭水水电开发有限公司	50	15384
19	440106707674084	天生桥一级水电开发有限责任公司	44	14333
20	451321718828392	广西桂冠开投电力有限责任公司	45	14216
21	350822158162202	福建棉花滩水电开发有限公司	35	13830
22	410881169950968	黄河水利水电开发总公司	41	13389
23	450400753737824	广西长洲水电开发有限责任公司	45	12525
24	142234602610316	黄河万家寨水利枢纽有限公司	14	12406
25	51180021090215X	四川华能宝兴河电力股份有限公司	51	11825
26	510802205817698	华电四川发电有限公司宝珠寺水力发电厂	51	11759
27	440184190334975	广东蓄能发电有限公司	44	11119
28	220211723146169	松花江水力发电有限公司	22	11026
29	451229715159402	广西桂冠电力股份有限公司大化水力发电厂	45	10944
30	340604610420256	淮北国安电力有限公司	34	10874
31	522628766092105	贵州清水江水电有限公司	52	9981
32	510198725361022	国电大渡河流域水电开发有限公司	51	9889
33	510181720365227	四川省紫坪铺开发有限责任公司	51	9815
34	513324746902430	四川久隆水电开发有限公司	51	9512

续表

序号	企业代码	企业名称	地区	实纳税额
35	620402224788917	国投甘肃小三峡发电有限公司大峡水电站	62	9460
36	513321212052275	四川华能康定水电有限责任公司	51	9180
37	441421196375188	广东梅雁水电股份有限公司	44	9064
38	220621702233095	松江河发电厂	22	8570
39	441402786485205	广东梅雁水电股份有限公司三龙水电站	44	7712
40	630121710545857	青海华电大通发电有限公司	63	7641
41	45103177595781X	广西平班水电开发有限公司隆林分公司	45	7636
42	511622289561027	四川华能东西关水电股份有限公司	51	7510
43	23109072138522X	黑龙江莲花水电有限责任公司	23	7462
44	361130756795982	婺源武口电业发展有限责任公司	36	6917
45	441601751086546	广东粤电新丰江发电有限责任公司	44	6653
46	451002779109797	广西右江水利开发有限责任公司百色分公司	45	6535
47	411200169994346	三门峡黄河明珠（集团）有限公司	41	6306
48	510997206152800	四川明星电力股份有限公司	51	6270
49	630105713577934	黄河上游水电开发有限责任公司	63	6111
50	51010862160072X	四川嘉陵电力有限公司	51	6061
51	520100761353863	贵州北盘江电力股份有限公司	52	5878
52	360828705761811	中国国电集团公司万安水力发电厂	36	5502
53	420381182212003	汉江水利水电（集团）有限责任公司	42	5489
54	220282126910018	白山发电厂	22	5463
55	620122762391730	国投甘肃小三峡发电有限公司小峡水电站	62	5312
56	654028778990471	国电新疆吉林台水电开发有限公司吉林台一级水电站分公司	65	5297
57	513221709101837	四川福堂水电有限公司	51	5209
58	350925157424127	闽东水电开发有限公司	35	4979
59	441622751050092092	广东粤电枫树坝发电有限责任公司	44	4708
60	622923226320250	甘肃省电力公司刘家峡水电厂	62	4681
61	431281750603249	沅江电力开发有限责任公司洪江水力发电厂	43	4514
62	450100198224236	广西桂冠电力股份有限公司	45	4433
63	510727735862816	四川华能涪江水电有限责任公司	51	4387
64	430821183775203	湖南澧水流域水利水电开发有限责任公司慈利江垭电站	43	4371
65	440106786471401	中国南方电网有限责任公司调峰调频发电公司	44	4306
66	500232711646158	重庆江口水电有限责任公司	50	4184
67	500101711607773	重庆三峡水利电力（集团）股份有限公司	50	4050
68	511826742283943	四川大川电力有限公司	51	3856
69	511826779814162	四川大川电力有限公司大川电厂	51	3856
70	511132207800224	四川大渡河电力股份有限公司	51	3851
71	530602216972415	云南昭通高桥发电有限公司	53	3824

续表

序号	企业代码	企业名称	地区	实纳税额
72	44180145732729X	广东省飞来峡水利枢纽管理局	44	3764
73	622923226320349	黄河上游水电开发有限责任公司陇电分公司	62	3698
74	530822741482078	云南滇能泗南江水电开发有限公司	53	3679
75	210522120011492	国电电力发展公司和禹水电开发公司	21	3553
76	450127799732615	横县江南发电有限公司	45	3547
77	520181214402662	中国国电集团公司红枫水力发电厂	52	3539
78	431081661673317	湖南省电力公司东江水力发电厂	43	3521
79	513321749616106	四川金康电力发展有限公司	51	3480
80	42068218356780X	湖北汉江王甫洲水力发电有限责任公司	42	3358
81	341102730014981	华东琅琊山抽水蓄能有限责任公司	34	3356
82	441422196423477	广东粤电青溪发电有限责任公司	44	3328
83	511622709129565	四川嘉陵江桐子壕航电开发有限公司	51	3314
84	511423740028770	四川瓦屋山电力实业有限公司	51	3266
85	622626225771076	大唐碧口水力发电厂	62	3261
86	520100755393412	贵州乌江清水河水电开发有限公司	52	3193
87	530326217412102	华电云南发电有限公司以礼河发电厂	53	3178
88	450221747987050	广西柳州红花水电有限责任公司	45	3170
89	350428731888162	福建省金湖电力有限责任公司	35	3132
90	652826670219845	国电新疆开都河流域水电开发有限公司察汗乌苏水电站	65	3123
91	46900720164497X	国电海南大广坝发电有限公司	46	3105
92	330182143953474	华东电网有限公司新安江水力发电厂	33	3042
93	532527753566615	云南华润电力（红河）有限公司	53	2963
94	330300704315676	浙江珊溪经济发展有限责任公司	33	2918
95	450801708646886	广西西江航运建设发展有限责任贵港航运枢纽分公司	45	2912
96	350426743843666	福建省尤溪流域水电开发有限责任公司	35	2828
97	433125758013390	五凌电力有限公司碗米坡水电厂	43	2825
98	530523919010909	云南保山电力股份公司龙陵分公司	53	2765
99	350702671944715	中电（福建）电力开发有限公司	35	2734
100	620101296718432	兰州宏源电力技术有限公司	62	2725

全国食品制造业纳税百强排行榜

单位：万元

序号	企业代码	企业名称	地区	实纳税额
1	442000617592341	完美（中国）日用品有限公司	44	76821
2	440191618416948	箭牌糖果（中国）有限公司	44	69106
3	310115607231489	多美滋婴幼儿食品有限公司	31	65355
4	441788796213641	嘉吉粮油（阳江）有限公司	44	55123
5	440191618419751	美赞臣营养品（中国）有限公司	44	51703
6	440705617435303	无限极（中国）有限公司	44	41095
7	441900618100230	东莞雀巢有限公司	44	32037
8	441900617993276	东莞徐记食品有限公司	44	31289
9	110227600037341	玛氏食品（中国）有限公司	11	30829
10	37028472781753X	圣元营养食品有限公司	37	27271
11	33019560916761X	杭州顶益食品有限公司	33	27162
12	330102609136119	杭州娃哈哈保健食品有限公司	33	26490
13	150105701465425	内蒙古蒙牛乳业（集团）股份有限公司	15	25981
14	152301752570057	通辽梅花生物科技有限公司	15	24933
15	310114607379993	上海太太乐食品有限公司	31	24523
16	310112607286172	不凡帝凡梅勒糖果（中国）有限公司	31	24223
17	440601722448755	佛山市海天调味食品有限公司	44	21738
18	445121707825911	广东雅士利集团股份有限公司	44	21720
19	230182606410215	双城雀巢有限公司	23	21165
20	120115600501650	天津顶益国际食品有限公司	12	19137
21	150117114124263	内蒙古伊利实业集团股份有限公司	15	19103
22	440116618422272	仙妮蕾德（中国）有限公司	44	18977
23	32012473318760X	南京喜之郎食品有限公司	32	16773
24	120222104086654	天津天狮生物工程有限公司	12	16742
25	110114710932945	新时代健康产业（集团）有限公司	11	15904
26	440624762922685	佛山市海天（高明）调味食品有限公司	44	15860
27	131011601347974	好丽友食品有限公司	13	15592
28	150121701469493	内蒙古伊利实业集团股份有限公司奶粉事业部	15	15213
29	420112616404134	武汉统一企业食品有限公司	42	13978
30	310112607360299	光明乳业股份有限公司	31	13582
31	110192600037501	宝健（中国）日用品有限公司	11	12840
32	411100615125088	华懋双汇实业（集团）有限公司	41	12672
33	330165712560866	浙江贝因美科工贸股份有限公司	33	12478
34	520102622230513	贵阳南明老干妈风味食品有限责任公司	52	12256

续表

序号	企业代码	企业名称	地区	实纳税额
35	110104600035012	卡夫食品（中国）有限公司	11	12000
36	500904621911253	重庆顶益食品有限公司	50	10945
37	150123790173212	内蒙古蒙牛高科乳业有限公司	15	10479
38	440101734929310	施恩（广州）婴幼儿营养品有限公司	44	10296
39	44172373617517X	阳江喜之郎果冻制造有限公司	44	10127
40	320200136297640	无锡瑞年实业有限公司	32	9226
41	340104730029438	洽洽食品股份有限公司	34	8926
42	372500760037658	希杰（聊城）生物科技有限公司	37	8631
43	31022960742052X	上好佳（中国）有限公司	31	8510
44	310227769445295	上海健久生物科技有限公司	31	8484
45	420101616426819	武汉顶益食品有限公司	42	8270
46	44010171637004X	广州市合生元生物制品有限公司	44	8201
47	310227607424651	箭牌糖类（上海）有限公司	31	7991
48	330102609136098	杭州娃哈哈食品有限公司	33	7819
49	440181775696269	箭牌糖果（中国）有限公司番禺工厂	44	7620
50	310227607270330	上海大江（集团）股份有限公司	31	7140
51	51011562170270X	成都统一企业食品有限公司	51	6876
52	370125777405904	济南达利食品有限公司	37	6691
53	310106607339385	上海惠氏营养品有限公司	31	6606
54	130525601421644	今麦郎食品有限公司	13	6560
55	610390766301413	宝鸡阜丰生物科技有限公司	61	6533
56	130811601207795	河北四海发展有限责任公司	13	6467
57	410105779420534	郑州思念食品有限公司	41	6437
58	46010071381539X	海南养生堂保健品有限公司	46	6301
59	320281751442280	中粮麦芽（江阴）有限公司	32	6216
60	410108514683187	郑州三全食品股份有限公司	41	6147
61	610190623910924	西安顶益食品有限公司	61	6048
62	310101607408504	上海江崎格力高食品有限公司	31	5661
63	440101618421149	味可美（广州）食品有限公司	44	5611
64	440181708217512	广州酒家集团利口福食品有限公司	44	5578
65	210114604622222	沈阳顶益食品有限公司	21	5538
66	110222736476482	北京光明健能乳业有限公司	11	5413
67	350521611536808	福建达利食品集团有限公司	35	5408
68	150117783012605	内蒙古金川伊利乳业有限责任公司	15	5386
69	13020876032071X	蒙牛乳业（唐山）有限公司	13	5370
70	321700608219158	维益食品（苏州）有限公司	32	5356
71	150117787050094	内蒙古阜丰生物科技有限公司	15	5246

续表

序号	企业代码	企业名称	地区	实纳税额
72	11022480116622X	百事食品（中国）有限公司北京分厂	11	5216
73	370285614314338	青岛雀巢有限公司	37	5174
74	420984730873233	湖北达利食品有限公司	42	5147
75	320323608077903	维维食品饮料股份有限公司	32	5072
76	120115600531200	天津雀巢有限公司	12	5026
77	640121750810280	宁夏伊品生物工程股份有限公司	64	4902
78	44010661741211X	亨氏联合有限公司	44	4808
79	230230663894324	黑龙江省姆阿普食品有限公司	23	4764
80	330401704203471	浙江五芳斋实业股份有限公司	33	4633
81	320200745556855	无锡健特生物工程有限公司	32	4612
82	340506771130874	蒙牛乳业（马鞍山）有限公司	34	4588
83	340121779060372	合肥伊利乳业有限责任公司	34	4512
84	230230736928960	黑龙江飞鹤乳业有限公司	23	4491
85	230198607175114	哈尔滨顶益食品有限公司	23	4477
86	370903756375080	蒙牛乳业（泰安）有限公司	37	4336
87	11010560001676X	北京航空食品有限公司	11	4319
88	330411778270415	玛氏食品（嘉兴）有限公司	33	4282
89	120115600888963	天津顶园食品有限公司	12	4232
90	440101618426206	广州顶益食品有限公司	44	4232
91	441201895427426	广东肇庆星湖生物科技股份有限公司生物工程基地	44	4221
92	110114742615370	北京稻香村食品有限责任公司食品厂	11	4212
93	330195609168639	杭州顶园食品有限公司	33	4204
94	310112607206507	上海味好美食品有限公司	31	4101
95	110112744735827	蒙牛乳业（北京）有限公司	11	4094
96	110102600062547	北京三元食品股份有限公司	11	4083
97	410182716747003	郑州博大面业有限公司	41	4074
98	430124616602720	长沙加加食品集团有限公司	43	3989
99	420101764629984	嘉吉烯王生物工程（武汉）有限公司	42	3983
100	31022760733463X	上海芳精香料有限公司	31	3946

全国火力发电业纳税百强排行榜

单位：万元

序号	企业代码	企业名称	地区	实纳税额
1	110104100017336	大唐国际发电股份有限公司	11	119079
2	440781727840297	广东国华粤电台山发电有限公司	44	104537
3	150122114179096	内蒙古大唐国际托克托发电有限责任公司	15	87107
4	330201741035171	浙江国华浙能发电有限公司	33	76120
5	152128115196461	华能伊敏煤电有限责任公司	15	64639
6	350681611470087	华阳电业有限公司	35	61283
7	440401618390629	广东省珠海发电厂有限公司	44	57657
8	331021744117463	华能国际电力股份有限公司浙江分公司	33	54193
9	152530747941116	内蒙古上都发电有限责任公司	15	51333
10	440301618816706	深圳妈湾电力有限公司	44	42610
11	321001140861574	扬州第二发电有限责任公司	32	42352
12	370883866156823	华电国际电力股份有限公司邹县发电厂	37	41688
13	371402167270774	华能国际电力股份有限公司德州电厂	37	41579
14	33078175492287X	浙江浙能兰溪发电有限责任公司	33	41418
15	440106617419493	广东电力发展股份有限公司	44	41267
16	330000730318598	浙江嘉华发电有限责任公司	33	37315
17	330000142943450	浙江东南发电股份有限公司	33	36961
18	340402777374271	淮浙煤电有限责任公司	34	35957
19	451302619303021	广西来宾法资发电有限公司	45	34491
20	130205804791805	大唐国际发电股份有限公司陡河发电厂	13	34032
21	310046632080651	上海外高桥第二发电有限责任公司	31	33365
22	120225712823929	天津国华盘山发电有限责任公司	12	32341
23	142232736333166	山西鲁能河曲发电有限公司	14	32337
24	32058577051178X	国华太仓发电有限公司	32	32183
25	321121608836068	江苏镇江发电有限公司	32	31951
26	330000142942853	浙江浙能北仑发电有限公司	33	30991
27	370883669307768	华电邹县发电有限公司	37	30781
28	330201753286162	浙江大唐乌沙山发电有限责任公司	33	30022
29	441900X17400174	广东广合电力有限公司沙角发电厂 C 厂	44	29865
30	330000720083393	国电浙江北仑第一发电有限公司	33	29284
31	32058573782766X	太仓港协鑫发电有限公司	32	28993
32	320581710936305	华润电力（常熟）有限公司	32	27802
33	340402769047502	淮沪煤电有限公司	34	26878
34	440501708028113	华能国际电力股份有限公司汕头电厂	44	26830

续表

序号	企业代码	企业名称	地区	实纳税额
35	320281767397322	江阴利港发电股份有限公司	32	26720
36	610821755247976	陕西国华锦界能源有限责任公司	61	25642
37	110105X26000551	华能北京热电有限责任公司	11	25465
38	520100722102973	贵州西电电力股份有限公司	52	25116
39	152629747939649	内蒙古岱海发电有限责任公司	15	24768
40	530325748281375	云南滇东能源有限责任公司	53	24746
41	211421120771168	绥中发电有限责任公司	21	24570
42	210804604051941	华能国际电力股份有限公司营口电厂	21	24454
43	340402733034777	安徽淮南洛能发电有限责任公司	34	24444
44	44512275564834X	广东大唐国际潮州发电有限责任公司	44	24266
45	150403701280332	元宝山发电有限责任公司	15	24239
46	350205612024484	厦门华夏国际电力发展有限公司	35	24231
47	610490623747768	陕西渭河发电有限公司	61	24018
48	330000143049514	杭州华电半山发电有限公司	33	23756
49	42011730024252X	华能武汉发电有限责任公司	42	23575
50	32120075796619X	国电泰州发电有限公司	32	23257
51	131082109315911	三河发电有限责任公司	13	23111
52	140507602003081	阳城国际发电有限责任公司	14	22484
53	370205163580003	华电青岛发电有限公司	37	22395
54	320281607984069	江阴苏龙发电有限公司	32	22299
55	620403624172476	靖远第二发电有限公司	62	22295
56	511600289562433	四川广安发电有限责任公司	51	22103
57	530381738062005	国电宣威发电有限责任公司	53	22042
58	130121X01701132	华能国际电力股份有限公司上安电厂	13	21925
59	500902X21900091	华能重庆珞璜发电有限责任公司	50	21726
60	110107722601879	北京京能热电股份有限公司	11	21622
61	130912735605449	河北国华沧东发电有限责任公司	13	21609
62	640205710627078	国电宁夏石嘴山发电有限责任公司	64	21358
63	320300608003410	徐州华润电力有限公司	32	21222
64	370681169423228	山东百年电力发展股份有限公司	37	21182
65	130212784073944	河北大唐国际王滩发电有限责任公司	13	21110
66	230206128512937	中国华电集团富拉尔基发电总厂	23	20801
67	441900731486219	广东电力发展股份有限公司沙角 A 电厂	44	20519
68	44522477307022X	广东粤电靖海发电有限公司	44	20409
69	120111103069465	天津华能杨柳青热电有限责任公司	12	20406
70	410881735514918	华能沁北发电有限责任公司	41	20334
71	340406754894610	淮南平圩第二发电有限责任公司	34	20333

续表

序号	企业代码	企业名称	地区	实纳税额
72	520202745718447	贵州粤黔电力有限责任公司	52	20320
73	360981794754903	江西赣能股份有限公司丰城二期发电厂	36	20252
74	120225700560092	天津大唐国际盘山发电有限责任公司	12	19836
75	350182X11041238	华能国际电力股份有限公司福州电厂	35	19720
76	431381763251190	大唐华银电力股份有限公司金竹山火力发电分公司	43	19708
77	210711603973637	华润电力（锦州）有限公司	21	19597
78	152722626590110	内蒙古蒙达发电有限责任公司	15	19575
79	230506702734180	国电双鸭山发电有限公司	23	19529
80	230111769212838	华电能源股份有限公司哈尔滨第三发电厂	23	19405
81	610322220592466	陕西宝鸡第二发电有限责任公司	61	19213
82	35012275314528X	福建华电可门发电有限公司	35	19155
83	130406601167076	河北邯峰发电有限责任公司	13	18968
84	320601608316572	华能国际电力股份有限公司南通电厂	32	18924
85	370705165423394	华电潍坊发电有限公司	37	18759
86	42128171463630X	华润电力湖北有限公司	42	18719
87	140321713679818	山西阳光发电有限责任公司	14	18582
88	431003717861553	华润电力湖南有限公司	43	18320
89	310046631639185	上海吴泾第二发电有限责任公司	31	18304
90	140604715928128	山西大唐国际神头发电有限责任公司	14	18215
91	440401717859111	广东珠海金湾发电有限公司	44	18143
92	372500727563541	山东中华发电有限公司聊城发电厂	37	18126
93	430305184734649	大唐湘潭发电有限责任公司	43	18042
94	152721701419883	内蒙古国华准格尔发电有限责任公司	15	18007
95	210910121562106	阜新发电有限责任公司	21	17843
96	152722772228160	北方联合电力有限责任公司鄂尔多斯发电厂	15	17758
97	640181774928697	华电宁夏灵武发电有限公司	64	17658
98	340406850220739	安徽淮南平圩发电有限责任公司	34	17636
99	130131752436982	河北西柏坡第二发电有限责任公司	13	17599
100	440194618459825	广州东方电力有限公司	44	17569

全国黑色金属冶炼及压延加工业纳税百强排行榜

单位：万元

序号	企业代码	企业名称	地区	实纳税额
1	310046631696382	宝山钢铁股份有限公司	31	1497363
2	210303242669479	鞍钢股份有限公司	21	735713
3	420107300247654	武汉钢铁股份有限公司	42	576463
4	340504610400837	马鞍山钢铁股份有限公司	34	394073
5	150230114392559	包头钢铁（集团）有限责任公司	15	345868
6	371203267179433	莱芜钢铁股份有限公司	37	266906
7	140116701011888	山西太钢不锈钢股份有限公司	14	220413
8	150230701464975	内蒙古包钢钢联股份有限公司	15	220097
9	371102747809801	日照钢铁有限公司	37	214478
10	210502242690243	本钢板材股份有限公司	21	199653
11	370112726230489	济南钢铁股份有限公司	37	197617
12	450205715187622	柳州钢铁股份有限公司	45	193497
13	130203104759628	唐山钢铁股份有限公司	13	183293
14	410504719173420	安阳钢铁股份有限公司	41	183158
15	120114104313327	天津钢管集团股份有限公司	12	160194
16	620200224641202	酒泉钢铁（集团）有限责任公司	62	140013
17	440205231129346	广东韶钢松山股份有限公司	44	135614
18	430304770052915	湖南华菱湘潭钢铁有限公司	43	132844
19	130207601074048	唐山国丰钢铁有限公司	13	123018
20	130227721610976	河北津西钢铁股份有限公司	13	116083
21	510402204360956	攀枝花新钢钒股份有限公司	51	108954
22	360501158308443	新余钢铁股份有限公司	36	108235
23	130404700647251	邯郸钢铁股份有限公司	13	106681
24	371203757493927	莱芜钢铁集团银山型钢有限公司	37	104018
25	320112714085405	南京钢铁股份有限公司	32	96461
26	110107700234318	北京首钢股份有限公司	11	94034
27	500104202852965	重庆钢铁股份有限公司	50	88798
28	410481706575279	舞阳钢铁有限责任公司	41	88039
29	110107101120001	首钢总公司	11	87586
30	320582739421700	联峰钢铁（张家港）有限公司	32	87517
31	320582608257189	张家港浦项不锈钢有限公司	32	86610
32	440101734930290	联众（广州）不锈钢有限公司	44	84773
33	320112748204660	南京钢铁联合有限公司	32	84034
34	620200710375659	甘肃酒钢集团宏兴钢铁股份有限公司	62	81785

续表

序号	企业代码	企业名称	地区	实纳税额
35	130323746874054	秦皇岛首秦金属材料有限公司	13	81785
36	130705106181022	宣化钢铁集团有限责任公司	13	80095
37	220503717104464	通化钢铁股份有限公司	22	78429
38	210303241420014	鞍山钢铁集团公司	21	78005
39	320114134872859	上海梅山钢铁股份有限公司	32	74998
40	320281607984202	江阴兴澄特种钢铁有限公司	32	72990
41	371102791528521	日照钢铁轧钢有限公司	37	72899
42	320582728722524	张家港宏发炼钢有限公司	32	69563
43	120114724488101	天津钢铁有限公司	12	69292
44	210404777794268	抚顺新钢铁有限责任公司	21	66126
45	142729715939089	山西海鑫国际钢铁有限公司	14	65939
46	330165704200860	杭州钢铁股份有限公司	33	65803
47	650106228601101	宝钢集团新疆八一钢铁有限公司	65	65426
48	431302776753288	湖南华菱涟源钢铁有限公司	43	65081
49	42070170691922X	武汉钢铁集团鄂城钢铁有限责任公司	42	59842
50	371202169533590	山东泰山钢铁集团有限公司	37	59695
51	350402733617489	福建三钢闽光股份有限公司	35	59518
52	530181757160292	武钢集团昆明钢铁股份有限公司	53	57932
53	130283746868009	河北省首钢迁安钢铁有限责任公司	13	57499
54	320582739403799	张家港宏昌钢板有限公司	32	56674
55	13048174540750X	河北文丰钢铁有限公司	13	55620
56	330201744976137	宁波钢铁有限公司	33	55082
57	51040272322100X	攀枝花钢铁有限责任公司	51	53877
58	130503105783910	邢台钢铁有限责任公司	13	53500
59	650106722318862	新疆八一钢铁股份有限公司	65	53231
60	130225766614559	唐山中厚板材有限公司	13	52252
61	431381748373560	冷水江钢铁有限责任公司	43	52056
62	130426107140396	天津铁厂	13	51857
63	360106705514271	南昌长力钢铁股份有限公司	36	50701
64	210502736737267	本溪北营钢铁（集团）股份有限公司	21	50609
65	451302199882548	广西八一铁合金（集团）有限责任公司	45	50530
66	340203748920392	芜湖新兴铸管有限责任公司	34	48678
67	370983726242893	山东石横特钢集团有限公司	37	46498
68	21031170152806X	鞍山宝得钢铁有限公司	21	45554
69	210711725673536	中信锦州铁合金股份有限公司	21	43822
70	130521757518864	德龙钢铁有限公司	13	43812
71	130283740187835	唐山长城钢铁集团燕山钢铁有限公司	13	43026

续表

序号	企业代码	企业名称	地区	实纳税额
72	210811121400684	五矿营口中板有限责任公司	21	42971
73	320800753219058	江苏淮澳钢铁有限公司	32	41332
74	420105717947410	武汉钢铁股份有限公司棒材厂	42	41089
75	330800749819608	衢州元立金属制品有限公司	33	37688
76	410881177470403	河南济源钢铁（集团）有限公司	41	37000
77	320582751423362	张家港沙景宽厚板有限公司	32	36728
78	370705165557771	潍坊钢铁集团有限公司	37	36291
79	370305725442578	南金兆集团有限公司	37	36054
80	370112163148157	济钢集团有限公司	37	35976
81	130803106512303	承德新新钒钛股份有限公司	13	35180
82	130131734345104	河北敬业钢铁有限公司	13	33799
83	130481104365768	新兴铸管股份有限公司	13	33630
84	360301159066415	萍乡钢铁有限责任公司	36	33349
85	130281601250857	唐山建龙实业有限公司	13	33261
86	220202702435463	中钢集团吉林铁合金股份有限公司	22	32472
87	654025710858538	新疆伊犁钢铁有限责任公司	65	32008
88	330206610274332	宁波宝新不锈钢有限公司	33	31884
89	310046717851785	宝钢新日铁汽车板有限公司	31	31391
90	511024727447487	威远钢铁有限公司	51	31129
91	110107722617264	北京首钢新钢有限责任公司	11	31098
92	210502744320795	本溪北方铁业有限公司	21	29863
93	130421745448467	河北纵横钢铁集团有限公司	13	29648
94	420203757045833	湖北新冶钢有限公司	42	29471
95	41048178221474X	舞阳新宽厚钢板有限责任公司	41	29334
96	230705129540614	西林钢铁集团有限公司	23	27675
97	610581661193700	陕西龙门钢铁有限责任公司	61	27572
98	360301754207243	萍乡安源钢铁有限责任公司	36	27419
99	371102747837503	日照型钢有限公司	37	27202
100	130207745420296	唐山瑞丰钢铁（集团）有限公司	13	26501

全国航空运输业纳税百强排行榜

单位：万元

序号	企业代码	企业名称	地区	实纳税额
1	510122772989760	中国国际航空股份有限公司西南分公司	51	255773
2	110222717871006	中国国际航空股份有限公司	11	208709
3	440101100017600	中国南方航空股份有限公司	44	186879
4	440306192211290	深圳航空有限责任公司	44	49917
5	35020615499233X	厦门航空有限公司	35	46518
6	310046741602981	中国东方航空股份有限公司	31	33262
7	110222710925403	北京首都国际机场股份有限公司	11	30493
8	510109742262413	四川航空股份有限公司	51	30325
9	310046134616599	上海国际机场股份有限公司	31	28486
10	440101725066955	广州白云国际机场股份有限公司	44	26227
11	370112720721201	山东航空股份有限公司	37	26110
12	310046132211803	上海航空股份有限公司	31	25839
13	110192625911509	中外运－敦豪国际航空快件有限公司	11	22357
14	460108620025161	海南航空股份有限公司	46	18576
15	310046607409398	上海浦东国际机场货运站有限公司	31	15686
16	44030027954141X	深圳市机场股份有限公司	44	13467
17	610104100005183	中国东方航空股份有限公司西北分公司	61	13067
18	530111778579826	中国东方航空股份有限公司云南分公司	53	12756
19	310115766454452	上海东方远航物流有限公司	31	11026
20	310046631173135	中国货运航空有限公司	31	10083
21	310046132284295	上海机场（集团）有限公司	31	10073
22	110222710932056	中国国际货运航空有限公司	11	10045
23	320003134768664	中国东方航空江苏有限公司	32	9872
24	360122100017678	中国东方航空股份有限公司江西分公司	36	9788
25	110222100010951	中国新华航空有限责任公司	11	9403
26	210104774613513	中国南方航空股份有限公司北方分公司	21	9233
27	65010477605353X	南方航空股份有限公司新疆分公司	65	8312
28	110113000018470	中国民用航空华北地区管理局	11	7810
29	330181774360739	中国国际航空股份有限公司浙江分公司	33	7787
30	500112753087972	中国国际航空股份有限公司重庆分公司	50	7580
31	12011480306207X	中国国际航空股份有限公司天津分公司	12	7386
32	410184869956543	中国南方航空股份有限公司河南分公司	41	7209
33	110101400006065	中国民用航空总局空中交通管理局	11	6938
34	420103931251748	中国南方航空股份有限公司湖北分公司	42	6926

续表

序号	企业代码	企业名称	地区	实纳税额
35	330181720082710	杭州萧山国际机场有限公司	33	6450
36	350206158163213	厦门国际航空港股份有限公司	35	6318
37	500112756209971	重庆机场集团有限公司	50	6244
38	210211773024741	中国南方航空股份有限公司大连分公司	21	6178
39	37020286309791X	中国东方航空股份有限公司山东分公司	37	6028
40	140105713673635	中国东方航空股份有限公司山西分公司	14	5817
41	31022776839377X	春秋航空有限公司	31	5464
42	440305192247613	中国南方航空（集团）深圳公司	44	5140
43	370214427403626	青岛国际机场集团有限公司	37	5095
44	530111748276947	云南机场集团有限责任公司	53	4967
45	110222101128791	首都机场集团公司	11	4927
46	110101000014170	中国民用航空总局	11	4806
47	110103100024392	中国货运邮政航空有限责任公司	11	4747
48	420116300249262	武汉天河机场有限责任公司	42	4728
49	420104741414964	中国东方航空武汉有限公司	42	4639
50	330201728126546	中国东方航空股份有限公司宁波分公司	33	4557
51	440300764986244	翡翠国际货运航空有限责任公司	44	4556
52	500112765948952	四川航空股份有限公司重庆分公司	50	4287
53	440111190488448	广东省机场管理集团公司	44	4280
54	460108201266454	中国南方航空股份有限公司海南分公司	46	4180
55	320021134795187	南京禄口国际机场有限公司	32	4135
56	440501279795735	汕头航空有限公司	44	4072
57	220181767187114	中国南方航空股份有限公司吉林分公司	22	4038
58	620121720211551	中国航空西北地区空中交通管理局甘肃分局	62	3977
59	520101709667064	贵州航空有限公司	52	3973
60	350206155010668	厦门国际航空港集团有限公司	35	3943
61	230198772621077	中国南方航空股份有限公司黑龙江分公司	23	3873
62	310115717859779	长城航空有限公司	31	3818
63	440114773305498	深圳航空有限责任公司广州分公司	44	3765
64	450100799705852	中国南方航空股份有限公司广西分公司	45	3754
65	310046425004533	中国民用航空华东地区空中交通管理局	31	3737
66	510122717852403	成都双流国际机场股份有限公司	51	3722
67	430121883764150	中国南方航空股份有限公司湖南分公司	43	3632
68	120116717880527	银河国际货运航空有限公司	12	3563
69	210112752783968	沈阳桃仙国际机场股份有限公司	21	3398
70	130123700715591	中国东方航空股份有限公司河北分公司	13	3298
71	310225786722610	上海吉祥航空有限公司	31	3139

续表

序号	企业代码	企业名称	地区	实纳税额
72	310105741185823	扬子江快运航空有限公司	31	3110
73	210211751589725	大连周水子国际机场股份有限公司	21	3107
74	140105731900096	山西航空有限责任公司	14	3063
75	110106100002345	中国联合航空有限公司	11	2884
76	440300710924128	中信海洋直升机股份有限公司	44	2739
77	46020177426531X	中国南方航空股份有限公司三亚分公司	46	2559
78	350101749052304	福州国际航空港有限公司	35	2551
79	650104763754839	新疆机场集团有限责任公司	65	2364
80	440401192591625	珠海航空有限公司	44	2280
81	340111704901181	中国东方航空股份有限公司安徽分公司	34	2211
82	11022278395300X	中国南方航空股份有限公司北京分公司	11	1719
83	460100721271724	海南美兰国际机场股份有限公司	46	1700
84	500112798046824	西部航空有限责任公司	50	1687
85	620121924330667	中国东方航空股份有限公司甘肃分公司	62	1655
86	110113625906582	北京空港航空地面服务有限公司	11	1645
87	460200201360897	三亚凤凰国际机场有限责任公司	46	1577
88	320002714091979	南京空港发展股份有限公司	32	1570
89	520101750190421	中国国际航空股份有限公司贵州分公司	52	1545
90	120114727510626	天津滨海国际机场	12	1534
91	440300708451018	深圳市深航货运有限公司	44	1494
92	440111455418403	中国民用航空中南地区空中交通管理局	44	1488
93	610495220520630	西部机场集团公司	61	1485
94	430121680327233	湖南机场股份公司长沙黄花国际机场分公司	43	1457
95	370112750875455	济南国际机场股份有限公司	37	1397
96	460108730082423	中国民用航空中南地区空中交通管理局海南分局	46	1360
97	460106760374515	大新华航空有限公司	46	1354
98	50011266089744X	重庆航空有限责任公司	50	1339
99	14010575725677X	山西省民航机场集团公司	14	1297
100	53011176709804X	云南机场集团有限责任公司昆明巫家坝国际机场	53	1196

全国广播电视电影和音像业纳税百强排行榜

单位：万元

序号	企业代码	企业名称	地区	实纳税额
1	11010840001134X	中国中央电视台	11	90650
2	110108100002724	中国国际电视总公司	11	22896
3	110108400686849	北京电视台	11	13735
4	330000735248330	浙江广播电视集团	33	9749
5	320002466012046	江苏省广播电视总台	32	7965
6	340111485000374	安徽电视台	34	7403
7	110108102071643	北京未来广告公司	11	6455
8	440104191143046	广州市电视台	44	6339
9	440100455863726	广东电视台	44	5742
10	410105415803569	河南电视台	41	5266
11	44010273218583X	广东南方电视台	44	5116
12	33020175625385X	宁波广播电视集团	33	4593
13	370102495574865	山东省电视台	37	4426
14	500903450388313	重庆广播电视集团（总台）	50	4207
15	110105400686830	北京人民广播电台	11	3716
16	519000767258541	四川广播电视集团	51	3562
17	130106401704594	河北电视台	13	3100
18	610103435202429	陕西电视台广告中心	61	3034
19	330103747154112	杭州文化广播电视集团	33	2836
20	330783768691187	华谊兄弟传媒股份有限公司	33	2796
21	440301102944491	华视传媒集团有限公司	44	2738
22	32020046629838X	无锡广播电视集团	32	2479
23	42010672827336X	武汉市电视台	42	2388
24	31011513222695X	上海东方明珠广播电视塔有限公司	31	2380
25	520101429202772	贵州省电视台	52	2319
26	530102431202093	云南电视台	53	2309
27	32010375686065X	南京广播电视集团	32	1860
28	120101401356032	中国天津电视台	12	1720
29	320601467541353	南通市电视台	32	1681
30	310104132622987	上海电影制片厂	31	1650
31	440604778317228	佛山珠江传媒网络有限公司	44	1648
32	510108450756569	成都电视台	51	1607
33	320103466003123	江苏人民广播电台	32	1580
34	460100747781220	海南海视旅游卫视传媒有限责任公司	46	1565

续表

序号	企业代码	企业名称	地区	实纳税额
35	441900774002210	东莞广播电视台	44	1505
36	37010249554114X	齐鲁电视台	37	1473
37	320400467290099	常州广播电视台	32	1410
38	330300777207641	温州市广播电视总台	33	1308
39	440100455860103	广东人民广播电台	44	1276
40	320200720638395	江苏中广网络有限公司	32	1268
41	440106726482280	广东有线广播电视网络股份有限公司	44	1268
42	320583729004030	昆山市信息港网络科技有限责任公司	32	1248
43	230103607035285	哈尔滨电视台经济信息部	23	1213
44	370102495573280	山东有线电视中心	37	1208
45	442000457264938	中山广播电视台	44	1142
46	650103718902628	新疆广电网络有限公司	65	1020
47	110108400001707	中国教育电视台	11	1018
48	210103769583663	沈阳传媒网络有限公司	21	1017
49	110106710929244	中国有线电视网络有限公司	11	970
50	640104735990164	宁夏广播电视总台	64	970
51	320200722229560	无锡太湖明珠广电网络股份有限公司	32	916
52	210204422426597	大连电视台	21	910
53	110108100001836	中国电影集团公司	11	909
54	32040070361982X	常州广播电视信息网络有限责任公司	32	904
55	440104781158870	广东南方广播影视传媒集团	44	888
56	610103437202166	西安电视台	61	877
57	110103710934633	央视动画有限公司	11	865
58	44050145594661X	汕头市广播电视台	44	845
59	430103748380832	长沙广播电视集团	43	823
60	330100779287374	浙江华策影视股份有限公司	33	816
61	130106401750208	石家庄电视台广告部	13	813
62	110108101974525	北京外语音像出版社	11	791
63	370102495574857	山东人民广播电台	37	777
64	42010378447617X	湖北省广播电视总台	42	767
65	110108755254308	中央数字电视传媒有限公司	11	752
66	450100498521515	南宁市电视台	45	743
67	320300466543189	徐州广播电视台	32	743
68	610102220601086	陕西广电网络传媒股份有限公司	61	706
69	610102435202437	陕西人民广播电台	61	685
70	530102G81654108	云南电视台经济生活频道	53	659
71	420112755144184	武汉广电数字网络有限公司	42	657

续表

序号	企业代码	企业名称	地区	实纳税额
72	14011472462939X	太原有线电视网络有限公司	14	653
73	110108762957546	央视风云传播有限公司	11	618
74	430111444877911	湖南人民广播电台	43	611
75	231004716690019	牡丹江新闻传媒集团有限公司	23	597
76	130203745416721	唐山广播电视传媒有限公司	13	594
77	340111485003575	安徽人民广播电台	34	578
78	320900W00002164	盐城广播电视台	32	577
79	370102493000120	济南电视台	37	572
80	110102102455356	中央广播电视大学音像出版社	11	568
81	320103754116325	南京广电网络有限责任公司	32	564
82	210302001110762	鞍山市广播电视局	21	563
83	370102493006100	济南市广播电视信息网络中心	37	554
84	420103764627815	武汉万达国际电影城有限公司	42	550
85	130102401704367	河北人民广播电台	13	545
86	350590489240156	泉州电视台	35	542
87	120101401356024	天津人民广播电台	12	529
88	321100468662421	镇江市广播电视总台	32	506
89	11010810191037X	中央新闻纪录电影制片厂	11	481
90	110107400004043	中国国际广播电台	11	477
91	330401470891223	嘉兴市广播电视总台（嘉兴人民广播电台、嘉兴电视台）	33	465
92	110106802205331	北京中视北方影像技术有限责任公司	11	464
93	320006466009170	江苏教育电视台经济信息部	32	455
94	21020442242660X	大连人民广播电台	21	447
95	320581467142598	常熟市广播电视台	32	443
96	110105101721544	北京瑞特影音贸易公司	11	428
97	440301727138123	深圳华强数码电影有限公司	44	427
98	230102769057727	哈尔滨万达国际电影城有限公司	23	414
99	110105733482318	中影星美电影院线有限公司	11	413
100	210301734225567	鞍山奥维德有限电视宽带网开发有限公司	21	398

全国纺织业纳税百强排行榜

单位：万元

序号	企业代码	企业名称	地区	实纳税额
1	372330167206000	山东魏桥创业集团有限公司	37	181259
2	372330720714466	魏桥纺织股份有限公司	37	50501
3	372302734697273	滨州魏桥科技工业园有限公司	37	23758
4	330621742046841	绍兴怡华纺织有限公司	33	22917
5	35020561200482X	厦门翔鹭化纤股份有限公司	35	14644
6	422826747660576	恩施州鑫鑫麻织品有限责任公司	42	10761
7	330621733827689	浙江天龙数码印染有限公司	33	10652
8	320281703519028	凯诺科技股份有限公司	32	10642
9	32058271853989X	华芳集团棉纺有限公司	32	10440
10	330602254727728	浙江雄盛实业有限公司	33	10309
11	130102700715920	石家庄常山纺织股份有限公司	13	10241
12	410403169972489	神马实业股份有限公司	41	9746
13	330181255708094	杭州锦盛纺织有限公司	33	8230
14	330181757244402	浙江富丽达纤维有限公司	33	7759
15	320601738288741	罗莱家纺股份有限公司	32	6932
16	440783719222755	广东开平春晖股份有限公司	44	6826
17	330681720017003	双双集团有限公司	33	6612
18	440101745991267	广州海日花边有限公司	44	6551
19	34080325922242X	安徽华茂纺织股份有限公司	34	6430
20	150202772231669	内蒙古鹿王羊绒有限公司	15	6208
21	320584628461785	盛虹集团有限公司	32	6036
22	320582727261885	华芳集团金田纺织有限公司	32	5861
23	372301734718687	山东滨州亚光毛巾有限公司	37	5733
24	350221612036055	厦门东纶股份有限公司	35	5699
25	210213604859617	大连吉田拉链有限公司	21	5614
26	370902166499008	山东岱银纺织集团股份有限公司	37	5606
27	370785165854485	山东银鹰化纤有限公司	37	5438
28	37142775354722X	华芳夏津纺织有限公司	37	5225
29	120116754811475	天津天纺投资控股有限公司	12	5161
30	371002758272827	威海魏桥科技工业园有限公司	37	4954
31	320324768255932	徐州天虹时代纺织有限公司	32	4924
32	320324720617105	江苏世纪天虹纺织有限公司	32	4914
33	152702626402255	内蒙古鄂尔多斯羊绒制品股份有限公司	15	4855
34	440301618881268	深圳市富安娜家居用品股份有限公司	44	4847

续表

序号	企业代码	企业名称	地区	实纳税额
35	350205612010760	华懋（厦门）织造染整有限公司	35	4822
36	370302613281175	鲁泰纺织股份有限公司	37	4745
37	370703165440805	山东海龙股份有限公司	37	4736
38	370322768706334	淄博鲁群纺织有限公司	37	4648
39	320281142273776	江苏华西村股份有限公司	32	4610
40	350582746351560	晋江市佳福化纤实业有限公司	35	4567
41	320582703680751	骏马化纤股份有限公司	32	4460
42	41130272414099X	南阳纺织集团有限公司	41	4364
43	330501720068169	浙江中新毛纺织有限公司	33	4221
44	320200724429654	无锡百和织造股份有限公司	32	4103
45	320508608235799	科德宝·宝翎无纺布（苏州）有限公司	32	4094
46	330483742910986	浙江红太阳毛纺织有限公司	33	4081
47	320924134792226	江苏双山集团股份有限公司	32	4043
48	320585138050000	太仓利泰纺织厂有限公司	32	3850
49	440705617742442	江门市新会区冠华针织厂有限公司	44	3849
50	320281142294446	江苏霞客环保色纺股份有限公司	32	3834
51	33028214477876X	宁波锦纶股份有限公司	33	3829
52	44019461872051X	互太（番禺）纺织印染有限公司	44	3793
53	430105184049246	湖南梦洁家纺股份有限公司	43	3779
54	330181704277796	浙江航民股份有限公司	33	3729
55	330602739932121	绍兴金渔印染有限公司	33	3718
56	330281726414579	宁波百隆纺织有限公司	33	3692
57	33041172527923X	台华特种纺织（嘉兴）有限公司	33	3643
58	650105738382471	新疆金纺纺织股份有限公司	65	3609
59	32068275392358X	江苏金元亚麻有限公司	32	3540
60	420606179314682	际华三五四二纺织有限公司	42	3539
61	370811758258478	山东德源纱厂有限公司	37	3483
62	310114132225391	上海协通（集团）有限公司	31	3447
63	320582751424488	张家港市天一纺织有限公司	32	3373
64	372524706158942	山东金号织业有限公司	37	3344
65	410303171116550	洛阳白马集团有限责任公司	41	3292
66	37140272389938X	山东德棉股份有限公司	37	3221
67	320281250344877	江苏阳光集团有限公司	32	3195
68	330181710942596	杭州钱江印染化工有限公司	33	3156
69	320281739571899	江阴启新纺织有限公司	32	3097
70	420901722030025	湖北孝棉实业集团有限责任公司	42	3062
71	510903708989141	华润锦华股份有限公司	51	3049

续表

序号	企业代码	企业名称	地区	实纳税额
72	37068166139756X	山东南山纺织服饰有限公司	37	3030
73	411329176802410	河南新野纺织股份有限公司	41	3016
74	350582611607004	晋江市三福纺织实业有限公司	35	2980
75	440682617645845	南海南新无纺布有限公司	44	2971
76	440801617804607	湛江中湛纺织有限公司	44	2970
77	320281716832603	江苏倪家巷集团精毛纺织有限公司	32	2969
78	420606271752431	湖北银河纺织股份有限公司	42	2930
79	320582737847548	张家港广天色织有限公司	32	2904
80	330183143712769	浙江春江轻纺集团有限责任公司	33	2897
81	430305734771584	湘潭东信棉业有限公司	43	2873
82	320584718617210	吴江福华织造有限公司	32	2866
83	440301192173749	深圳市纺织（集团）股份有限公司	44	2852
84	372324706308461	山东基德生态科技有限公司	37	2845
85	440582617458185	广东曼妮芬服装有限公司	44	2821
86	610111719798500	陕西唐华四棉有限责任公司	61	2808
87	320200757986967	必达福环境技术（无锡）有限公司	32	2798
88	330682743472500	浙江华孚色纺有限公司	33	2790
89	320582608258886	张家港扬子精梳毛条有限公司	32	2757
90	320400137164372	常州市毛条厂有限公司	32	2736
91	330602609661159	浙江亦尧纺织有限公司	33	2692
92	610490752113825	咸阳华润纺织有限公司	61	2668
93	320601608308249	东丽酒伊织染（南通）有限公司	32	2655
94	321300142324684	江苏箭鹿毛纺股份有限公司	32	2635
95	330181782390508	杭州航民达美染整有限公司	33	2609
96	32060113830033X	江苏大生集团有限公司	32	2604
97	320281628424386	江阴市天华纱业有限公司	32	2565
98	370782745667897	诸城市中纺金维纺织有限公司	37	2559
99	110114736481572	北京鄂尔多斯科技发展有限公司	11	2558
100	410822744055362	焦作市海华纺织股份有限公司	41	2545

全国房地产业纳税百强排行榜

单位：万元

序号	企业代码	企业名称	地区	实纳税额
1	310105733386529	和记黄埔地产（上海）古北有限公司	31	72918
2	150501743892417	通辽市华泰房地产开发有限公司	15	67740
3	11010220283066X	金融街控股股份有限公司	11	67273
4	310115607229696	上海仁恒房地产有限公司	31	52694
5	110101710920506	北京东方广场有限公司	11	52467
6	440106190548279	广州富力地产股份有限公司	44	51018
7	440104455352838	广州市房屋调换总站	44	47490
8	310115132214887	上海陆家嘴金融贸易区股份开发有限公司	31	44727
9	460201201350496	三亚亚龙湾开发股份有限公司	46	42482
10	110116600088878	北京万置房地产开发有限公司	11	41019
11	440300100011460	招商局蛇口工业区有限公司	44	40604
12	321700762449875	中海发展（苏州）有限公司	32	39815
13	131082743400742	三河福成房地产开发有限公司	13	37172
14	440682768428450	中海地产（佛山）有限公司	44	36303
15	110102101108619000	北京城市开发集团有限责任公司	11	35111
16	440104708230880	广州中海地产有限公司	44	34959
17	310114746530630	上海格林风范房地产发展有限公司	31	34266
18	440305192177782	深圳华侨城房地产有限公司	44	34252
19	330227610259941	雅戈尔置业有限公司	33	34039
20	440102741884392	保利房地产（集团）股份有限公司	44	33126
21	110102633798454	北京兆泰置地（集团）股份有限公司	11	29973
22	440191708238233	广州珠江侨都房地产有限公司	44	29530
23	440682778311950	保利华南实业有限公司	44	28328
24	510198720350287	中海兴业（成都）发展有限公司	51	25900
25	350698611451062	招商局漳州开发区有限公司	35	25677
26	110105101718097	北京金隅嘉业房地产开发有限公司	11	25526
27	11010272260990X	北京德胜投资有限责任公司	11	25416
28	440402767345821	珠海华发投资发展有限公司	44	25132
29	510198762277030	成都人居置业有限公司	51	25075
30	440300192441811	深圳招商房地产有限公司	44	24653
31	320111751264138	南京天华百润投资发展有限责任公司	32	24333
32	310109750565692	上海复地智宝房地产开发有限公司	31	23777
33	441900707833575	东莞骏豪房地产开发有限公司	44	23513
34	321700727279479	中新苏州工业园区置地有限公司	32	23355

续表

序号	企业代码	企业名称	地区	实纳税额
35	420101737546008	武汉地产开发投资集团有限公司	42	23312
36	310115607317442	上海汤臣浦东房地产开发有限公司	31	23125
37	441900744496205	东莞市光大房地产开发有限公司	44	23014
38	131011236077725	荣盛房地产发展股份有限公司	13	22859
39	410102790639588	郑州煤电长城房产开发投资有限公司	41	22788
40	32170060819777X	中新苏州工业园区开发股份有限公司	32	22730
41	33010077661873X	杭州名城房地产开发有限公司	33	22653
42	350102611009960	融侨集团股份有限公司	35	22508
43	21020424126711X	大连新型房地产开发有限公司	21	22397
44	310108607211015	上海港沪房地产有限公司	31	22336
45	44018161878541X	广州市番禺祈福新邨房地产有限公司	44	22336
46	440100708315454	广州市光大花园房地产开发有限公司	44	22265
47	310115607375378	上海和联房产开发有限公司	31	21371
48	440106710937076	广州市城市建设开发有限公司	44	20455
49	321700743130594	苏州南都建屋有限公司	32	19755
50	440103749921637	广州市万科房地产有限公司	44	19688
51	310115132206713	上海陆家嘴（集团）有限公司	31	19610
52	510104740325097	华润置地（成都）有限公司	51	19474
53	330104765485134	杭州欣盛房地产开发有限公司	33	19453
54	310104607228853	上海港汇房地产开发有限公司	31	19169
55	110106736456019	北京万年花城房地产开发有限责任公司	11	19095
56	440191712480698	广州侨鑫房地产开发有限公司	44	18924
57	11010274158375X	北京凯晨置业有限公司	11	18593
58	440300752505271	深圳市东方尊峪房地产开发有限公司	44	18563
59	310113133476360	大华（集团）有限公司	31	18401
60	51010770928264X	四川蓝光和骏实业股份有限公司	51	18276
61	442000726514772	中山市凯茵豪园房地产开发有限公司	44	18187
62	310107703307105	上海新湖房地产开发有限公司	31	17982
63	440300708491589	深圳金荣泰房地产开发有限公司	44	17978
64	440300192275227	深圳市万科房地产有限公司	44	17956
65	440104781222094	广州富力创盛置业发展有限公司	44	17688
66	210211716973393	大连运腾房地产开发有限公司	21	17473
67	330227610271342	宁波宁兴房地产开发集团有限公司	33	17463
68	32058375320346X	上海绿地集团（昆山）置业有限公司	32	17431
69	500112202806301	重庆鲁能开发（集团）有限公司	50	17382
70	330106749844096	杭州振兴置业投资有限公司	33	17253
71	310227631758344	上海南都白马房地产开发有限公司	31	17156

续表

序号	企业代码	企业名称	地区	实纳税额
72	110105733465841	北京住总房地产开发有限责任公司	11	16962
73	330227793013740	宁波万科房地产开发有限公司	33	16835
74	510198737710541	成都高新置业有限公司	51	16753
75	440682776224909	佛山市万科置业有限公司	44	16417
76	320103733161493	南京朗诗置业股份有限公司	32	16254
77	530112216529085	昆明城建房地产开发股份有限公司	53	16241
78	330100782358647	华润新鸿基房地产（杭州）有限公司	33	16137
79	330125765477185	杭州翡翠城房地产开发有限公司	33	16118
80	110102633791201	北京荟宏房地产开发有限责任公司	11	16059
81	310104729430689	上海新海汇房产有限公司	31	15949
82	120104767628434	天津富力城房地产开发有限公司	12	15723
83	110106788601943	北京中粮万科假日风景房地产开发有限公司	11	15450
84	31010973540038X	上海港国际客运中心开发有限公司	31	15443
85	530181753552053	昆明万辉房地产开发有限公司	53	15301
86	44019123122823X	广州合景房地产开发有限公司	44	15079
87	110105710939856	北京香江兴利房地产开发有限公司	11	14952
88	330104719577660	杭州滨江房产集团股份有限公司	33	14876
89	420111755110937	金地集团武汉房地产开发有限公司	42	14848
90	310112630790676	上海万源房地产开发有限公司	31	14805
91	321700713242093	苏州工业园区华新国际城市发展有限公司	32	14763
92	440606279978013	佛山市顺德区碧桂园物业发展有限公司	44	14761
93	440103712480452	广州市恒果房地产开发有限公司	44	14750
94	12010774912956X	天津市国泰实业发展有限公司	12	14748
95	120107730340795	天津塘沽贻成实业有限公司	12	14738
96	310112630403787	上海漕河泾开发区高科技园发展有限公司	31	14727
97	330106757213577	浙江银马房地产开发有限公司	33	14275
98	320105738884690	南京西城房地产开发有限公司	32	14254
99	310113132157675	上海宝宸置业有限公司	31	14156
100	350594775353434	福建中体房地产发展有限公司	35	14147

全国电信和其他信息传输服务业纳税百强排行榜

单位：万元

序号	企业代码	企业名称	地区	实纳税额
1	440100707653099	中国移动通信集团广东有限公司	44	685230
2	37010372495538X	中国移动通信集团山东有限公司	37	387978
3	32000670404188X	中国移动通信集团江苏有限公司	32	326963
4	330165704200297	中国移动通信集团浙江有限公司	33	295328
5	110101710939135	中国联合网络通信有限公司	11	257853
6	310046132149237	中国移动通信集团上海有限公司	31	209033
7	441900712250622	中国移动通信集团广东有限公司东莞分公司	44	196741
8	350102710920936	中国移动通信集团福建有限公司	35	196569
9	210101719646152	中国移动通信集团辽宁有限公司	21	192796
10	110101722611700	中国移动通信集团北京有限公司	11	182405
11	420101710937412	中国移动通信集团湖北有限公司	42	135214
12	530111760417482	中国移动通信集团云南有限公司	53	126533
13	310046671143758	中国电信股份有限公司上海分公司	31	126356
14	140115710937455	中国移动通信集团山西有限公司	14	118088
15	430103710937420	中国移动通信集团湖南有限公司	43	116787
16	440106748017099	中国电信股份有限公司广州分公司	44	110746
17	450100718890786	中国移动通信集团广西有限公司	45	106615
18	610190735354889	中国移动通信集团陕西有限公司	61	103414
19	320106743917098	中国电信股份有限公司江苏分公司	32	103227
20	440304708542518	中国移动通信集团广东有限公司深圳分公司	44	98453
21	440601708178082	中国移动通信集团广东有限公司佛山分公司	44	80200
22	120116722997404	中国移动通信集团天津有限公司	12	79455
23	230190762734027	中国移动通信集团黑龙江有限公司	23	76789
24	150102756683040	中国移动通信集团内蒙古有限公司	15	69171
25	5009053736550152	中国移动通信集团重庆有限公司	50	62997
26	141002741096177	中国移动通信集团山西有限公司临汾分公司	14	54999
27	110102710925032	中国移动通信集团公司	11	47181
28	110102726360734	中国网通（集团）有限公司北京市分公司	11	45865
29	330103744141180	中国电信股份有限公司浙江分公司	33	41905
30	371302727541078	中国移动通信集团山东有限公司临沂分公司	37	41870
31	520101761388505	中国移动通信集团贵州有限公司	52	41677
32	330165716105852	阿里巴巴（中国）网络技术有限公司	33	41021
33	130203730285511	中国移动通信集团河北有限公司唐山分公司	13	38709
34	370202727813301	中国联合网络通信有限公司青岛市分公司	37	37251

续表

序号	企业代码	企业名称	地区	实纳税额
35	350204705446475	中国移动通信集团福建有限公司厦门分公司	35	36720
36	441900751092436	中国电信股份有限公司东莞分公司	44	30248
37	460100710920952	中国移动通信集团海南有限公司	46	27345
38	440300748856239	中国电信股份有限公司深圳分公司	44	26428
39	440106618652334	中国移动通信集团广东有限公司广州分公司	44	26292
40	150203701241480264	中国移动通信集团内蒙古有限公司包头分公司	15	25965
41	440703712362923	中国移动通信集团广东有限公司江门分公司	44	24293
42	130102718369616	中国移动通信集团河北有限公司石家庄分公司	13	24001
43	440300708461136	深圳市腾讯计算机系统有限公司	44	23374
44	410305716778897	中国移动通信集团河南有限公司洛阳分公司	41	23105
45	150631701412139	鄂尔多斯移动通信分公司	15	21895
46	370602726718943	中国移动通信集团山东有限公司烟台分公司	37	20944
47	130402718352355	中国移动通信集团河北有限公司邯郸分公司	13	20606
48	210202726011227	中国移动通信集团辽宁有限公司大连分公司	21	20444
49	620102712780981	中国移动通信集团甘肃有限公司兰州分公司	62	20120
50	350102X11695282	中国移动通信集团福建有限公司福州分公司	35	20056
51	150590767871733	中国移动通信集团内蒙古有限公司通辽分公司	15	19692
52	140115728183970	中国联合网络通信有限公司山西省分公司	14	18604
53	450901715156228	中国移动通信集团广西有限公司玉林分公司	45	18476
54	340506711783996	中国移动通信集团安徽有限公司马鞍山分公司	34	17823
55	130302718368920	中国移动通信集团河北有限公司秦皇岛分公司	13	17701
56	110102710927599	中国铁通集团有限公司	11	16925
57	519000765055994	中国移动通信集团四川有限公司成都分公司	51	16188
58	510122672154010	中国电信股份有限公司双流分公司	51	15119
59	37100273067885X	中国移动通信集团山东有限公司威海分公司	37	14760
60	441201708157935	中国移动通信集团广东有线公司肇庆分公司	44	14028
61	430702707354777	中国移动通信集团湖南有限公司常德分公司	43	13974
62	350591705388519	中国移动通信集团福建有限公司泉州分公司	35	13559
63	320200748734186	中国电信股份有限公司无锡分公司	32	13057
64	230190726908659	中国联通有限公司黑龙江分公司	23	12720
65	440403707957842	中国移动通信集团广东有限公司珠海分公司	44	12664
66	440604748014859	中国电信股份有限公司佛山分公司	44	12656
67	110101801657272	中国联合网络通信有限公司北京市分公司	11	12508
68	370202727805846	中国移动通信集团山东有限公司青岛分公司	37	12505
69	430103712198481	中国移动通信集团湖南有限公司长沙分公司	43	12480
70	35059075736499X	中国电信股份有限公司泉州分公司	35	12451
71	210103715752134	中国移动通信集团辽宁有限公司沈阳分公司	21	12399

续表

序号	企业代码	企业名称	地区	实纳税额
72	420103717918134	中国移动通信集团湖北有限公司武汉分公司	42	12389
73	370705724816582	中国网通（集团）有限公司潍坊市分公司	37	11865
74	320106748211211	中国电信股份有限公司南京分公司	32	11752
75	420106761217466	中国电信股份有限公司武汉分公司	42	11600
76	410105716768859	中国移动通信集团河南有限公司郑州分公司	41	11592
77	360403741989637	中国移动通信集团江西有限公司九江分公司	36	11502
78	130903718383848	中国移动通信集团河北有限公司沧州分公司	13	11456
79	330282747363504	中国电信股份有限公司慈溪分公司	33	11446
80	41309627112730203X	中国移动通信集团河南有限公司信阳分公司	41	11316
81	110102681953105	中国电信股份有限公司北京分公司	11	11183
82	410291719162158	中国移动通信集团河南有限公司开封分公司	41	11075
83	630103710561689	中国移动通信集团青海有限公司	63	10975
84	440300746610323	中国移动（深圳）有限公司	44	10701
85	350802705389458	中国移动通信集团福建有限公司龙岩分公司	35	10464
86	530101719406626	中国移动通信集团云南有限公司昆明分公司	53	10286
87	13050371836695X	中国移动通信集团河北有限公司邢台分公司	13	10173
88	35020375162018X	中国电信股份有限公司厦门分公司	35	10010
89	320601748745029	中国电信股份有限公司南通分公司	32	10000
90	340104756813650	中国电信股份有限公司合肥分公司	34	9767
91	210102764384227	中国网通（集团）有限公司沈阳市分公司	21	9689
92	371701706378048	中国移动通信集团山东有限公司菏泽分公司	37	9676
93	410891706631269	中国移动通信集团河南有限公司焦作分公司	41	9632
94	330165842919654	中国移动通信集团浙江有限公司杭州分公司	33	9604
95	320504714023378	中国移动通信集团江苏有限公司苏州分公司	32	9603
96	320800711587688	中国移动通信集团江苏有限公司淮安分公司	32	9564
97	410103728685495	中国联合网络通信有限公司郑州市分公司	41	9389
98	130611731402521	中国移动通信集团河北有限公司保定分公司	13	9386
99	310046X07320269	中国联合网络通信有限公司上海市分公司	31	9364
100	610191730392704	中国联合网络通信有限公司陕西省分公司	61	9099

全国电器机械及电器器材制造业纳税百强排行榜

单位：万元

序号	企业代码	企业名称	地区	实纳税额
1	310112717880375	上海电气电站设备有限公司	31	109007
2	440401192548256	珠海格力电器股份有限公司	44	106698
3	320200791954918	尚能太阳能电力有限公司	32	86822
4	440705617733669	ABB 新会低压开关有限公司	44	72444
5	110105600039013	北京 ABB 电气传动系统有限公司	11	55062
6	230110128025389	哈尔滨锅炉厂有限责任公司	23	50909
7	120117600587482	西门子电气传动有限公司	12	50239
8	350206612012766	厦门 ABB 开关有限公司	35	47785
9	11019260004105X	北京 ABB 高压开关设备有限公司	11	45437
10	650104299937622	新疆金风科技股份有限公司	65	38842
11	440401749197247	珠海金峰航电源科技有限公司	44	32608
12	330382142944445	浙江正泰电器股份有限公司	33	27486
13	120117777336785	歌美飒风电（天津）有限公司	12	27239
14	310114607307316	德尔福派克电气系统有限公司	31	25563
15	340104610306381	合肥 ABB 变压器有限公司	34	24378
16	320481137588984	江苏华鹏变压器有限公司	32	23973
17	310225607332044	上海施耐德配电电器有限公司	31	23741
18	610104726284858	西安西开高压电气股份有限公司	61	23486
19	500107621917575	重庆 ABB 变压器有限公司	50	23021
20	44040461751487X	珠海经济特区飞利浦家庭电器有限公司	44	21193
21	110108784800267	华锐风电科技有限公司	11	20412
22	350702611055115	福建南平南孚电池有限公司	35	20331
23	440181618437239	日立电梯（中国）有限公司	44	19743
24	510601671415848	东方电气集团东方电机有限公司	51	18815
25	130602718358175	保定天威保变电气股份有限公司	13	18722
26	330165768201424	杭州九阳小家电有限公司	33	18646
27	320508745585592	苏州阿海珐高压电气开关有限公司	32	18551
28	341102705042956	博西华家用电器有限公司	34	18548
29	410702614406101	河南新飞电器有限公司	41	18321
30	330195609135896	西门子（杭州）高压开关有限公司	33	18134
31	131082769824527	阳光硅谷电子科技有限公司	13	17803
32	610104220601553	西安西电变压器有限责任公司	61	17479
33	330195609130761	杭州松下家用电器有限公司	33	17409
34	370903764801246	山东泰开高压开关有限公司	37	16890

续表

序号	企业代码	企业名称	地区	实纳税额
35	320481703625269	江苏上上电缆集团有限公司	32	16409
36	370104742442772	九阳股份有限公司	37	16180
37	320105608935031	艾欧史密斯（中国）热水器有限公司	32	16154
38	320581142037132	常熟开关制造有限公司（原常熟开关厂）	32	16116
39	320400608126648	常州东芝变压器有限公司	32	16064
40	350206612023932	厦门 ABB 低压电器设备有限公司	35	15968
41	120115718238042	施耐德电气低压（天津）有限公司	12	15930
42	41040071918260X	河南平高东芝高压开关有限公司	41	15657
43	43040618500797X	特变电工衡阳变压器有限公司	43	15469
44	210132774846229	通用电气能源（沈阳）有限公司	21	15220
45	320583608279089	樱花卫厨（中国）股份有限公司	32	14782
46	320282250436413	远东电缆有限公司	32	14375
47	110192801147045	三洋能源（北京）有限公司	11	14299
48	500903709410891	格力电器（重庆）有限公司	50	14282
49	370103613203732	西门子变压器有限公司	37	13993
50	31011460733260X	上海安川电动机器有限公司	31	13868
51	110105600020881	西门子工厂自动化工程有限公司	11	13556
52	440301618882172	深圳寿力亚洲实业有限公司	44	13139
53	342623153720033	安徽华菱电缆集团有限公司	34	13047
54	370212264574251	青岛海尔股份有限公司	37	12921
55	320200704046760	无锡小天鹅股份有限公司	32	12640
56	320584722209375	中达光电工业（吴江）有限公司	32	12600
57	440681190343548	海信科龙电器股份有限公司	44	12415
58	370212614315963	青岛海尔电冰箱有限公司	37	12293
59	370212264821953	青岛汉缆股份有限公司	37	12257
60	440301192174389	深圳市赛格通信有限公司	44	11903
61	33028214479257X	宁波方太厨具有限公司	33	11895
62	330195609132724	博世电动工具（中国）有限公司	33	11875
63	410411712645640	河南平高电气股份有限公司	41	11766
64	330382797616661	德力西电气有限公司	33	11758
65	442000617592579	中山 ABB 变压器有限公司	44	11747
66	350206612038886	厦门 ABB 华电高压开关有限公司	35	11731
67	440681617642521	广东美的生活电器制造有限公司	44	11625
68	32072271851262X	连云港市港圣开关制造有限公司	32	11594
69	310112631651029	上海电气集团上海电机厂有限公司	31	11586
70	110192600067671	施耐德（北京）中低压电器有限公司	11	11342
71	610104220601000	西安西电电力整流器有限责任公司	61	11268

续表

序号	企业代码	企业名称	地区	实纳税额
72	320400137160005	常州西电变压器有限责任公司	32	11082
73	371402167279461	皇明太阳能集团有限公司	37	10930
74	340207704908535	广东美的集团芜湖制冷设备有限公司	34	10755
75	230190702990002	哈尔滨光宇蓄电池股份有限公司	23	10737
76	440601617638733	欧司朗（中国）照明有限公司	44	10630
77	120115600535930	SEW－传动设备（天津）有限公司	12	10402
78	440681784896596	佛山市顺德区美的电热电器制造有限公司	44	10248
79	320281760534590	海润光伏科技股份有限公司	32	10209
80	44200078948120X	中山市欧普照明股份有限公司	44	10161
81	310105607341186	上海日港置信非晶体金属有限公司	31	10105
82	44010161847833X	广州维奥伊林变压器有限公司	44	10051
83	321023718546176	宝胜科技创新股份有限公司	32	9868
84	110107722616181	北京北重汽轮电机有限责任公司	11	9749
85	610304221414573	宝鸡群力海庆电子有限公司	61	9709
86	440501729227779	威尔信汕头保税区动力设备有限公司	44	9314
87	21011460461146X	沈阳古河电缆有限公司	21	9211
88	310225607332247	上海江森自控国际蓄电池有限公司	31	9127
89	350702156989580	福建南平太阳电缆股份有限公司	35	9121
90	411300176331620	南阳防爆集团有限公司	41	9035
91	110106100011495	中国华电工程（集团）有限公司	11	8953
92	230890721361340	佳木斯电机股份有限公司	23	8898
93	310112607256491	上海西门子开关有限公司	31	8852
94	330382145573168	德力西集团有限公司	33	8844
95	110192600092623	北京宏达日新电机有限公司	11	8727
96	320508732251374	住友电工（苏州）电子线制品有限公司	32	8590
97	342623153712041	安徽江淮电缆集团有限公司	34	8520
98	320134134872365	南京南瑞集团公司	32	8312
99	32020060791794X	博西威家用电器有限公司	32	8273
100	440307708416327	深圳市比亚迪锂电池有限公司	44	8235

全国电力供应业纳税百强排行榜

单位：万元

序号	企业代码	企业名称	地区	实纳税额
1	440106734916755	广东电网公司广州供电局	44	552993
2	440102730486030	广东电网公司	44	486278
3	330000142911635	浙江省电力公司	33	376784
4	11010271093123X	国家电网公司	11	363318
5	37010316304901X	山东电力集团公司	37	311788
6	310046132224671	上海市电力公司	31	308448
7	110104101109822	华北电网有限公司	11	294187
8	110102801365632	北京市电力公司	11	279416
9	210102701796881	辽宁省电力有限公司	21	278995
10	510104621601108	四川省电力公司	51	257094
11	420106177589391	湖北省电力公司	42	255324
12	140116110050121	山西省电力公司	14	227203
13	410103169951151	河南省电力公司	41	223709
14	500107902846275	重庆市电力公司杨家坪供电局	50	212981
15	410303171076587	河南省电力公司洛阳供电公司	41	192191
16	430111183770576	湖南省电力公司	43	182137
17	130106104321300	河北省电力公司	13	165147
18	530103713405825	云南电网公司	53	152829
19	310046754780760	华东电网有限公司	31	134763
20	620101224335387	甘肃省电力公司	62	129932
21	230198126970993	黑龙江省电力公司	23	126311
22	619000710072607	陕西省电力公司	61	124044
23	120114103061295	天津市电力公司	12	121158
24	150105114111593	内蒙古电力（集团）有限责任公司	15	108375
25	441900738593308	广东电网公司东莞供电局	44	107695
26	440106719289001	中国南方电网有限责任公司超高压输电公司	44	102756
27	500902202856659	重庆市电力公司	50	98758
28	130203757512841	华北电网有限公司唐山供电公司	13	92757
29	130302805260053	华北电网有限公司秦皇岛电力公司	13	89986
30	440301619290822	广东电网公司深圳供电局	44	88823
31	34011114894004X	安徽省电力公司	34	85745
32	44010676384341X	中国南方电网有限责任公司	44	71526
33	33020314405899X	宁波电业局	33	69860
34	340202849394328	安徽省电力公司芜湖供电公司	34	67619

续表

序号	企业代码	企业名称	地区	实纳税额
35	320106134766570	江苏省电力公司	32	64312
36	320200834754255	江苏省电力公司无锡供电公司	32	60781
37	350103158142631	福建省电力有限公司	35	60129
38	630104226581557	青海省电力公司	63	52857
39	370202163585613	山东电力集团公司青岛供电公司	37	50225
40	21020211843754X	辽宁省电力公司大连供电公司	21	43770
41	330000143048685	杭州市电力局	33	41926
42	320503834754538	江苏省电力公司苏州供电公司	32	40893
43	420102755111139	湖北省电力公司武汉供电公司	42	40420
44	210102X04720187	辽宁省电力公司沈阳供电公司	21	39695
45	370303164105335	山东电力集团公司淄博供电公司	37	39656
46	410102170032734	河南省电力公司郑州供电公司	41	38992
47	450100198222855	广西电网公司	45	37794
48	53010391652092X	云南电网公司昆明供电局	53	37748
49	370502164721189	山东电力集团公司东营供电公司	37	37716
50	360101014504082	江西省电力公司	36	36892
51	320400834754220	江苏省电力公司常州供电公司	32	36196
52	619000755219369	西北电网公司	61	35447
53	330000143563345	萧山供电局	33	35153
54	130403805527774	邯郸供电公司	13	33977
55	320106733144888	江苏省电力公司南京供电公司	32	33829
56	370702865450879	山东电力集团公司潍坊供电公司	37	32981
57	370103163154485	山东电力集团公司济南供电公司	37	32775
58	640104227680151	宁夏电力公司	64	32592
59	450100898221888	广西电网公司南宁供电局	45	32570
60	230604129311053	大庆电业局	23	32454
61	44200073755186X	广东电网公司中山供电局	44	31639
62	210302241445529	辽宁省电力公司鞍山供电公司	21	31505
63	440682740847661	广东电网公司佛山南海供电局	44	31396
64	413001176882967	河南省电力公司信阳供电公司	41	29841
65	22010412399835X	吉林省电力公司长春供电公司	22	28932
66	340603150825112	安徽省电力公司淮北供电公司	34	28881
67	320582842159448	江苏省电力公司张家港市供电公司	32	28739
68	350103154392836	福建省福州电业局	35	28157
69	330300145049294	温州电力局	33	27889
70	420106300260453	华中电网公司	42	27723
71	320281842229725	江苏省电力公司江阴市供电公司	32	27515

续表

序号	企业代码	企业名称	地区	实纳税额
72	320601834754271	江苏省电力公司南通供电公司	32	26515
73	650104228660427	新疆电力公司乌鲁木齐电业局	65	26454
74	619000220526151	陕西地方电力（集团）公司	61	26363
75	330702147301940	金华电业局	33	25685
76	420302178782345	湖北省电力公司十堰供电公司	42	25544
77	220204677314466	吉林省电力公司吉林供电公司	22	25211
78	371302168251348	山东电力集团公司临沂供电公司	37	25048
79	230102127048941	哈尔滨电业局	23	24016
80	320584838233916	江苏省电力公司吴江市供电公司	32	23648
81	51170021015119X	达州电业局	51	23541
82	330401146478349	嘉兴电力局	33	23312
83	130602805953589	保定供电公司	13	23237
84	370802165921393	山东电力集团公司济宁供电公司	37	23050
85	320583838134264	江苏省电力公司昆山市供电公司	32	22746
86	440681741708807	广东电网公司佛山顺德供电局	44	22046
87	142701813643345	山西省电力公司运城大用户营业所	14	21734
88	140116110013910	山西省电力公司太原供电分公司	14	21593
89	520100214402515	贵州电网公司	52	21565
90	130682601110408	河北国华定洲发电有限责任公司	13	21163
91	350204155014220	福建省厦门电业局	35	21080
92	131003109261423	华北电网有限公司廊坊供电公司	13	20105
93	410500172196054	河南省电力公司安阳供电公司	41	19723
94	411300176350776	河南省电力公司南阳供电公司	41	18736
95	21080212124284X	辽宁省电力公司营口供电公司	21	18237
96	361101161445000	江西上饶供电公司	36	18160
97	330602609610511	绍兴电力局	33	18093
98	350582660383609	福建省晋江市电力有限责任公司	35	17883
99	331082148880454	浙江省电力公司台州电业局	33	17863
100	130104804321045	石家庄供电公司	13	17795

全国保险业纳税百强排行榜

单位：万元

序号	企业代码	企业名称	地区	实纳税额
1	11010271092841X	中国人寿保险股份有限公司	11	337770
2	440301710930739	中国平安人寿保险股份有限公司	44	305480
3	440301710930720	中国平安财产保险股份有限公司	44	150643
4	110104710931483	中国人民财产保险股份有限公司	11	93533
5	510104901861983	中国人寿保险股份有限公司四川省分公司	51	67895
6	110102100023816	泰康人寿保险股份有限公司	11	58126
7	110229100023875	新华人寿保险股份有限公司	11	41896
8	110108710933702	中国人民人寿保险股份有限公司	11	32913
9	610190100023824	永安财产保险股份有限公司	61	29816
10	110102100023728	中国人寿保险（集团）公司	11	28531
11	310043832236753	中国人保财险上海市分公司	31	21441
12	140106810041525	中国人民财产保险股份公司山西省分公司	14	20296
13	110102710933307	中国人民健康保险股份有限公司	11	19232
14	44030089218633X	中国平安财产保险股份有限公司深圳分公司	44	15676
15	110102710932101	中国人寿资产管理有限公司	11	12624
16	230110826962994	中国人民财产保险股份有限公司黑龙江省分公司	23	11232
17	610090920527091	中国人民财产保险股份有限公司陕西省分公司	61	10486
18	130124795464238	中国太平洋财产保险股份有限公司河北分公司栾城营销服务部	13	10333
19	440304785289157	中英人寿保险有限公司深圳营销服务部	44	10143
20	440300192186574	中国人民财产保险股份有限公司深圳市分公司	44	9629
21	440300892225968	中国太平洋财产保险股份有限公司深圳分公司	44	9486
22	110104801628594	中国太平洋财产保险有限公司北京分公司	11	9072
23	310043132227901	中国平安财产保险股份有限公司上海分公司	31	8780
24	500230908750709	中国人寿保险有限公司丰都县支公司	50	7603
25	110102726364591	华泰财产保险股份有限公司北京分公司	11	7349
26	320584738255667	中国太平洋人寿保险股份有限公司吴江支公司	32	6869
27	410105869975138	中国人寿保险股份有限公司河南省分公司	41	6544
28	110103785545456	中国平安财产保险股份有限公司北京市崇文支公司	11	6057
29	440100890350458	中国平安财产保险股份有限公司广东分公司	44	5911
30	440801894395960	中国平安财产保险股份有限公司湛江分公司	44	5867
31	441900707836565	中国人民财产保险股份有限公司东莞市分公司	44	5784
32	310043132211707	中国太平洋保险（集团）股份有限公司	31	5705
33	31004383434562X	中国平安人寿保险股份有限公司上海分公司	31	5701
34	230104665655933	中国大地财产保险股份有限公司哈尔滨市道外支公司	23	5690

续表

序号	企业代码	企业名称	地区	实纳税额
35	31004373337320X	中国太平洋财产保险股份有限公司	31	5633
36	110108802120821	中国人民财产保险股份有限公司北京市海淀支公司	11	5552
37	440300100012316	中国平安保险（集团）股份有限公司	44	5299
38	420104781985454	中华联合财产保险股份有限公司硚口支公司	42	4958
39	350590856106945	中国人民财产保险股份有限公司泉州市分公司	35	4713
40	110105710929770	美国友邦保险有限公司北京分公司	11	4447
41	371726495173973	中国人寿保险股份有限公司鄄城县支公司	37	4214
42	140106810041453	中国人寿保险股份有限公司山西省分公司	14	4021
43	23010282698435X	中国人寿保险股份有限公司黑龙江省分公司	23	4013
44	32010383490580X	中国人民财产保险股份有限公司南京分公司	32	4005
45	441900981951806	中国平安财产保险股份有限公司东莞分公司	44	4000
46	110102746719230	中国平安财产保险股份有限公司北京分公司	11	3910
47	230110827046314	中国人民财产保险股份有限公司哈尔滨市分公司	23	3880
48	120114746651037	中国平安财产保险股份有限公司天津分公司	12	3783
49	370602966233962	中国人民财产保险股份有限公司烟台分公司	37	3643
50	110101801126092	中国人民财产保险股份有限公司北京市分公司营业部	11	3625
51	350204854993528	中国人民财产保险股份有限公司厦门市分公司	35	3615
52	130602805944471	中国人保财险保定市分公司	13	3563
53	11010810002371X	中国再保险（集团）股份有限公司	11	3514
54	441900981970935	中国太平洋财产保险股份有限公司东莞中心支公司	44	3409
55	371302706056225	中国人民财产保险股份有限公司临沂市分公司	37	3374
56	440300710931571	招商信诺人寿保险有限公司	44	3347
57	310043745642163	中华联合财产保险股份有限公司上海分公司	31	3306
58	110101758203928	中意人寿保险有限公司北京分公司	11	3293
59	210105676852529	民安保险（中国）有限公司辽宁分公司	21	3222
60	110101798536380	中华联合财产保险股份有限公司北京分公司	11	3195
61	410103968106827	中国人民财产保险股份有限公司郑州市分公司	41	3162
62	110101761400690	光大永明人寿保险有限公司北京分公司	11	3123
63	310043X07203345	美国友邦保险有限公司上海分公司	31	3059
64	330203954233171	中国人民财产保险股份有限公司宁波市分公司	33	3029
65	37010296471813X	中国人民财产保险股份有限公司济南市分公司	37	2969
66	110102100023752	华泰财产保险股份有限公司	11	2916
67	310043710933382	三星火灾海上保险（中国）有限公司	31	2903
68	370683966252804	中国人寿保险股份有限公司莱州支公司	37	2903
69	440300746632784	中国平安人寿保险股份有限公司深圳分公司	44	2836
70	130403805565260	中国人民财产保险股份有限公司邯郸分公司	13	2828
71	350100858145382	中国人寿保险股份有限公司福建省分公司	35	2822

续表

序号	企业代码	企业名称	地区	实纳税额
72	440104784879243	中意人寿保险有限公司广东省分公司	44	2802
73	150105772201777	中国大地财产保险股份有限公司内蒙古分公司	15	2800
74	420106877599005	中国人寿保险股份有限公司湖北省分公司	42	2789
75	110108801118789	中国平安人寿保险股份有限公司北京分公司	11	2786
76	130903806603142	中国人民财产保险股份有限公司沧州分公司	13	2758
77	440100890505448	中国人寿保险股份有限公司广州市分公司	44	2682
78	31004375756799X	中国大地财产保险股份有限公司上海分公司	31	2681
79	610090920543964	中国平安财产保险股份有限公司陕西分公司	61	2667
80	442000898070186	中国人民财产保险股份公司中山市分公司	44	2648
81	32050373441320X	中国太平洋财产保险股份有限公司苏州分公司	32	2614
82	150105764499980	中华联合财产保险股份有限公司内蒙古分公司	15	2588
83	222426826689641	中国人寿保险股份有限公司安图支公司	22	2524
84	440401707995881	中国人民财产保险股份有限公司珠海市分公司	44	2508
85	650102928681675	中国人民财产保险股份有限公司乌鲁木齐市分公司	65	2497
86	150802817242485	中国人寿保险股份有限公司临河区支公司	15	2462
87	410181870495983	中国人寿保险股份有限公司巩义支公司	41	2427
88	310043607398772	太平洋安泰人寿保险有限公司	31	2405
89	320005134778264	中国人寿保险股份有限公司江苏省分公司	32	2398
90	110105661572858	中国人寿财产保险股份有限公司北京分公司	11	2383
91	120114803061587	中国太平洋财产保险股份有限公司天津分公司	12	2344
92	210202744378268	中国平安人寿保险股份有限公司大连分公司	21	2342
93	450100898229476	中国平安财产保险股份有限公司广西分公司	45	2309
94	370502706160620	中国人保财险东营市分公司	37	2308
95	370202863623756	中国太平洋财产保险股份有限公司青岛分公司	37	2297
96	120114780311765	渤海财产保险股份有限公司日照市分公司	12	2268
97	371102X13592156	中国人民财产保险股份有限公司	37	2265
98	370303200002170	中国人民财产保险股份有限公司淄博市分公司	37	2264
99	210302818887875	中国人民财产保险股份有限公司鞍山分公司	21	2262
100	230102734631362	泰康人寿保险股份有限公司黑龙江分公司	23	2257

全国白酒制造业纳税百强排行榜

单位：万元

序号	企业代码	企业名称	地区	实纳税额
1	52038271430580X	贵州茅台酒股份有限公司	52	107924
2	511502744682825	四川省宜宾五粮液酒厂有限公司	51	74169
3	142334112359966	山西杏花村汾酒厂股份有限公司	14	46884
4	510500204755181	泸州老窖酿酒有限责任公司	51	34168
5	321300779664758	江苏洋河包装有限公司	32	33724
6	32130074557990X	江苏洋河酒厂股份有限公司	32	28615
7	44068119384257X	广东顺德酒厂有限公司	44	26779
8	340603744890974	安徽口子酒业有限责任公司	34	21923
9	110227722614127	北京红星股份有限公司	11	20605
10	360982775881405	四特酒有限责任公司	36	20477
11	341600151940008	安徽古井贡酒股份有限公司	34	17452
12	321324665782078	泗洪双泰饮品灌装有限公司	32	17369
13	420281728309035	湖北劲牌酒业有限公司	42	14360
14	131102601248773	河北衡水老白干酒业股份有限公司酿酒分公司	13	14020
15	320826139859741	江苏今世缘酒业有限公司	32	13782
16	510683205258558	四川绵竹剑南春酒厂有限有限公司	51	13723
17	51010672341539X	四川水井坊股份有限公司	51	12414
18	342427756807242	安徽迎驾贡酒有限公司	34	11949
19	110222802500760	北京顺鑫农业股份有限公司牛栏山酒厂	11	11637
20	440682708112964	广东省九江酒厂有限公司	44	11275
21	610322713576579	陕西西凤酒集团股份有限公司	61	10573
22	152701116977868	内蒙古鄂尔多斯酒业集团有限公司	15	10266
23	321324743917450	江苏双沟酒业股份有限公司	32	9729
24	510702205404041	四川省绵阳市丰谷酒业有限责任公司	51	9607
25	654025710892189	新疆伊力特实业股份有限公司	65	9576
26	152827117410003	内蒙古河套酒业集团股份有限公司	15	8979
27	510922206358198	四川沱牌曲酒股份有限公司	51	8703
28	433101183806380	酒鬼酒股份有限公司	43	8655
29	120106103544975	天津津酒集团有限公司	12	7876
30	320724765898027	江苏汤沟两相和酒业有限公司	32	7824
31	450300198230636	桂林三花股份有限公司	45	7566
32	360701962499818	江西章贡酒业有限责任公司	36	7493
33	370902267173461	山东泰山生力源集团股份有限公司	37	7367
34	341201705044441	安徽金种子酒业股份有限公司	34	6629

续表

序号	企业代码	企业名称	地区	实纳税额
35	150302114670483	乌海市大汗酒业有限责任公司	15	6403
36	370322163043750	山东扳倒井股份有限公司	37	6348
37	350204612027220	亚洲酿酒（厦门）有限公司	35	5896
38	520330215032800	贵州茅台酒厂（集团）习酒有限责任公司	52	5718
39	341621730023482	安徽双轮酒业股份有限公司	34	5700
40	340304719957903	安徽皖酒制造集团有限公司	34	5450
41	142430731930682	北京红星股份有限公司六曲香分公司	14	5277
42	430511755817625	湖南湘窖酒业有限公司	43	5112
43	120221730370548	北京红星股份有限公司第一分公司	12	5110
44	370784165666169	山东景芝集团有限公司	37	4870
45	420583182661212	湖北枝江酒业股份有限公司	42	4648
46	440601719231993	佛山市太吉酒厂有限公司	44	4612
47	421087616221151	湖北白云边股份有限公司	42	4407
48	510525665399028	四川省古蔺郎酒厂有限公司	51	3801
49	370784165645384	山东景芝酒厂	37	3731
50	413022177001076	河南淮滨乌龙酒业有限责任公司	41	3629
51	412725712695365	河南省宋河酒业股份有限公司	41	3600
52	15020270146780X	内蒙古骆驼酒业股份有限公司	15	3572
53	520382214990847	中国贵州茅台酒厂有限责任公司	52	3495
54	321324704036335	江苏双沟集团有限公司	32	3367
55	420506735201233	宜昌稻花香酿酒厂	42	3311
56	632126757421245	青海互助青稞酒有限公司	63	3274
57	142301112433206	山西杏花村汾酒集团有限责任公司汾青分厂	14	3114
58	441801197571674	清远市酒厂有限公司	44	2910
59	370112705894200	济南趵突泉酿酒有限责任公司	37	2896
60	622630756594187	甘肃金徽酒业集团有限责任公司	62	2874
61	230227128810029	黑龙江省富裕老窖酒业有限公司	23	2860
62	34122170508120X	安徽文王酿酒股份有限公司	34	2835
63	520382214990839	贵州茅台酒厂集团技术开发公司	52	2793
64	511502709066998	四川省宜宾五粮液集团有限公司	51	2520
65	142303110024003	山西杏花村义泉涌酒业股份有限公司益汾酒厂	14	2489
66	370602165005491	山东烟台酿酒有限公司	37	2332
67	610326786964249	陕西省太白酒业有限责任公司	61	2293
68	210711242034094	辽宁道光廿五集团满族酿酒有限责任公司	21	2251
69	371324168458189	山东兰陵美酒股份有限公司	37	2034
70	65402193057617X	新疆伊力特实业股份有限公司酿酒四厂	65	2001
71	370181728630777	山东百脉泉酒业有限公司	37	1951

续表

序号	企业代码	企业名称	地区	实纳税额
72	342501771137670	安徽宣酒集团股份有限公司	34	1948
73	500381203598276	重庆市江津酒厂（集团）有限公司	50	1945
74	622624720273488	甘肃红川酒业有限责任公司	62	1892
75	230112127472654	黑龙江省玉泉酒业有限责任公司	23	1874
76	210682120320623	辽宁凤城老窖酒业有限责任公司	21	1825
77	152221720168979	内蒙古科尔沁王酒业有限责任公司	15	1823
78	230225721359996	黑龙江鹤城酒业有限公司	23	1814
79	510602205103169	德阳天元酒业有限公司	51	1744
80	530426778592481	云南玉林泉酒业有限公司	53	1743
81	152324603128003	内蒙古百年酒业有限责任公司	15	1741
82	372925169071146	山东四君子集团有限公司	37	1735
83	500101666442550	重庆诗仙太白酒业（集团）有限公司	50	1724
84	450324200040218	桂林湘山酒业有限公司	45	1714
85	142334112360000	山西杏花村汾酒集团有限责任公司	14	1706
86	370881661992924	曲阜孔府家酒酿造有限公司	37	1698
87	12022510307095X	天津渔阳酒业有限责任公司	12	1670
88	130823769803857	承德避暑山庄企业集团酒业有限公司	13	1651
89	130528107500507	河北泥坑酒业有限责任公司	13	1572
90	330125704208854	杭州神旺食品有限公司	33	1536
91	654025930661294	伊犁肖尔布拉克酒业有限责任公司	65	1504
92	370284264627210	青岛琅琊台集团股份有限公司	37	1497
93	411327732471836	河南赊店酒业有限公司	41	1467
94	370781169377516	山东青州云门酒业（集团）有限公司	37	1452
95	370321746571029	山东黄河龙集团有限公司	37	1452
96	32062172443527X	江苏品王酒业集团股份有限公司	32	1439
97	152301115822944	内蒙古蒙古王酒业有限公司	15	1430
98	520382730966958	贵州茅台酒厂（集团）保健酒业有限公司	52	1412
99	130902106601672	沧州市制酒厂	13	1381
100	140622111712457	山西梨花春酿酒集团有限公司	14	1378

全国软件业纳税百强排行榜

单位：万元

序号	企业代码	企业名称	地区	实纳税额
1	440307783946512	深圳市华为技术软件有限公司	44	31731
2	320114777023172	华为软件技术有限公司	32	27421
3	440301752508472	深圳市中兴软件有限责任公司	44	27229
4	110108625903832	甲骨文（中国）软件系统有限公司	11	25942
5	310115607366949	上海国际商业机器工程技术有限公司	31	24852
6	320114787141375	南京中兴软件有限责任公司	32	21337
7	110108600040399	微软（中国）有限公司	11	20846
8	110108600037325	思爱普（北京）软件系统有限公司	11	18017
9	210132604608172	东软集团股份有限公司	21	13547
10	110108795101314	谷歌信息技术（中国）有限公司	11	13140
11	110108772551611	腾讯科技（北京）有限公司	11	12146
12	110108801144602	北京安博在线软件有限公司	11	11867
13	440106741888131	广州网易互动娱乐有限公司	44	10297
14	120115757602388	腾讯数码（天津）有限公司	12	10274
15	310115775785552	百度（中国）有限公司	31	9720
16	310115747641447	携程旅游信息技术（上海）有限公司	31	9106
17	310115607280598	上海宝信软件股份有限公司	31	7684
18	440106755585983	广州博冠信息科技有限公司	44	7399
19	110107666279917	北京畅游时代数码技术有限公司	11	7360
20	110108600001760	用友软件股份有限公司	11	6833
21	110105739350746	北京中电华大电子设计有限责任公司	11	6541
22	310109607417785	西门子产品管理软件（上海）有限公司	31	6539
23	310115631587178	上海盛大网络发展有限公司	31	5808
24	440106618514927	广州网易计算机系统有限公司	44	5471
25	110108760146299	北京完美时空网络技术有限公司	11	5382
26	350105746378376	福建天晴数码有限公司	35	4965
27	320111768166657	南京盛大网络发展有限公司	32	4729
28	110108801145015	北京联想软件有限公司	11	4685
29	310115734572833	银联商务有限公司	31	4677
30	110108722603532	北京交大微联科技有限公司	11	4576
31	51019878811386X	成都金山数字娱乐科技有限公司	51	4475
32	310103X07245932	思爱普（北京）软件系统有限公司上海分公司	31	4343
33	310108791487395	恩智浦半导体（上海）有限公司	31	4030
34	110108733458879	北京同方微电子有限公司	11	3757

续表

序号	企业代码	企业名称	地区	实纳税额
35	210211241765653	大连华信计算机技术股份有限公司	21	3746
36	440301723049318	卓望数码技术（深圳）有限公司	44	3743
37	110107802085421	北京易华录信息技术股份有限公司	11	3488
38	440300788345126	博采林电子科技（深圳）有限公司	44	3447
39	11010875820340X	赛门铁克软件（北京）有限公司	11	3439
40	110105600088173	北京乐金系统集成有限公司	11	3284
41	440301774123469	深圳中兴力维技术有限公司	44	3283
42	110108762152377	北京视博数字电视技术有限公司	11	3277
43	330165754400107	杭州和利时自动化有限公司	33	3254
44	310114772120643	百度在线网络技术有限公司上海分公司	31	3070
45	110108600042650	亚信科技（中国）有限公司	11	3070
46	440106788923141	汇丰软件开发（广东）有限公司	44	3038
47	110108102019669	北京市华铁信息技术开发总公司	11	2863
48	210204751587658	国际商业机器科技（深圳）公司大连分公司	21	2744
49	110108766260666	航天信息系统工程（北京）有限公司	11	2714
50	310115747253671	上证所信息网络有限公司	31	2643
51	110108102043722	中国软件与技术服务股份有限公司	11	2605
52	330193253932914	恒生电子股份有限公司	33	2580
53	350111733599532	福州瑞芯微电子有限公司	35	2518
54	440301618839254	金蝶软件（中国）有限公司	44	2487
55	110105717740495	三星数据系统（中国）有限公司	11	2467
56	110108717745819	北京高阳圣思园信息技术有限公司	11	2427
57	411001755150269	许昌许继软件技术有限公司	41	2405
58	310105773278100	携程旅游网络技术（上海）有限公司	31	2387
59	110108769350720	同方知网（北京）技术有限公司	11	2385
60	11010876420170X	文思创新软件技术有限公司	11	2329
61	110108600059903	日电信息系统（中国）有限公司	11	2318
62	350102611301021	福建富士通信息软件有限公司	35	2261
63	440300279332044	深圳市网域计算机网络有限公司	44	2248
64	110108756011228	北京天拓天宝科技有限公司	11	2226
65	330194719572798	浙江建达科技股份有限公司	33	2222
66	11010860004164X	北京北大方正电子有限公司	11	2200
67	310230744918981	上海欣能信息科技发展有限公司	31	2177
68	131011754030759	廊坊新奥软件科技有限公司	13	2152
69	44030177411428X	深圳市元征软件开发有限公司	44	2125
70	110108762962441	北京永新视博数字电视技术有限公司	11	2023
71	110108773350846	北京鼎事兴教育咨询有限公司	11	2010

续表

序号	企业代码	企业名称	地区	实纳税额
72	110114726376752	高德软件有限公司	11	1976
73	11010578481938X	北京兴大豪信息技术有限公司	11	1974
74	110108101205304	北京和利时系统工程有限公司	11	1956
75	110108801146341	北京先进数通信息技术有限公司	11	1935
76	310104X07250301	微软（中国）有限公司上海分公司	31	1911
77	110192788601492	联通系统集成有限公司	11	1889
78	110108745467123	北京四维图新科技股份有限公司	11	1883
79	440401739886858	珠海翔翼航空技术有限公司	44	1869
80	310106729393785	亿迅（中国）软件有限公司	31	1854
81	440301782786553	捷开通讯（深圳）有限公司	44	1850
82	110108761434217	世纪丽康（北京）科技有限公司	11	1820
83	210211792041854	大连海工装备技术有限公司	21	1777
84	51010663314141X	成都三泰电子实业股份有限公司	51	1764
85	110106749357597	北京智控美信信息技术有限公司	11	1727
86	11010870000837X	全美测评软件系统（北京）有限公司	11	1723
87	440301708456361	阿尔斯通创为实技术发展（深圳）有限公司	44	1719
88	320106765283321	南京朗讯科技通信有限公司	32	1704
89	110108773350838	北京砍石高科技有限公司	11	1700
90	110107666905121	北京畅游天下网络技术有限公司	11	1674
91	44040170778462X	珠海优特电力科技股份有限公司	44	1644
92	110105717740401	安捷伦科技软件有限公司	11	1620
93	110105600087330	毕益辉系统（中国）有限公司	11	1595
94	110108722618881	北京东华合创数码科技股份有限公司	11	1567
95	51019870927392X	成都卫士通信息产业股份有限公司	51	1558
96	110108600035637	中讯计算机系统（北京）有限公司	11	1547
97	510198732356360	亚信科技（成都）有限公司	51	1542
98	530112709763144	昆明昆船物流信息产业有限公司	53	1497
99	320200661313725	无锡软件产业发展有限公司	32	1491
100	370102705957005	山东中创软件工程股份有限公司	37	1491

全国日用化学品制造业纳税百强排行榜

单位：万元

序号	企业代码	企业名称	地区	实纳税额
1	440101618404218	广州宝洁有限公司	44	389537
2	440101618419487	安利（中国）日用品有限公司	44	301402
3	310043710938474	上海赛科石油化工有限责任公司	31	56583
4	31011260727223X	强生（中国）有限公司	31	47094
5	340104607408459	联合利华（中国）有限公司	34	33307
6	440101618478401	安美特（中国）化学有限公司	44	21859
7	310229607299782	妮维雅（上海）有限公司	31	19897
8	321700754637964	优美科汽车催化剂（苏州）有限公司	32	19287
9	429004757003107	湖北丝宝日化有限公司	42	10603
10	310115607202864	上海庄臣有限公司	31	10044
11	420114711931055	丝宝精细化工（武汉）有限公司	42	9760
12	310226607335456	帝斯曼维生素（上海）有限公司	31	8369
13	411330796786781	桐柏安棚碱矿有限责任公司碱业分公司	41	8215
14	310115607372126	默克化工科技（上海）有限公司	31	8041
15	440401743661301	珠海联成化学工业有限公司	44	6751
16	120113600572512	天津长捷化工有限公司	12	6581
17	130611106060159	河北康达有限公司	13	6527
18	510182723425301	成都华融化工有限公司	51	6221
19	321101729022378	汽巴精化（江苏）有限公司	32	6106
20	320281703520088	南荣石油化工（江阴）有限公司	32	5601
21	44011272562876X	广州蓝月亮实业有限公司	44	5550
22	440101708308131	广州安利日用品制造有限公司	44	4281
23	320704731174602	罗盖特（中国）精细化工有限公司	32	4167
24	310115607401054	庄臣泰华施贸易（上海）有限公司	31	4112
25	37230876873903X	山东省博兴县恒利工贸有限公司	37	4098
26	120115600542970	威娜化妆品（中国）有限公司	12	3972
27	320200607913527	无锡罗地亚精细化工有限公司	32	3951
28	120116764342553	天津新龙桥工程塑料有限公司	12	3848
29	411000615100091	天昌国际烟草有限公司	41	3838
30	350402155598086	三明市三钢煤化工有限公司	35	3720
31	321700718581713	贝侬生化（苏州工业园区）有限公司	32	3627
32	320112608948174	沙索（中国）化学有限公司	32	3468
33	120111600892567	天津宝洁工业有限公司	12	3402
34	310226607223817	上海福新化工有限公司	31	3313

续表

序号	企业代码	企业名称	地区	实纳税额
35	310112607211242	上海环球分子筛有限公司	31	3184
36	440112723773883	广州天赐高新材料股份有限公司	44	3181
37	350505158165964	福建湄洲湾氯碱工业有限公司	35	3092
38	440783617755497	罗赛洛（广东）明胶有限公司	44	3089
39	532301709823549	云南燃二化工有限公司	53	2949
40	310228132154909	上海奥科化学品有限公司	31	2855
41	45020419863549X	柳州市两面针旅游用品厂	45	2848
42	37078376003350X	山东天力药业有限公司	37	2727
43	110112600006983	北京宝洁洗涤用品有限公司	11	2538
44	320200607974223	脱普日用化学品（中国）有限公司	32	2467
45	320114249703633	南京格灵化工有限公司	32	2377
46	469023760375059	上海家化海南日用化学品有限公司	46	2308
47	31011260722975X	上海花王有限公司	31	2286
48	330702757051088	浙江忠鹏化工有限公司	33	2232
49	442000617592747	广东中山爱美高特种化工有限公司	44	2166
50	310112607330604	上海花王化学有限公司	31	2165
51	310227762643096	路博润特种化工制造（上海）有限公司	31	2162
52	320601720586820	江苏东洋之花化妆品股份有限公司	32	2052
53	440301618810005	深圳华美电镀技术有限公司	44	2011
54	320400137191821	江苏庄臣同大有限公司	32	1980
55	321027608802335	江苏三笑集团有限公司	32	1923
56	442000734992539	中山市嘉丹婷日用品有限公司	44	1897
57	310229787229174	贝亲母婴用品（上海）有限公司	31	1894
58	350802158166457	福建红狼实业有限责任公司	35	1858
59	32083171158660X	江苏爱特福气雾剂有限公司	32	1778
60	44030661890815X	深圳市彩虹精细化工股份有限公司	44	1771
61	440582707646227	广东熊猫日化用品有限公司	44	1770
62	441900618353422	东莞宝丽美化工有限公司	44	1752
63	211004121993766	辽阳石油化纤公司亿方工业公司	21	1650
64	14011575154763X	玫琳凯（中国）化妆品有限公司山西分公司	14	1609
65	440901771887180	茂名实华东升化工有限公司	44	1573
66	32020076829267X	无锡润奥动力机械实业有限公司	32	1564
67	610198294468417	西安开米股份有限公司	61	1531
68	440682712339782	佛山市南海霸力化工制品有限公司	44	1501
69	650106763789409	新疆金石沥青股份有限公司	65	1479
70	510108201940154	成都光明光电股份有限公司	51	1474
71	310229762617920	三养工程塑料（上海）有限公司	31	1383

续表

序号	企业代码	企业名称	地区	实纳税额
72	421182180414357	湖北祥云（集团）化工股份有限公司	42	1378
73	360502767027313	新余新钢气体有限责任公司	36	1373
74	33072314751660X	浙江正点实业有限公司	33	1362
75	320925140613466	江苏克胜集团股份有限公司	32	1358
76	442000794604876	中山榄菊日化实业有限公司	44	1317
77	442000618127548	泰华施利华清洁用品广东有限公司	44	1306
78	210403732305651	抚顺北方化工有限责任公司	21	1279
79	440301767572119	林德气体（深圳）有限公司	44	1253
80	441283735033073	太尔胶粘剂（广东）有限公司	44	1218
81	310115703012163	普莱克斯（上海）半导体气体有限公司	31	1201
82	330681146290688	李字实业集团有限公司	33	1129
83	120115600558796	比欧西气体（天津）有限公司	12	1126
84	320621796132171	江苏天成生化制品有限公司	32	1122
85	522701722103239	贵州宏福剑峰化工股份有限公司	52	1113
86	420502707097096	宜昌新美国际化妆品有限公司	42	1094
87	331003148198797	浙江章华保健美发实业有限公司	33	1069
88	320581142022782	江苏天泽化工有限公司	32	1063
89	14232270112484X	文水县振兴化肥有限公司	14	1061
90	330181743493109	杭州传化花王有限公司	33	1052
91	152301776115593	内蒙古霍煤通顺碳素有限责任公司	15	1038
92	610822713558143	天桥集团府谷电石股份有限公司第一分公司	61	1009
93	440101726824842	特普莱（广州）科技电池有限公司	44	1006
94	320585758965762	苏州泰珠科技发展有限公司	32	964
95	33018175174780X	浙江胜达祥伟化工有限公司	33	961
96	37028375692924X	青岛黄金铅锌开发有限公司	37	925
97	331082147953906	临海市利民化工有限公司	33	923
98	440301774116808	深圳誉通石化科技有限公司	44	922
99	330305145062026	浙江俊尔新材料有限公司	33	918
100	440191716352765	广州温雅日用化妆品有限公司	44	917

全国汽车制造业纳税百强排行榜

单位：万元

序号	企业代码	企业名称	地区	实纳税额
1	220104605120697	一汽－大众汽车有限公司	22	930128
2	310046607371748	上海通用汽车有限公司	31	720529
3	120115710939151	天津一汽丰田汽车有限公司	12	675629
4	310046607200463	上海大众汽车有限公司	31	571398
5	440194717852200	广州丰田汽车有限公司	44	513123
6	440112708263885	广州本田汽车有限公司	44	498305
7	420101616401865	东风本田汽车有限公司	42	471415
8	440114749934315	东风汽车有限公司东风日产乘用车公司	44	395501
9	500904709375109	长安福特马自达汽车有限公司	50	393980
10	510108713006509	四川一汽丰田汽车有限公司	51	358864
11	110222710935986	北京现代汽车有限公司	11	285973
12	210104746494975	华晨宝马汽车有限公司	21	263537
13	110192600003205	北京奔驰－戴姆勒·克莱斯勒汽车有限公司	11	213920
14	420101616412935	神龙汽车有限公司	42	211110
15	220104244976413	一汽轿车股份有限公司	22	158813
16	440114732987664	广州风神汽车有限公司	44	144341
17	450200708731386	上汽通用五菱汽车股份有限公司	45	125234
18	320901608606625	东风悦达起亚汽车有限公司	32	117963
19	210104604606804	上海通用（沈阳）北盛汽车有限公司	21	116067
20	220104776551133	四川一汽丰田汽车有限公司长春丰越公司	22	76344
21	500902621900167	重庆长安铃木汽车有限公司	50	75424
22	420601735211503	风神襄樊汽车有限公司	42	74187
23	360108612446943	江铃汽车股份有限公司	36	66286
24	370602710936591	上海通用东岳汽车有限公司	37	65079
25	430121183802099	湖南长丰汽车制造股份有限公司	43	61377
26	350121611007201	东南（福建）汽车工业有限公司	35	59768
27	210104604603259	沈阳华晨金杯汽车有限公司	21	56944
28	340123733037089	安徽江淮汽车股份有限公司商务车分公司	34	55269
29	50010520286320X	重庆长安汽车股份有限公司	50	49033
30	110227742624357	北汽福田汽车股份有限公司北京欧曼重型汽车厂	11	43466
31	320102608942178	南京依维柯汽车有限公司	32	43335
32	420101717869088	东风汽车有限公司	42	37029
33	431103768004930	湖南长丰汽车制造股份有限公司永州分公司	43	34482
34	410104170001401	郑州宇通客车股份有限公司	41	33548

续表

序号	企业代码	企业名称	地区	实纳税额
35	460100760375980	一汽海马汽车有限公司	46	32752
36	610190294204008	比亚迪汽车有限公司	61	32463
37	410122614712838	郑州日产汽车有限公司	41	31669
38	420301751003819	东风汽车有限公司东风商用车公司	42	30136
39	450200198606509	东风柳州汽车有限公司	45	28743
40	370103706266513	中国重汽集团济南卡车股份有限公司	37	27805
41	371082724251075	荣成华泰汽车有限公司	37	26576
42	321081785971412	上海汽车集团股份有限公司乘用车仪征分公司	32	24527
43	500902621909196	庆铃汽车股份有限公司	50	22358
44	320121671342351	上海大众汽车有限公司南京分公司	32	22088
45	120114103071899	天津一汽夏利汽车股份有限公司	12	20666
46	36020161271096X	江西昌河铃木汽车有限责任公司	36	17825
47	310046132260250	上海汽车集团股份有限公司	31	17165
48	330206734272689	浙江吉利美日汽车有限公司	33	16371
49	42060670689187X	东风汽车股份有限公司	42	16287
50	370206163567343	一汽解放青岛汽车厂	37	16135
51	220106743028725	一汽解放汽车有限公司	22	13594
52	130682738724320	河北长安汽车有限公司	13	13043
53	610197741272070	陕西重型汽车有限公司	61	11968
54	500111745344545	上汽依维柯红岩商用车有限公司	50	11588
55	360108612411441	江铃五十铃汽车有限公司	36	10884
56	110108710933948	中国南方工业汽车股份有限公司	11	10746
57	150240626441422	内蒙古北方重型汽车股份有限公司	15	9640
58	370782869746386	北汽福田汽车股份有限公司诸城汽车厂	37	9506
59	420101100011516	东风汽车公司	42	9053
60	310114717855401	上海大众动力总成有限公司	31	8971
61	37018172624213X	中国重汽集团济南商用车有限公司	37	8415
62	331004759093054	浙江豪情汽车制造有限公司第一汽车制造分公司	33	7924
63	530111713404849	昆明云内动力股份有限公司	53	7703
64	420302751016046	东风渝安车辆有限公司	42	7637
65	210603744314221	丹东黄海汽车有限责任公司	21	7546
66	310046710939282	上海申沃客车有限公司	31	6787
67	510112201933587	成都一汽汽车有限责任公司	51	5994
68	152703776105272	荣成华泰汽车有限公司鄂尔多斯市分公司	15	5829
69	532901763872771	云南力帆骏马车辆有限公司	53	5787
70	500904784204182	重庆力帆乘用车有限公司	50	5701
71	44030066415933X	比亚迪汽车有限公司深圳分公司	44	5555

续表

序号	企业代码	企业名称	地区	实纳税额
72	370782796192756	北汽福田汽车股份有限公司诸城奥铃汽车厂	37	5446
73	320124721760296	南京长安汽车有限公司	32	5437
74	220211124483278	一汽吉林汽车有限公司	22	5109
75	230198607161978	哈飞汽车股份有限公司	23	4664
76	370783165718774	山东凯马汽车制造有限公司	37	4649
77	320106733162445	南京汽车集团有限公司	32	4326
78	450300619384511	桂林大宇客车有限公司	45	3805
79	512002206800468	资阳市南骏汽车有限责任公司	51	3766
80	330784781849807	成都新大地汽车有限责任公司永康众泰分公司	33	3744
81	420606722040434	东风襄樊旅行车有限公司	42	3736
82	110105710939119	沃尔沃（中国）投资有限公司	11	3691
83	440114781238731	东风汽车有限公司东风日产发动机分公司	44	3549
84	430121712155924	北汽福田汽车股份有限公司长沙汽车厂	43	3546
85	360107787250192	江铃控股有限公司陆风分厂	36	3524
86	500112750087889	重庆恒通客车有限公司	50	3291
87	420301744612130	东风（十堰）特种商用车有限公司	42	3220
88	370105614140905	中国重型汽车集团有限公司	37	3148
89	610390735380518	宝鸡华山工程车辆有限责任公司	61	3137
90	330702726627232	青年汽车集团有限公司	33	3127
91	320121771256469	长安福特马自达汽车有限公司南京公司	32	3126
92	510500744681558	四川长江工程起重机有限责任公司	51	3119
93	610114623101502	西安西沃客车有限公司	61	3102
94	440101753466358	本田汽车（中国）有限公司	44	3090
95	330702609710301	金华青年汽车制造有限公司	33	3021
96	370684792453955	包头北奔重型汽车有限公司蓬莱分公司	37	3008
97	340104661431182	合肥昌河汽车有限责任公司	34	3007
98	110222748819710	北京汽车制造厂有限公司顺义汽车厂	11	3000
99	150230239895862	包头北奔重型汽车有限公司	15	2799
100	360401759960963	江西昌河铃木汽车有限责任公司九江分公司	36	2793

全国啤酒制造业纳税百强排行榜

单位：万元

序号	企业代码	企业名称	地区	实纳税额
1	370202163615667	青岛啤酒股份有限公司	37	86029
2	35030373565446X	英博雪津啤酒有限公司	35	50396
3	440101745962482	广州珠江啤酒股份有限公司	44	47593
4	110222633646901	北京燕京啤酒股份有限公司	11	39095
5	450300198857017	燕京啤酒（桂林漓泉）股份有限公司	45	29874
6	420101616400141	百威（武汉）国际啤酒有限公司	42	29260
7	210106604608201	华润雪花啤酒（辽宁）有限公司	21	21733
8	500905202823566	重庆啤酒股份有限公司	50	20366
9	610112294463050	青岛啤酒西安汉斯集团有限公司	61	19241
10	230190607170460	哈尔滨啤酒有限公司	23	19000
11	350521158164558	福建省燕京惠泉啤酒股份有限公司	35	18077
12	330181142936883	华润雪花啤酒（浙江）有限公司	33	17639
13	420112616432207	华润雪花啤酒（武汉）有限公司	42	16072
14	220302791137723	四平金士百啤酒股份有限公司	22	13104
15	440683719230085	青岛啤酒（三水）有限公司	44	12174
16	371328787157529	山东新银麦啤酒有限公司	37	11780
17	440306618841899	深圳青岛啤酒朝日有限公司	44	11400
18	220203702205174	华润雪花啤酒（吉林）有限公司	22	10622
19	370212718067714	青岛啤酒第五有限公司	37	10598
20	331023761314530	浙江英博石梁啤酒有限公司	33	10362
21	440421712237858	青岛啤酒（珠海）有限公司	44	10141
22	36010861244928X	南昌亚洲啤酒有限公司	36	10071
23	32048173252108X	重庆啤酒集团常州天目湖啤酒有限公司	32	10055
24	46010062000810X	海南亚洲太平洋酿酒有限公司	46	9932
25	330300609312901	英博双鹿啤酒集团有限公司	33	9837
26	110222802498250	北京燕京啤酒股份有限公司一分公司	11	9375
27	210204726018058	大连华润棒棰岛啤酒有限公司	21	9100
28	370783726217137	青岛啤酒（寿光）有限公司	37	8898
29	21020460485930X	华润雪花啤酒（大连）有限公司	21	8858
30	330227254075854	浙江英博浙东啤酒有限公司	33	8567
31	230183727692976	华润雪花啤酒（哈尔滨）有限公司	23	8352
32	210282604822611	中粮麦芽（大连）有限公司	21	8191
33	350403155583917	英博雪津（三明）啤酒有限公司	35	8180
34	620103762398326	兰州黄河嘉酿啤酒有限公司	62	8024

续表

序号	企业代码	企业名称	地区	实纳税额
35	321700608197788	华润雪花啤酒（江苏）有限公司	32	8008
36	34032172333694X	华润雪花啤酒（安徽）有限公司蚌埠分公司	34	7918
37	420801615406293	英博金龙泉啤酒（湖北）有限公司	42	7915
38	440682770168176	广东燕京啤酒有限公司	44	7698
39	21028272886934X	大连大雪啤酒股份有限公司	21	7660
40	150203239803817	燕京啤酒（包头雪鹿）股份有限公司	15	7630
41	510114709225995	华润雪花啤酒（四川）有限公司	51	7616
42	510703620966375	华润雪花啤酒（绵阳）有限公司	51	7558
43	210301701528350	华润雪花啤酒（鞍山）有限公司	21	7491
44	120113600586447	华润雪花啤酒（天津）有限公司	12	7295
45	450991768941051	燕京啤酒（玉林）有限公司	45	7200
46	33022673699129X	重庆啤酒集团宁波大梁山有限公司	33	7081
47	230111781304436	华润雪花啤酒（黑龙江）有限公司	23	7077
48	340104723337854	华润雪花啤酒（安徽）有限公司合肥分公司	34	6992
49	441900765724131	华润雪花啤酒（广东）有限公司	44	6924
50	310112607213598	上海亚太酿酒有限公司	31	6908
51	331122753956154	燕京啤酒（浙江仙都）有限公司	33	6882
52	320400773797752	华润雪花啤酒（常州）有限公司	32	6708
53	320683608369578	江苏大富豪啤酒有限公司	32	6603
54	231090606526701	哈尔滨啤酒（牡丹江镜泊）有限公司	23	6592
55	310227607335042	青岛啤酒上海松江有限公司	31	6320
56	210106604622505	华润雪花啤酒（沈阳）有限公司	21	6244
57	342425760848880	华润雪花啤酒（舒城）有限公司	34	6240
58	210703716458121	哈尔滨啤酒（锦州）有限公司	21	6137
59	150402114793870	燕京啤酒（赤峰）有限责任公司	15	5990
60	220122730754840	华润雪花啤酒（长春）有限公司	22	5904
61	330127704270420	杭州千岛湖啤酒有限公司	33	5882
62	441201617842531	肇庆蓝带啤酒有限公司	44	5829
63	330382145490717	浙江英博雁荡山啤酒有限公司	33	5738
64	341201772820068	华润雪花啤酒（阜阳）有限公司	34	5715
65	510682620898093	华润雪花啤酒（德阳）有限公司	51	5647
66	130103236032199	石家庄嘉禾啤酒有限责任公司	13	5632
67	32058371150466X	三得利啤酒（昆山）有限公司	32	5626
68	330195609121064	杭州西湖啤酒朝日（股份）有限公司	33	5616
69	650104722378224	新疆乌苏啤酒有限责任公司	65	5358
70	230602728945955	哈尔滨啤酒（大庆晓雪）有限公司	23	5272
71	130203743434117	百威啤酒（唐山）有限公司	13	5239

续表

序号	企业代码	企业名称	地区	实纳税额
72	441302617897700	嘉士伯啤酒（广东）有限公司	44	5227
73	360111769780974	英博雪津（南昌）啤酒有限公司	36	5156
74	370881613672133	燕京啤酒（曲阜三孔）有限责任公司	37	5130
75	320582704062349	江苏张家港酿酒有限公司	32	5127
76	513401784746838	华润雪花啤酒（西昌）有限公司	51	5088
77	41030361480170X	洛阳亚洲啤酒有限公司	41	5072
78	371102613804060	青岛啤酒（日照）有限公司	37	5048
79	110104600025359	北京五星青岛啤酒有限公司	11	4961
80	210403761815941	辽宁天湖啤酒有限责任公司	21	4895
81	330125782385100	华润雪花啤酒（杭州）有限公司	33	4884
82	532901709843750	大理啤酒有限公司	53	4781
83	44030161880000X	深圳金威啤酒有限公司	44	4739
84	370902724280036	山东泰山啤酒有限公司	37	4730
85	350221705499817	青岛啤酒（厦门）有限公司	35	4681
86	152123701467332	华润雪花啤酒（呼伦贝尔）有限公司	15	4565
87	230890606542277	哈尔滨啤酒（佳木斯佳凤）有限公司	23	4521
88	370105613204145	济南卢堡啤酒有限公司	37	4498
89	511181723248907	华润雪花啤酒（乐山）有限公司	51	4469
90	211121744313130	华润雪花啤酒（盘锦）有限公司	21	4468
91	152101115239169	海拉尔啤酒集团有限责任公司	15	4449
92	450100619309765	南宁青岛啤酒有限公司	45	4437
93	511002621050924	华润雪花啤酒（内江）有限公司	51	4381
94	370283706486962	青岛啤酒第三有限公司	37	4378
95	440306618924731	深圳金威啤酒酿造有限公司	44	4335
96	610502994962096	青岛啤酒渭南有限责任公司	61	4330
97	320200607912460	华润雪花啤酒（无锡）有限公司	32	4289
98	440401632804138	麒麟啤酒（珠海）有限公司	44	4266
99	320300720618802	青岛啤酒（徐州）彭城有限公司	32	4260
100	640122715051952	宁夏西夏嘉酿啤酒有限公司	64	4150

全国煤炭及制品批发业纳税百强排行榜

单位：万元

序号	企业代码	企业名称	地区	实纳税额
1	152701772221612	中国神华能源股份有限公司东胜结算部	15	359728
2	140604811410505	平朔煤炭工业公司运销公司	14	124539
3	110105710934289	中国中煤能源股份有限公司	11	110154
4	120115600539026	天津俊安煤焦化工有限公司	12	102142
5	370403164446404	枣庄矿业（集团）有限责任公司	37	96939
6	310115775768541	上海中煤华东有限公司	31	85065
7	152721767895014	中国神华能源股份有限公司准格尔运销公司	15	30433
8	440106708227390	广州大优煤炭销售有限公司	44	30156
9	450681667025839	东兴市金源百和贸易有限公司	45	29749
10	320322677603110	江苏大屯煤炭贸易有限公司	32	28874
11	140107724600378	山西三联正丰国际贸易有限公司	14	26390
12	411281706779589	义马煤业（集团）有限责任公司	41	25852
13	330206764503935	浙江浙能富兴燃料有限公司	33	25402
14	140581748587294	晋城市高平公路煤炭销售有限公司	14	24329
15	440106190326035	广东省电力工业燃料有限公司	44	22393
16	610821223959550	神东天隆集团有限责任公司煤炭运销分公司	61	21090
17	140116110054915	山西焦煤集团国际发展有限公司	14	20270
18	110106765503013	旭阳控股有限公司	11	19647
19	445122193211647	潮州市亚太能源有限公司	44	18490
20	61020292114093X	铜川矿务局煤炭运输销售公司	61	18037
21	440194190524066	广州珠江电力燃料有限公司	44	16895
22	110192769354270	北京五矿利国国际贸易有限公司	11	16373
23	140621770105941	山西中煤顺通煤业有限责任公司	14	16028
24	140624775183287	朔州市津生煤业有限公司	14	15009
25	110105101171669	中国煤炭进出口公司	11	14693
26	140525748598137	晋城市泽州公路煤炭销售有限公司	14	13439
27	440401779988920	珠海秦发贸易有限公司	44	12330
28	140624662379937	山西能源产业集团煤炭有限公司怀仁分公司	14	11994
29	310226797033749	上海鑫世纪恒源电力燃料有限公司	31	11843
30	652701715541310	阿拉山口欣克有限责任公司	65	11779
31	210213787308067	大连彤和经贸有限公司	21	11552
32	140227779558218	左云县小京庄煤炭运销有限公司	14	11176
33	140522748591816	晋城市阳城公路煤炭销售有限公司	14	11040
34	130727757515217	阳原国通煤炭运销有限公司	13	11000

续表

序号	企业代码	企业名称	地区	实纳税额
35	150221670671655	神华集团包头矿业有限责任公司运销集装站	15	10824
36	142302748592552	山西大土河国际贸易有限公司	14	10362
37	321600720656147	张家港保税区发源钢铁炉料贸易有限公司	32	10353
38	140227767144798	山西中泰煤业有限公司	14	10192
39	372324674539352	无棣励通物流有限公司	37	9886
40	140507767106628	晋东南铁路煤炭销售有限公司晋城分公司	14	9847
41	440205617441308	韶关市宜达燃料开发有限公司	44	9829
42	35010215815822X	国投京闽（福建）工贸有限公司	35	9543
43	320281784367360	江阴市运河燃料有限公司	32	9504
44	140227111740685	大同市旧高山煤炭集运站	14	9350
45	520100766084623	永贵能源开发有限责任公司	52	8967
46	150102114121476	内蒙古集通铁路（集团）有限责任公司	15	8828
47	150202772242480	内蒙古伊泰集团有限公司东兴发运站	15	8762
48	310103134545591	上海神华煤炭运销有限公司	31	8679
49	140624781041365	山西中联煤业有限公司	14	7889
50	140111748566557	山西焦炭集团国际贸易有限公司	14	7721
51	14062466041548X	怀仁县联顺玺达煤炭销售有限公司	14	7559
52	131028796586958	河北瑞兴燃料有限公司	13	7534
53	140624111833531	怀仁县南窑煤业有限责任公司	14	7451
54	140211776738539	大同市南郊区塔山煤炭集运站	14	7347
55	140624811416042	山西省朔州矿业公司金沙滩煤炭集运站	14	7151
56	130727760305915	阳原县苏原煤炭经销有限责任公司	13	7139
57	140107788531033	山西华运能源发展集团有限公司	14	7107
58	14233411231037X	山西省煤炭运销总公司吕梁分公司	14	6978
59	140111739338771	山西省焦炭集团有限责任公司	14	6792
60	140621736321181	大同煤矿集团朔州矿业公司岱岳运销站	14	6602
61	140211110519145	山西能源产业集团公司大同南郊集运站	14	6504
62	140624662358298	山西经路源工贸有限公司	14	6457
63	152627752578876	内蒙古华盛煤炭有限责任公司	15	6397
64	140624811855061	山西省朔州市矿业公司南窑出口煤站	14	6370
65	14021175151626X	大同钰源煤炭运销有限责任公司	14	6135
66	130204601058187	河北省唐山市滦通商贸有限公司	13	5980
67	410402169991946	平顶山煤业（集团）有限责任公司	41	5934
68	130728765173851	怀安县乾元能源有限公司	13	5871
69	140227111741418	大同鹊山精煤有限责任公司	14	5823
70	14010674351204X	山西通洲贸易有限公司	14	5806
71	32028176053286X	江阴苏龙电力燃料有限公司	32	5748

续表

序号	企业代码	企业名称	地区	实纳税额
72	231202660249629	黑龙江龙煤矿业集团荣盛国际经贸有限公司	23	5745
73	440183618770672	广州粤和能源有限公司	44	5707
74	320322738254023	徐州东方运销实业集团有限公司	32	5662
75	130225601296871	乐亭县渤港物贸有限公司	13	5660
76	130312723395835	秦皇岛市铭伟经贸有限公司	13	5371
77	140227111740159	山西省煤炭运销总公司大同分公司左云县公司	14	5281
78	31011577577006X	上海鹭翔海陆燃料有限公司	31	5263
79	44020575788491X	韶关市曲江三和贸易有限公司	44	5187
80	140203775183199	山西统配煤炭经销总公司大同发煤站	14	5097
81	140781113036931	山西安泰集团股份有限公司	14	5054
82	140107110014569	山西煤炭进出口集团有限公司	14	5047
83	610890745008031	榆林市榆神煤炭有限责任公司	61	5046
84	13021260107374X	开滦（集团）有限责任公司煤炭运销经营部	13	5035
85	370103752666569	山东广宇能源有限公司	37	5030
86	130727762069194	阳原县京原煤炭运销有限公司	13	4952
87	110105100014063	中煤科技集团公司	11	4889
88	140303676433551	山西国阳新能国际贸易有限公司	14	4852
89	372321778405703	惠民县保运煤炭销售有限责任公司	37	4837
90	142232741066859	山西世德能源集团有限公司	14	4810
91	320923663284040	江苏昆仑能源有限公司	32	4762
92	61082173534658X	陕西陕北矿业神木运销有限公司	61	4723
93	370811739266368	山东恒信集团有限公司	37	4683
94	140321724627271	山西东升煤业集团有限公司	14	4631
95	445224751073251	惠来县华中燃料有限公司	44	4622
96	110227802611161	北京华特安科经贸有限公司	11	4598
97	140108713656245	太原市龙聚煤炭有限公司	14	4573
98	110102796700482	北京大唐燃料有限公司	11	4544
99	150116743862381	内蒙古西蒙煤炭有限责任公司	15	4540
100	140211746014361	山西煤运省外煤焦经销大同有限公司	14	4529

全国综合零售业纳税百强排行榜

单位：万元

序号	企业代码	企业名称	地区	实纳税额
1	310108607372708	上海大润发有限公司	31	32493
2	440301618842912	深圳天虹商场有限公司	44	26752
3	310107607320828	上海联家超市有限公司	31	25394
4	320106134789924	苏果超市有限公司	32	24442
5	330195609122737	杭州大厦有限公司	33	23547
6	310107132230940	农工商超市（集团）有限公司	31	22302
7	320105721756748	金鹰国际商贸集团（中国）有限公司	32	22273
8	110102600013542	百盛商业发展有限公司	11	20756
9	110104101542829	北京菜市口百货股份有限公司	11	20271
10	440102190481772	广州友谊集团股份有限公司	44	19085
11	410105614717452	郑州丹尼斯百货有限公司	41	18694
12	440104190422131	广州市广百股份有限公司	44	18378
13	110108758204138	北京家乐福商业有限公司中关村广场店	11	17941
14	33010314294455X	浙江银泰百货有限公司	33	16913
15	440301618907464	沃尔玛深国投百货有限公司	44	16253
16	440101618421616	广州屈臣氏个人用品商店有限公司	44	16210
17	310115607210055	上海第一八佰伴有限公司	31	15711
18	110108746102994	北京翠微大厦股份有限公司	11	15520
19	330206704881846	三江购物俱乐部股份有限公司	33	14075
20	210202241268278	大商集团股份有限公司	21	13898
21	320103134881640	南京中央商场（集团）股份有限公司	32	13702
22	310115710939493	上海易初莲花连锁超市有限公司	31	13650
23	610103742801536	西安开元商城有限公司	61	13360
24	440301192201295	华润万家有限公司	44	13202
25	110102634384245	北京中友百货有限责任公司	11	13151
26	330165143033993	杭州联华华商集团有限公司	33	12907
27	110109101373009	北京美廉美连锁商业有限公司	11	12795
28	430102763258296	家润多商业股份有限公司	43	12494
29	420101616404089	武汉广场管理有限公司	42	12285
30	110105101782670	北京京客隆商业集团股份有限公司	11	12257
31	110107665601978	北京市大中家用电器连锁销售有限公司	11	12058
32	440106231122961	广东天河城百货有限公司	44	11671
33	510104201930562	成都王府井百货有限公司	51	11173
34	440301710936858	沃尔玛（中国）投资有限公司	44	11148

续表

序号	企业代码	企业名称	地区	实纳税额
35	310104607268898	上海太平洋百货有限公司	31	11030
36	61010271019417X	西安爱家商贸有限公司	61	11017
37	310106717864738	古驰（中国）贸易有限公司	31	10825
38	310101132329342	上海新世界股份有限公司	31	10767
39	37020261434422X	青岛永旺东泰商业有限公司	37	10683
40	110105625905811	北京燕莎友谊商城有限公司	11	10669
41	110105661563601	北京赛特百货有限公司	11	10505
42	110101101305380	北京王府井百货（集团）股份有限公司	11	10473
43	310101132203694	上海百联集团股份有限公司	31	10464
44	420104300085552	武汉中百连锁仓储超市有限公司	42	10199
45	320103134896447	南京新街口百货商店股份有限公司	32	9958
46	110103101500717	北京富海华进出口有限公司	11	9941
47	310106717851371	上海久光百货有限公司	31	9914
48	210102243490294	中兴－沈阳商业大厦（集团）股份有限公司	21	9722
49	320200703514737	无锡商业大厦大东方股份有限公司	32	9688
50	310104607220798	东方商厦有限公司	31	9557
51	110105717865677	华联新光百货（北京）有限公司	11	9335
52	370702163099527	山东潍坊百货集团股份有限公司	37	9219
53	310109607370331	联华超市股份有限公司	31	9120
54	310105631479302	上海国美电器有限公司	31	9095
55	330193143044537	百大集团股份有限公司	33	9085
56	330193143045249	杭州解百集团股份有限公司	33	9068
57	110108102122164	北京双安商场有限责任公司	11	9004
58	130103236047630	北国商城股份有限公司	13	8708
59	230103606111426	黑龙江远大购物中心有限公司	23	8491
60	31010660727864X	上海梅龙镇广场有限公司	31	8437
61	440301782757269	深圳市人人乐商业有限公司	44	8249
62	430103616774151	湖南平和堂实业有限公司	43	8129
63	430105782875193	快乐购物有限责任公司	43	7850
64	350204737887347	厦门市天虹商场有限公司	35	7840
65	32030075142893X	徐州金鹰国际实业有限公司	32	7659
66	210202711321302	大连国际商贸大厦有限公司大连麦凯乐总店	21	7569
67	110105625912499	华糖洋华堂商业有限公司	11	7533
68	310104607200623	上海汇金百货有限公司	31	7450
69	110106700003739	北京家乐福商业有限公司	11	7409
70	310103703190867	上海好得便利有限公司	31	7382
71	440301192172519	深圳市国有免税商品（集团）有限公司	44	7371

续表

序号	企业代码	企业名称	地区	实纳税额
72	32100172521775X	扬州金鹰国际实业有限公司	32	7364
73	640104227693286	银川新华百货商店股份有限公司	64	7342
74	370102267180354	山东银座商城股份有限公司	37	7279
75	610104791690043	西安市人人乐超市有限公司	61	7241
76	420103768082381	武汉武商量贩连锁有限公司	42	7159
77	420111731061034	群光实业（武汉）有限公司	42	7145
78	110103101458416	北京新世界商场	11	7071
79	310103607302195	上海九海百盛广场有限公司	31	7052
80	650103228584428	新疆友好（集团）股份有限公司	65	6839
81	610102220603356	西安民生集团股份有限公司	61	6766
82	371002166697725	山东家家悦集团有限公司	37	6748
83	11010810196866X	北京城乡贸易中心股份有限公司	11	6687
84	220104844043748	长春欧亚集团股份有限公司欧亚商都	22	6682
85	220104605133017	长春卓展时代广场百货有限公司	22	6682
86	220104795211855	吉林省巴黎春天百货有限公司	22	6682
87	320601138331187	文峰大世界连锁发展股份有限公司	32	6349
88	220104753642446	吉林省威宝恒客隆仓储百货有限公司	22	6318
89	210402119349058	大商集团抚顺百货大楼有限公司	21	6264
90	310103607254904	上海屈臣氏日用品有限公司	31	6247
91	320503134793704	苏州人民商场股份有限公司	32	6217
92	120114754813198	天津华润万家生活超市有限公司	12	6174
93	440301618911535	深圳茂业商厦有限公司	44	6170
94	211103122439732	辽宁兴隆百货集团有限公司	21	6129
95	110107710936284	北京沃尔玛百货有限公司	11	6081
96	310101132264454	上海置地广场商厦有限公司	31	5980
97	440301748854831	深圳市茂业百货华强北有限公司	44	5976
98	140106602087262	山西美特好连锁超市股份有限公司	14	5966
99	11010810201661X	北京中北方国际贸易有限公司	11	5913
100	210102604616463	沈阳新世界百货有限公司	21	5840

全国建筑业纳税百强排行榜

单位：万元

序号	企业代码	企业名称	地区	实纳税额
1	110105710934369	中国交通建设股份有限公司	11	56452
2	140111110071184	中铁十二局集团有限公司	14	53993
3	330783147520019	中天建设集团有限公司	33	51476
4	610103220522345	中铁一局集团有限公司	61	47531
5	310104132660027	中交第三航务工程局有限公司	31	46455
6	31011563126503X	中国建筑第八工程局有限公司	31	44775
7	230690129316372	大庆油田建设集团有限责任公司	23	43750
8	310113746502808	上海宝冶建设有限公司	31	43512
9	110105101692827	中国石化工程建设公司	11	41184
10	340111149185525	中铁四局集团有限公司	34	40179
11	211002122027391	中铁十九局集团有限公司	21	37917
12	110106710935003	中国中铁股份有限公司	11	36898
13	410303171075680	中铁隧道集团有限公司	41	33981
14	110116799024088	北京城建三建设发展有限公司京加路项目部	11	31846
15	110108101884765	中铁六局集团有限公司	11	31213
16	110111710921189	中铁建工集团有限公司	11	28955
17	310115631189305	上海建工股份有限公司	31	28410
18	130208661055789	中冶京唐建设有限公司	13	28107
19	420101757013137	中建三局建设工程股份有限公司	42	27654
20	320621138583616	江苏省苏中建设集团股份有限公司	32	27513
21	120116789363043	中冶天工建设有限公司	12	26471
22	330621726624293	浙江宝业建设集团有限公司	33	25460
23	420102177685391	中交第二航务工程局有限公司	42	25314
24	31010113222855X	中交上海航道局有限公司	31	24957
25	110112100024296	中国建筑第二工程局有限公司	11	24657
26	420104615571010	中国葛洲坝集团股份有限公司	42	24595
27	310101133737065	上海东捷建设（集团）有限公司	31	24334
28	12011010375258X	天津二十冶建设有限公司	12	23941
29	310108132237536	上海久隆电力（集团）有限公司	31	23846
30	12011210306009X09X	中铁十八局集团有限公司	12	23245
31	310104132222385	上海隧道工程股份有限公司	31	22895
32	32020073176600X	无锡锡能实业集团有限公司	32	22187
33	140114110104513	中铁三局集团有限公司	14	21745
34	11010710228709X	中铁建设集团有限公司	11	20720

续表

序号	企业代码	企业名称	地区	实纳税额
35	320106249701021	南京苏逸实业有限公司	32	20512
36	140114110070843	中铁十七局集团有限公司	14	20488
37	120107103622427	中交一航局第一工程有限公司	12	20405
38	110106101107173	中国建筑一局（集团）有限公司	11	20217
39	370202163570841	中交一航局第二工程有限公司	37	19742
40	310113754778652	中冶天工上海十三冶建设有限公司	31	19685
41	330204768520599	宁波建工股份有限公司	33	19397
42	440606231927946	广东腾越建筑工程有限公司	44	19315
43	330165142912355	浙江省建工集团有限责任公司	33	18527
44	440606708165900	佛山市顺德区雅骏装饰设计工程有限公司	44	18522
45	310115133504675	上海市第七建筑有限公司	31	17396
46	310115132400807	上海市第一建筑有限公司	31	17078
47	430111183761776	中国水利水电第八工程局有限公司	43	16508
48	310113631896624	中冶成工上海五冶建设有限公司	31	16464
49	440105190433447	中交广州航道局有限公司	44	16382
50	310109133126336	上海绿地建设集团有限公司	31	16226
51	330194253926338	浙江大有实业股份有限公司	33	16166
52	110107633700269	北京首钢建设集团有限公司	11	16114
53	310112133304518	上海市南电力工程有限公司	31	16076
54	110106625906144	中铁电气化局集团有限公司	11	15706
55	41031117108195X	中国石油天然气第一建设公司	41	15570
56	110105101636761	中铁十六局集团有限公司	11	15466
57	420111177693041	中建三局第三建设工程有限责任公司	42	15464
58	510402793968264	中冶实久建设有限公司	51	14681
59	131003104321618	中国石油天然气管道局	13	14656
60	210202118431447	中交一航局第三工程有限公司	21	14656
61	370502864724487	胜利油田胜利工程建设（集团）有限责任公司	37	14619
62	420107177727555	中国第一冶金建设有限责任公司	42	14607
63	130602700671104	河北建设集团有限公司	13	14495
64	519000711886821	四川蜀渝石油建筑安装工程有限责任公司	51	14449
65	370502864731265	中国石化集团胜利石油管理局井下作业公司	37	14430
66	321700608285139	苏州金螳螂建筑装饰股份有限公司	32	14386
67	310113739759277	中国二十冶建设有限公司	31	14269
68	110108101886621	中国新兴建设开发总公司	11	14189
69	110105101715726	中建一局集团建设发展有限公司	11	14105
70	320502137690962	苏州二建建筑集团有限公司	32	13990
71	330165142936138	浙江省长城建设集团股份有限公司	33	13708

续表

序号	企业代码	企业名称	地区	实纳税额
72	500103747472233	中冶赛迪工程技术股份有限公司	50	13698
73	440106190334510	广东省长大公路工程有限公司	44	13503
74	110192783201385	中冶集团华冶资源开发有限责任公司	11	13379
75	320691138290709	南通建工集团股份有限公司	32	13334
76	120107103620456	中交一公局局第六工程有限公司	12	13308
77	420203177573461	中国十五冶金建设有限公司	42	13292
78	440106190527857	广州富利建筑安装工程有限公司	44	13229
79	440112617412056	广东火电工程总公司	44	13050
80	320505251629030	苏州金澄电力实业有限公司	32	12770
81	450901200444546	广西正地建设发展有限公司	45	12656
82	330783704583216	歌山建设集团有限公司	33	12410
83	120107103063602	中国建筑第六工程局有限公司	12	12067
84	44030019219518X	中国华西企业有限公司	44	11900
85	140111110071125	中铁六局集团太原铁路建设有限公司	14	11828
86	120102103203185	中铁十六局集团第二工程有限公司	12	11823
87	140109110071555	中铁十二局集团第三工程有限公司	14	11648
88	450202198614605	广西建工集团第五建筑工程有限责任公司	45	11533
89	14030370107132X	山西太行建设开发有限公司	14	11455
90	320113134891099	中建工业设备安装有限公司	32	11248
91	440105190432495	中交四航局第二工程有限公司	44	11238
92	350102154381424	中建七局第三建筑有限公司	35	11227
93	110101710933817	中国路桥工程有限责任公司	11	11143
94	320583741325742	昆山市锦程实业集团有限公司	32	11008
95	320583138131652	昆山市顺达电力建设有限公司	32	10834
96	440512193050759	汕头市达濠市政建设有限公司	44	10677
97	320400137513376	常州晋陵电力集团有限公司	32	10663
98	440106214401707	中国建筑第四工程局有限公司	44	10518
99	330211720497203	浙江省二建建设集团有限公司	33	10502
100	440300131793587	江苏省华建建设股份有限公司深圳分公司	44	10323